Lise Bouton

cadeau de Carole
Dionne pour
ma fête 2016

D1532282

LA FEMME DU GARDIEN DE ZOO

DIANE ACKERMAN

LA FEMME DU GARDIEN DE ZOO

traduit de l'anglais (États-Unis)
par Jacqueline Odin

l'Archipel

Ce livre a été publié sous le titre
The Zookeeper's Wife
par W. W. Norton & Company Inc., New York.

Notre catalogue est consultable à l'adresse suivante :
www.editionsarchipel.com

Éditions de l'Archipel,
34, rue des Bourdonnais
75001 Paris.

ISBN 978-2-8098-1799-7

Copyright © Diane Ackerman, 2007.
Copyright © L'Archipel, 2015, pour la traduction française.

1

Été 1935

Dans un quartier périphérique de Varsovie, le soleil du petit matin baignait les troncs des tilleuls en fleur et commençait à éclairer les murs blancs de la villa des années 1930 en stuc et en verre, où le directeur du zoo et sa femme dormaient dans un lit en bouleau blanc, bois utilisé pour les pirogues, les abaisse-langue et les chaises Windsor. Sur leur gauche, deux hautes fenêtres couronnaient un rebord assez large pour servir de siège, avec un petit radiateur logé dessous. Des tapis d'Orient réchauffaient le parquet, dont les lames obliques parallèles évoquaient des séries de plumes, et un fauteuil en bouleau occupait un angle de la pièce.

Lorsqu'une brise souleva suffisamment le fin rideau pour que la lumière granuleuse se répande sans projeter d'ombres, des objets à peine visibles relièrent peu à peu Antonina au monde sensible. Bientôt les gibbons se mettraient à pousser des cris, et ensuite se déchaînerait un vacarme durant lequel plus personne ne pourrait dormir, ni étudiant aux yeux de hibou, ni nouveau-né, encore moins la femme du gardien de zoo. Toutes les tâches domestiques habituelles l'attendaient, elle qui était aussi habile en cuisine qu'en peinture ou en couture. Mais il fallait de surcroît résoudre des problèmes particuliers au zoo, problèmes parfois insolites (comme apaiser un bébé hyène) qui constituaient un défi à son savoir et à ses dons.

Son mari, Jan Żabiński, se levait en général avant elle. Il revêtait un pantalon et une chemise à manches longues, glissait une grosse montre à son poignet gauche puis descendait à pas feutrés au rez-de-chaussée. Grand et mince, avec un nez proéminent, des yeux sombres et les épaules musclées d'un travailleur manuel, il était bâti un peu comme le père d'Antonina, Antoni Erdman, ingénieur ferroviaire polonais basé à Saint-Pétersbourg, qui voyageait à travers la Russie dans l'exercice de sa profession. Tout comme Jan, il brillait par ses capacités intellectuelles, au point que lui et sa seconde femme furent fusillés en tant que membres de l'intelligentsia au début de la Révolution russe de 1917, alors qu'Antonina avait seulement neuf ans. Et, comme Antoni, Jan était dans un certain sens un ingénieur, même si les liens qu'il développait étaient entre les gens et les animaux, ainsi qu'entre les gens et leur nature animale.

Ses cheveux clairsemés formant un cercle brun foncé, Jan avait besoin d'un couvre-chef pour se protéger du soleil en été et du froid en hiver, raison pour laquelle il porte en général un chapeau mou sur les photos d'extérieur, ce qui lui donne un air déterminé et solennel. Certaines photos d'intérieur le montrent à son bureau ou dans un studio de radio, les mâchoires crispées par la concentration, la mine susceptible. Même quand il était rasé de près, une légère ombre piquetait son visage, surtout au niveau de la moustache. Une lèvre supérieure charnue, au contour net, présentait le tracé parfait que les femmes créent avec du maquillage, une bouche en «arc de Cupidon»; c'était son unique trait féminin.

Lorsque Antonina devint orpheline, sa tante la scolarisa à plein temps pour qu'elle apprenne le piano au conservatoire de la ville et l'inscrivit aussi dans une école de Tachkent, en Ouzbékistan, d'où elle sortit diplômée à l'âge de quinze ans. Avant que l'année se termine, elles déménagèrent à Varsovie et Antonina suivit des cours de langues, de dessin et de peinture. Elle enseigna un petit peu, réussit un examen d'archiviste et travailla dans le passé étiqueté de l'Institut agronomique de Varsovie, où elle rencontra Jan, zoologiste de onze ans son aîné, qui avait étudié le dessin et la peinture à l'Académie des beaux-arts et partageait son goût à la fois pour les animaux et pour l'art animalier. Quand le poste de directeur de zoo se libéra en 1929 (le directeur fondateur était mort au bout de deux ans), Jan et Antonina sautèrent sur l'occasion de façonner un nouveau zoo et de passer leur vie au milieu des animaux. En 1931, ils se marièrent et s'établirent par-delà le fleuve, à Praga, quartier industriel, pauvre et dur, avec son propre argot des rues, mais à seulement un quart d'heure en tramway du centre.

Dans le passé, les zoos étaient des propriétés privées sources de prestige. N'importe qui pouvait constituer un cabinet de curiosités, mais il fallait des moyens, et un grain de folie, pour réunir le plus gros crocodile, la plus vieille tortue, le rhinocéros le plus lourd et l'aigle le plus rare. Au xviie siècle, le roi Jean III Sobieski avait beaucoup d'animaux exotiques à la Cour ; des nobles fortunés installaient parfois une ménagerie privée sur leur domaine comme signe de richesse.

Durant des années, les scientifiques polonais rêvèrent d'un grand zoo dans la capitale qui puisse rivaliser avec les plus beaux jardins zoologiques d'Europe, d'Allemagne en particulier, dont la splendeur était célèbre dans le monde entier. Les enfants polonais réclamaient eux aussi un zoo. L'Europe avait un patrimoine de contes emplis d'animaux parlant, certains presque réels, d'autres délicieusement inventés, pour enflammer l'imagination des petits et entraîner les grands sur les lieux préférés de leur enfance. Antonina se réjouissait que son zoo offre un orient de créatures légendaires, où les pages des livres prenaient vie et où les gens pouvaient côtoyer les bêtes féroces. Peu d'entre eux auraient la chance de voir un jour des manchots sauvages glisser sur le ventre jusqu'à la mer, ou des porcs-épics dans les Rocheuses du Canada, roulés en boule comme des pommes de pin géantes, et elle pensait que les observer au zoo élargissait la vision de la nature du visiteur, la personnalisait, inculquait des habitudes et des noms. Ici vivait, encagé et traité en ami, l'univers sauvage, ce beau monstre redoutable.

Tous les matins, quand l'aube se levait sur le zoo, un étourneau entonnait un pot-pourri de chants volés, des roitelets produisaient quelques arpèges au loin, des coucous coucoulaient, aussi monotones que des pendules bloquées à l'heure juste. Soudain, les gibbons lançaient des appels de clairon si retentissants que les loups et les chiens de chasse se mettaient à hurler, les hyènes à ricaner, les lions à rugir, les corbeaux à croasser, les paons à criailler, les rhinocéros à barrir, les renards à glapir, les hippopotames à grogner. Puis les gibbons entamaient des duos, cris des mâles entrecoupés de faibles couinements aigus, longues notes sonores des femelles ; le zoo abritait plusieurs couples, qui iodlaient des chants élaborés comprenant ouverture, codas, interludes, duos et solos.

Antonina et Jan avaient appris à vivre au rythme des saisons, non pas selon la simple marche temporelle. Comme la plupart des humains, ils se conformaient bel et bien aux horloges, mais le cours ordinaire de leur existence n'était jamais totalement ordinaire, car constitué de deux réalités compatibles, l'une en accord avec les animaux, l'autre avec les humains. Quand il y avait simultanéité d'événements, Jan rentrait tard et Antonina se réveillait en pleine nuit pour aider un animal à mettre bas, une girafe par exemple – tâche toujours délicate car la mère donne naissance debout, son girafon tombe tête la première. Cela apportait une nouveauté attendue à chaque journée et, même si les problèmes pouvaient être ardus, il en résultait de petits moments de surprise bienvenus.

Dans la chambre conjugale, une porte vitrée donnait sur une vaste terrasse en étage située à l'arrière de la maison, accessible depuis chacune des trois chambres et l'étroite pièce de rangement qu'ils appelaient le grenier. Debout sur la terrasse, Antonina scrutait les flèches des arbres à feuilles persistantes et dominait les lilas plantés près des six hautes fenêtres du séjour pour arrêter la brise soufflant de la rivière et parfumer l'intérieur. Lors des chaudes journées de printemps, les grappes violettes se balançaient comme des encensoirs et un ambre doux et narcotique se diffusait par intermittence, ce qui permettait au nez de se reposer entre les bouffées odorantes. Perché sur cette terrasse, au niveau des ginkgos et des épicéas, on devient une créature des cimes. À l'aube, mille prismes humides ornent le genévrier tandis que l'on regarde au-dessus des branches lourdement chargées d'un chêne, par-delà la maison des faisans, jusqu'à la grille principale du zoo à une cinquantaine de mètres, rue Ratuszowa. Si vous traversez, vous entrez dans le parc Praski, comme de nombreux Varsoviens le faisaient les jours de chaleur, quand les fleurs jaune crème des tilleuls répandaient dans l'air la senteur entêtante du miel et la rumba des abeilles.

Traditionnellement, les tilleuls captent l'esprit de l'été : *lipa* signifie tilleul et *lipiec* juillet. Jadis consacrés à la déesse de l'Amour, ils devinrent le refuge de Marie quand le christianisme s'imposa, et devant les autels au bord des routes, sous les tilleuls, les voyageurs continuent à la prier de leur apporter le bonheur. À Varsovie, les tilleuls égaient les parcs et entourent les cimetières, les marchés ; des rangées de grands tilleuls casqués de feuilles flanquent les boulevards. Révérées comme servantes de Dieu, les abeilles qu'ils attirent fournissent l'hydromel et le miel pour la table et les chandelles de cire pour les messes, d'où le fait que de nombreuses églises plantaient des tilleuls dans leurs cours. Le lien entre l'Église et les abeilles s'affirma tant que, jadis, au tournant du XVe siècle, les villageois de Mazowsze adoptèrent une loi condamnant à mort les voleurs de miel et les destructeurs de ruches.

À l'époque d'Antonina, les Polonais demeuraient d'ardents défenseurs des abeilles, et Jan avait quelques ruches à l'extrémité du zoo, groupées comme des huttes tribales. Les ménagères mettaient du miel dans le café glacé, l'utilisaient pour préparer la *krupnik*, à base de vodka chaude, le *piernik*, un gâteau légèrement sucré, et les *pierniczki*, des biscuits. Elles buvaient de la tisane de tilleul pour atténuer un rhume ou calmer les nerfs. En cette saison, chaque fois

11

qu'elle traversait le parc pour se rendre à l'arrêt du tramway, à l'église ou au marché, Antonina suivait des allées puissamment embaumées par les fleurs de tilleuls et bruissantes de demi-vérités – dans l'argot local, *lipa* signifiait aussi pieux mensonges.

De l'autre côté du fleuve, les contours de la vieille ville émergeaient de la brume du petit matin telles des phrases écrites à l'encre invisible : d'abord les toits, dont les tuiles creuses en terre cuite se chevauchaient à la manière des plumes de pigeons, puis une rangée de maisons attenantes vert glauque, roses, jaunes, rouges, cuivre et beiges qui bordaient les rues pavées conduisant à la place du marché. Dans les années 1930, un marché de plein air alimentait également le quartier de Praga, vers l'usine de vodka de la rue Ząbkowska conçue pour évoquer un château trapu. Mais il n'était pas aussi joyeux que celui de la vieille ville, où des dizaines de marchands vendaient des produits agricoles, des objets artisanaux et de la nourriture sous des auvents jaunes et brun clair, où les vitrines contenaient de l'ambre de la Baltique et où, pour quelques piécettes, un perroquet dressé vous disait la bonne aventure en puisant dans un petit pot plein de rouleaux de papier.

Immédiatement derrière la vieille ville s'étendait le vaste quartier juif : dédale de rues, femmes coiffées de perruques et hommes portant des papillotes, danses religieuses, mélange de dialectes et d'arômes, boutiques minuscules, soies teintes, bâtiments à toit plat dont les balcons en fer forgé, peints en noir ou en vert mousse, se superposaient comme des loges d'opéra emplies non pas de spectateurs mais de bacs à fleurs et à tomates. On y trouvait aussi un genre particulier de *pierogi*, les épais *kreplach* qu'il faut bien mâcher : des carrés de pâte gros comme le poing que l'on farcit de viande hachée assaisonnée et d'oignons, avant de les pocher, de les cuire au four et de les frire, la dernière étape les glaçant et les durcissant comme des bagels.

Cœur de la culture juive d'Europe orientale, le quartier proposait des pièces de théâtre et des films, des journaux et des magazines, abritait des artistes et des maisons d'édition, des mouvements politiques, des associations sportives et littéraires. Durant des siècles, la Pologne accorda l'asile aux juifs qui fuyaient les persécutions en Angleterre, en France, en Allemagne et en Espagne. Des pièces de monnaie du XIIe siècle présentent même des inscriptions en hébreu. Une légende raconte que les juifs trouvèrent la Pologne attirante parce que le nom du pays rappelait par ses sonorités l'impératif hébreu *po lin*, « reposez-vous ici ». Et pourtant, l'antisémitisme s'infiltrait toujours dans la Varsovie du XXe siècle, qui comptait un million trois cent mille habitants, dont un tiers de juifs. Ceux-ci vivaient principalement dans le quartier juif, mais aussi dans des endroits plus chic à travers toute la ville, même s'ils conservaient en général leurs tenues, leur langue et leur culture distinctives, certains ne parlant pas du tout le polonais.

Un matin d'été, Antonina s'appuyait sur le large rebord du mur de la terrasse, où les carreaux abricot, assez froids pour accueillir la rosée, rendaient humides les manches de son peignoir rouge. Les braillements, hurlements, barrissements et grondements autour d'elle ne venaient pas tous du dehors ; une partie d'entre eux montaient des entrailles souterraines de la villa, d'autres s'échappaient de la galerie, de la terrasse ou du grenier. Les Żabiński partageaient leur maison avec des animaux malades ou nouveau-nés orphelins, outre les animaux familiers, or le nourrissage et le dressage des pensionnaires incombaient à Antonina, et ses protégés réclamaient leur nourriture.

La salle de séjour elle-même n'était pas interdite aux animaux. Avec ses six hautes baies vitrées qui pouvaient facilement passer pour des paysages peints, cette longue pièce étroite brouillait les frontières entre intérieur et extérieur. Contre la cloison, un grand buffet en bois contenait des livres, des journaux, des nids, des plumes, de petits crânes, des œufs, des cornes et divers bibelots. Il y avait un piano, sur un tapis d'Orient, à côté de plusieurs fauteuils massifs aux coussins de tissu rouge. Dans le coin le plus chaud, tout au fond, des carreaux brun sombre ornaient l'âtre et le chambranle de la cheminée, le crâne décoloré d'un bison trônant sur la tablette. D'autres fauteuils étaient placés près des fenêtres, par lesquelles la lumière de l'après-midi entrait à flots.

Un journaliste qui visita la villa pour interviewer Jan s'étonna de voir deux chats pénétrer dans le séjour, le premier avec une patte bandée, le second la queue pansée, suivis d'un perroquet portant un cône métallique autour du cou, puis d'un corbeau boiteux à l'aile cassée. La villa grouillait d'animaux, ce que Jan expliqua simplement : « Il ne suffit pas de faire des recherches à distance. C'est en vivant à proximité des animaux que l'on découvre leur comportement et leur psychologie. » Durant les tournées quotidiennes du zoo à bicyclette, un grand élan appelé Adam escortait Jan de son pas dandinant, inséparable compagnon.

Il se créait une alchimie à vivre dans une pareille intimité avec des êtres tels qu'un lionceau, un louveteau, un bébé singe et un aiglon, car les odeurs, les grattements et les appels animaux se mêlaient aux effluves de cuisine, aux odeurs corporelles, aux bavardages et aux rires humains dans une famille composite logeant sous le même toit. Au début, un nouveau membre de la maisonnée dormait et se nourrissait selon ses anciens horaires, mais la synchronie s'établissait progressivement entre les animaux, à mesure que leurs rythmes convergeaient. Néanmoins, ce n'était pas le cas de leur souffle et, la nuit, le tempo tranquille des respirations et des reniflements produisait une cantate zoologique difficile à transcrire.

Antonina s'identifiait aux animaux, fascinée par la manière dont leurs sens appréhendaient le monde. Elle et Jan apprirent vite à agir et à se déplacer lentement dans le voisinage de prédateurs tels que les chats sauvages, parce que leurs yeux rapprochés leur donnent une perception très précise de la profondeur et que des mouvements rapides non loin d'eux ont tendance à les exciter. Les proies que sont les chevaux et les cerfs jouissent d'une vision panoramique, pour repérer les prédateurs qui avancent vers eux en catimini, mais s'affolent facilement. L'aigle moucheté estropié, attaché dans leur sous-sol, possédait une véritable paire de jumelles. Les jeunes hyènes distinguaient dans l'obscurité complète Antonina qui entrait. D'autres animaux étaient capables de deviner son arrivée, de flairer son odeur, d'entendre le plus léger frou-frou de son peignoir, de sentir le poids de ses pas provoquer d'infimes vibrations sur le parquet, voire de détecter les particules d'air qu'elle déplaçait. Elle enviait la panoplie de leurs sens si anciens et aiguisés ; les Occidentaux qualifiaient de sorcier un humain doté de ces capacités-là.

Antonina aimait beaucoup quitter un instant sa peau humaine pour observer le monde à travers les yeux des différents animaux, et il n'était pas rare qu'elle écrive de ce point de vue, où elle devinait leurs intérêts et leurs aptitudes, y compris ce qu'ils devaient discerner, éprouver, redouter, sentir, se rappeler. Quand elle pénétrait leur esprit, une transmigration de sensibilité se produisait ; comme les bébés lynx qu'elle nourrissait au biberon, elle levait son regard sur un monde peuplé de longs êtres bruyants « aux jambes petites ou grandes, marchant en pantoufles souples ou en chaussures robustes, silencieuses ou sonores, ayant une légère odeur de tissu ou une forte odeur de cirage. Les pantoufles en tissu souple se déplaçaient en silence et en douceur, elles ne heurtaient pas les meubles et on ne craignait rien dans leur voisinage […] [Puis] une tête aux cheveux blonds mousseux apparaissait et deux yeux abrités par de gros verres se penchaient […] Il ne fallut pas longtemps pour s'apercevoir que les pantoufles en tissu souple, la chevelure blonde mousseuse et la voix aiguë étaient un seul et même objet ».

Coutumière de tels déplacements du moi, ses sens accordés aux leurs, elle soignait ses patients avec une curiosité affectueuse, et quelque chose dans cette écoute les mettait à l'aise. Sa singulière faculté à calmer les animaux agités lui valait le respect des gardiens et de son mari, lequel, bien qu'il crût à l'existence d'une explication par la science, n'en trouvait pas moins ce don étrange et mystérieux. Fervent scientifique, Jan attribuait à Antonina les « ondes métaphysiques » d'une empathie quasi chamanique quand il s'agissait des bêtes : « Elle est si sensible, elle lit presque dans leurs pensées [...] Elle *devient* eux [...] Elle a un don précis et peu ordinaire, une façon d'observer et de comprendre les animaux qui est rare, un sixième sens [...] Il en va ainsi depuis qu'elle est enfant. »

Tous les matins dans la cuisine, elle se faisait du thé noir et entreprenait de stériliser les biberons en verre et les tétines en caoutchouc pour les jeunes de la maisonnée, dont deux bébés lynx de Białowieża, la seule forêt primaire restante sur le territoire européen. Les Polonais nomment cet écosystème *puszcza*, terme qui évoque les forêts très anciennes que les mains humaines n'ont pas souillées.

À cheval sur la frontière de la Pologne et de l'actuelle Biélorussie, Białowieża unit les deux pays par les mythes et les populations de cervidés ; elle servait traditionnellement de célèbre terrain de chasse aux rois et aux tsars (qui entretenaient là un beau pavillon) et, à l'époque d'Antonina, était passée dans le domaine des scientifiques, des hommes politiques et des braconniers. Les plus gros animaux terrestres du continent, les bisons d'Europe (ou « des forêts »), s'affrontaient dans ces bois, et leur déclin contribua à l'éveil de l'écologie en Pologne. Antonina, Polonaise bilingue native de Russie, se sentait chez elle au cœur de cet isthme vert qui reliait différentes nations, à marcher dans l'ombre d'arbres vieux de cinq siècles, où la forêt se resserrait, intime, fragile organisme autonome sans frontières visibles. Des hectares intacts de forêt vierge, déclarés inviolables, créent un royaume que les avions survolent à très haute altitude, pour éviter d'effrayer la faune ou de polluer la flore. Un promeneur qui regarderait entre les larges faîtes des arbres apercevrait peut-être un lointain avion virant sur l'aile comme un petit oiseau silencieux.

Quoique interdite, la chasse existait encore, privant de leurs mères des jeunes dont les plus rares spécimens arrivaient en général au zoo dans une caisse étiquetée «animal vivant». Le zoo faisait office de canot de sauvetage et en avril, mai et juin, saison des naissances, Antonina s'attendait à recevoir des rejetons grincheux, ayant chacun son régime alimentaire et ses habitudes spécifiques. Dans des circonstances normales, un louveteau était dorloté par sa mère et les membres de sa famille jusqu'à l'âge de deux ans. Le bébé blaireau, propre et sociable, réagissait bien aux longues promenades et se nourrissait d'insectes et d'herbes. Les marcassins rayés se délectaient de n'importe quels restes. Un faon roux tétait le biberon jusqu'au milieu de l'hiver et glissait, pattes écartées, sur les parquets.

Ses préférés étaient Tofi et Tufa, les lynx âgés de trois semaines, qu'il faudrait nourrir au biberon durant six mois et qui ne seraient pas vraiment indépendants avant un an – et, même alors, ils aimeraient les promenades en laisse dans la rue la plus animée de Praga, sous les yeux écarquillés des passants. Parce qu'il restait très peu de lynx sauvages en Europe, Jan alla lui-même à Białowieża chercher les félins, et Antonina proposa de les élever dans la maison. Lorsque le taxi se gara près de la grille principale un soir d'été, un gardien accourut pour aider Jan à décharger une petite caisse en bois et, à eux deux, ils la transportèrent jusqu'à la villa, où Antonina attendait avec impatience, tenant prêts les biberons de lait maternisé tiède. Quand ils soulevèrent le couvercle, deux minuscules boules de fourrure tachetée fixèrent des yeux furieux sur les visages humains, crachèrent puis se mirent à mordre et à griffer toute main qui s'approchait.

«Nos mains, avec tous ces doigts en mouvement, peuvent les effrayer, chuchota Antonina. Nos voix fortes aussi, et la lumière vive de la lampe.»

Les petits lynx tremblaient, «à demi morts de peur», écrivit-elle dans son journal. Délicatement, elle saisit l'un d'eux par la peau souple et chaude de son cou et, tandis qu'elle le soulevait de la paille, il se tint tranquille et détendu ; elle prit donc le second.

« Ça leur plaît. Ça leur rappelle la mâchoire de leur mère qui les transportait d'un lieu à l'autre. »

Lorsqu'elle les déposa sur le sol de la salle à manger, ils trottinèrent de-ci de-là, explorèrent quelques minutes ce nouveau décor glissant, après quoi ils se cachèrent sous une armoire comme s'il s'agissait d'un surplomb rocheux, reculant peu à peu dans les recoins les plus sombres qu'ils purent trouver.

En 1932, respectant la tradition catholique polonaise, Antonina choisit un nom de saint pour son fils nouveau-né, Ryszard, abrégé en Ryś – mot polonais qui désigne le lynx. Même s'il ne faisait pas partie de sa brigade « quadru-pède, duveteuse ou ailée » du zoo, son fils était un sémillant bébé supplémentaire, qui babillait et s'accrochait comme un singe, progressait à quatre pattes comme un ours, blan-chissait en hiver et fonçait en été comme un loup. L'un des albums d'Antonina décrit trois petits de la maison apprenant simultanément à marcher : son fils, un lion et un chimpanzé. Trouvant tous les jeunes mammifères ado-rables, du rhinocéros à l'opossum, elle régnait telle une mère mammifère elle-même, protectrice de nombreuses autres créatures. L'image n'a rien d'excentrique dans une ville dont le symbole séculaire est moitié femme, moitié bête : une sirène brandissant une épée. Comme le disait Antonina, le zoo ne tarda pas à devenir son « royaume ver-doyant d'animaux sur la rive droite de la Vistule », bruyant éden flanqué par le paysage urbain et le parc.

2

« Il faut arrêter Adolf », insista l'un des gardiens. Jan savait qu'il ne parlait pas d'Hitler mais du meneur des macaques rhésus, Adolf « le kidnappeur », en guerre contre la plus vieille femelle, Marta, dont il avait enlevé et confié le fils à sa partenaire préférée, Nelly, qui avait déjà un petit à elle. « Ce n'est pas juste. Chaque mère doit nourrir son propre bébé. Et pourquoi priver Marta du sien juste pour en donner un second à Nelly ? »

D'autres gardiens présentaient les bulletins de santé des animaux les plus connus du zoo, telles Rose la girafe, Mary la femelle lycaon, Sahib la pouliche, que les enfants pouvaient caresser et qui s'était furtivement introduite dans le pré avec les ombrageux chevaux de Przewalski. Les éléphants développent parfois un herpès sur leur trompe et, en captivité, un rétrovirus aviaire ou une maladie comme la tuberculose se transmet facilement des hommes aux perroquets, aux éléphants, aux guépards, etc., avant de revenir aux hommes – ce plus encore à l'époque de Jan où, les antibiotiques n'existant pas, une grave infection pouvait dévaster une population, aussi bien animale qu'humaine. Il était alors nécessaire d'appeler le vétérinaire du zoo, le Dr Lopatynski, qui arrivait toujours sur sa moto pétaradante, vêtu d'une veste de cuir, coiffé d'une grosse casquette avec de longues oreillettes flottantes, ses joues rougies par le vent et son lorgnon sur le nez.

Quels sujets abordait-on par ailleurs durant les réunions quotidiennes ? Sur une vieille photo du zoo, Jan se tient près d'un vaste enclos pour hippopotames à demi excavé et renforcé par de lourdes membrures en bois, semblables aux couples des coques de bateaux. La végétation à l'arrière-plan évoque l'été. Tout creusage devait être terminé avant que le sol durcisse, ce qui peut se produire dès le mois d'octobre en Pologne; sans doute Jan exigeait-il des rapports sur l'avancement des travaux et pressait-il le contremaître. Les vols constituaient une autre préoccupation; le commerce d'animaux exotiques étant prospère, des gardes armés patrouillaient jour et nuit.

Les nombreux livres et émissions de Jan reflètent sa vision grandiose : il espérait qu'un jour son zoo parviendrait à donner l'illusion des habitats d'origine, où des ennemis naturels partageraient des enclos sans conflit. Pour ce mirage de trêve primitive, il fallait se procurer des hectares de terrain, creuser un réseau de fossés, installer une plomberie ingénieuse. Jan prévoyait un zoo novateur, d'envergure mondiale, au cœur de la vie sociale et culturelle varsovienne, et à un certain moment il envisagea même d'ajouter un parc d'attractions.

Qu'ils soient anciens ou modernes, les zoos ont pour soucis essentiels de préserver la santé physique et mentale des animaux, d'assurer leur sécurité et, surtout, de les maintenir dans un espace clos. Ils accueillent depuis toujours d'habiles artistes de l'évasion, vifs et véloces comme les oréotragues, qui peuvent se projeter par-dessus la tête d'un homme et terminer leur trajectoire sur un rebord rocheux de la taille d'une pièce de monnaie. Puissantes et trapues, ces petites antilopes nerveuses au dos arqué ne pèsent qu'une quinzaine de kilos, mais elles sont agiles et sautent sur l'extrémité de leurs sabots verticaux à la manière des ballerines dansant sur les pointes. Si vous les effarouchez, elles bondissent à travers l'enclos, voire passent la clôture, et, comme n'importe quelles antilopes, elles paraissent montées sur ressort. Selon la légende, en 1919, un Birman inventa l'équivalent humain le plus proche de leurs cabrioles : il fabriqua un bâton sauteur destiné à sa fille pour qu'elle franchisse les flaques sur le chemin de l'école.

Après que le jaguar a failli passer son fossé dans l'actuel zoo de Varsovie, le Dr Rembiszewski a planté une clôture électrique semblable à celle que les agriculteurs utilisent pour éloigner les cervidés de leurs champs – mais beaucoup plus haute et faite sur mesure. Vu l'agencement de l'enclos des félins, il est fort possible que Jan se soit informé du prix et ait discuté de la faisabilité d'une telle clôture.

Tous les matins, son petit-déjeuner avalé, Antonina marchait jusqu'à l'immeuble de bureaux du zoo et attendait les personnages de marque ; outre qu'elle dirigeait la maison et soignait les animaux malades, elle accueillait en effet les hôtes distingués venus de Pologne ou de l'étranger, recevait les représentants du gouvernement et de la presse. Elle agrémentait la visite du zoo d'anecdotes et de curiosités qu'elle puisait dans des livres, des exposés de Jan, ou qu'elle avait observées elle-même. Au long du parcours, ils apercevaient des fragments de marais, de déserts, de bois, de prés et de steppes. Certaines zones demeuraient ombragées, d'autres baignaient dans la lumière, et des arbres, des buissons et des rochers disposés stratégiquement protégeaient des terribles vents hivernaux, qui pouvaient arracher un toit de grange.

Antonina partait de la grille principale donnant sur la rue Ratuszowa, face à une longue allée droite bordée d'enclos où le premier spectacle qui attirait l'œil était un étang rose tremblant : de pâles flamants roses qui se pavanaient, leurs genoux pliés vers l'arrière, leurs becs tels des porte-monnaie noirs. Pas aussi éclatants que les flamants sauvages, qui devenaient corail à force de manger des crustacés, ils étaient suffisamment voyants pour jouer le rôle de réceptionnistes du zoo, et ils émettaient quantité de cris rauques, de grognements et de grondements. Juste derrière se trouvaient des cages de volatiles du monde entier : bruyants spécimens exotiques aux plumes colorées comme les mainates, les marabouts, les aras et les grues couronnées, ainsi que des oiseaux indigènes, par exemple la minuscule chevêchette et le gigantesque grand duc, capable d'emporter un lapin dans ses serres.

Les paons et les daims se promenaient à leur guise dans le zoo, s'éloignant au trot quand des gens arrivaient, comme poussés par une onde invisible. Au sommet d'un monticule herbu, une femelle guépard se chauffait au soleil pendant que ses petits tachetés bondissaient et se battaient à proximité, quelquefois distraits par les daims et les paons en liberté. De telles proies devaient certes représenter une tentation atroce pour des lions, des hyènes, des loups et autres prédateurs encagés, mais elles maintenaient leurs sens aiguisés et ajoutaient un parfum charnel à leur quotidien. Divers oiseaux aquatiques, parmi lesquels des cygnes noirs et des pélicans, flottaient sur un étang en forme de dragon. Sur la gauche, des enclos découverts révélaient des bisons paissant, des antilopes, des zèbres, des autruches, des chameaux et des rhinocéros. Sur la droite, les visiteurs voyaient des tigres, des lions et des hippopotames. Puis, suivant un chemin courbe, ils passaient devant les girafes, les reptiles, les éléphants, les singes, les otaries et les ours. La villa se dressait à proximité, cachée par les arbres, à portée de voix des volières, juste avant les cages des chimpanzés situées à l'est de la zone des manchots.

Les prairies abritaient notamment des lycaons, canidés à longues pattes, excitables, qui ne cessaient de courir, agitaient leurs grosses têtes et flairaient soupçonneusement l'air tout en remuant leurs larges oreilles rigides. Leur nom scientifique, *Canis pictus*, «chien peint», évoque la beauté de leur pelage, aléatoire composition de jaune, de noir et de roux. Mais il ne dit ni leur férocité ni leur endurance : ils peuvent épuiser un zèbre rapide comme l'éclair ou poursuivre une antilope pendant des kilomètres. Le zoo s'enorgueillissait de posséder les premiers en Europe, un vrai trésor, même si, en Afrique, les paysans les considéraient comme de redoutables nuisibles. À Varsovie, ils étaient des saltimbanques pittoresques, aux motifs d'une extrême variété, et la foule se pressait toujours pour les admirer. Le zoo élevait aussi les premiers zèbres de Grévy, originaires d'Abyssinie, qui semblent familiers de prime abord mais on s'aperçoit ensuite que, contrairement aux zèbres des manuels scolaires, ils sont plus grands et ont plus de rayures, avec d'étroites bandes qui convergent à la verticale autour du ventre et descendent à l'horizontale sur les pattes jusqu'aux sabots.

Puis il y avait Tuzinka, encore couverte de duvet, l'un des douze éléphants seulement à être jamais nés en captivité. D'où son nom, dérivé de *tuzin*, qui signifie «douzaine» en polonais. Antonina avait aidé la mère, Kasia, à mettre bas, vers 3 h 30 du matin par une froide nuit d'avril. Dans son journal, elle décrit Tuzinka comme un énorme paquet, le plus gros bébé animal qu'elle eût jamais vu, pesant cent vingt kilos, mesurant presque un mètre, avec des yeux bleus, de fins et doux poils noirs, de grandes oreilles comparables aux pétales d'une pensée, une queue qui semblait trop longue par rapport à son corps – un nouveau-né chancelant, désorienté, tombant dans la profusion sensorielle de la vie. Ses yeux bleus contenaient la même surprise que le regard d'autres nouveau-nés – observant, fascinés, mais déconcertés par tant d'éclat et de fracas.

Pour téter, Tuzinka se plaçait sous sa mère, pattes postérieures fléchies, bouche souple tendue. L'expression de ses yeux indiquait que rien n'existait hormis le flot de lait tiède et les battements de cœur rassurants de sa mère. C'est ainsi que les photographes l'immortalisèrent, en 1937, pour une carte postale en noir et blanc qui eut un très grand succès, tout comme un éléphanteau en peluche. De vieilles photos montrent des visiteurs enchantés tendant la main vers Tuzinka et sa mère, qui étire elle-même sa trompe vers eux, par-delà un petit fossé bordé de courtes pointes métalliques. Puisque les éléphants ne sautent pas, une tranchée profonde et large de un mètre quatre-vingts suffit pour les arrêter, à condition qu'ils ne la remplissent pas de boue, car ils peuvent dès lors la traverser à gué.

Les odeurs animales constituaient le paysage olfactif du zoo, subtiles pour certaines, presque écœurantes pour d'autres au début. En particulier les repères odorants des hyènes, qui retournent leur poche anale et sécrètent une matière nauséabonde. Chaque marque révélatrice persiste environ un mois et un mâle adulte en dépose à peu près cent cinquante par an. Il y a la démonstration de domination de l'hippopotame qui défèque en remuant sa petite queue, projetant de la bouse partout. Les bœufs musqués s'aspergent en général de leur propre urine, et parce que les lions de mer ont de la nourriture pourrissante entre les dents, leur haleine empeste à un mètre. Le kakapo, perroquet au plumage vert qui ne sait pas voler, a une odeur de vieil étui à clarinette. Pendant la saison des amours, les éléphants mâles émettent un fluide très parfumé, produit par une petite glande proche de chaque œil. Les plumes du starique cristatelle, au bec orange et aux yeux blancs remarquables, sentent la mandarine, surtout à la période de reproduction, quand les oiseaux plongent la tête dans le collier de l'autre durant les parades nuptiales. Tous les animaux émettent des signaux olfactifs aussi distincts que des appels, et au bout d'un temps Antonina s'habitua aux puissants arômes de leurs annonces : menaces, invitations et autres messages biologiques.

Antonina était persuadée que les gens avaient besoin de communiquer davantage avec leur nature animale, mais aussi que les animaux «désirent la compagnie humaine, recherchent l'attention humaine», dans une envie mutuelle, en quelque sorte. Ses passages imaginaires dans l'*Umwelt* (monde propre) des animaux bannissaient pour un temps le monde humain, au profit d'un royaume de luttes et de tentatives d'intimidation où les parents disparaissaient soudain. Faire des jeux de poursuite et de culbute avec les bébés lynx, les nourrir au biberon, s'abandonner au léchage râpeux de leurs langues chaudes sur ses doigts et à l'insistant pétrissage de leurs pattes, tandis que le *no man's land* entre sauvage et apprivoisé se réduisait encore plus, l'aidait à forger avec le zoo un lien qu'elle décrivait comme «éternel».

Le zoo offrait en outre à Antonina une chaire pour la protection de l'environnement, une sorte de ministère ambulant, une mission près de la Vistule qui consistait en une tournée des divinités modestes, et elle proposait aux visiteurs un pont unique vers la nature. Mais ils devaient d'abord franchir le pont en treillis qui enjambait la rivière et pénétrer du côté plus nébuleux de la ville. Quand elle leur racontait des histoires captivantes sur les lynx et d'autres animaux, la masse floue, verte et vaste de la Terre se précisait brièvement sous la forme d'un visage ou d'un motif particulier, d'un être portant un nom. Elle et Jan encourageaient aussi les metteurs en scène à monter des spectacles cinématographiques, musicaux et théâtraux dans le zoo, et prêtaient des animaux pour des rôles sur les planches quand on le leur demandait – les lionceaux étaient les plus appréciés. « Notre zoo débordait de vie, écrivit-elle. Nous avions de nombreux visiteurs : des jeunes, des amoureux des animaux, de simples curieux. Nous avions de nombreux partenaires : des universités polonaises et étrangères, le ministère de la Santé, et même l'Académie des beaux-arts. » Des artistes locaux dessinaient les affiches art déco stylisées du zoo, et les Żabiński invitaient des artistes de tout poil à venir libérer leur imagination.

3

Au cours d'une tournée du zoo à bicyclette, Jan laissa un jour Adam l'élan brouter sur la pelouse, parmi les massifs d'arbustes, et entra dans la tiède maison des oiseaux, qui sentait la paille humide et la chaux. Là, une femme menue se tenait près d'une cage, remuant ses coudes dans une imitation des volatiles en train de lisser leurs plumes et de poser. Avec ses cheveux bruns ondulés, son corps ramassé, ses jambes minces dépassant du bas de sa blouse, elle méritait presque d'intégrer elle-même la volière. Sautillant sur un trapèze en hauteur, un perroquet à l'œil laiteux lança : «Comment tu t'appelles? Comment tu t'appelles?» Et, d'une mélodieuse voix flûtée, la femme répéta : «Comment tu t'appelles? Comment tu t'appelles?» Le perroquet se pencha et la scruta, puis tourna la tête et la fixa de son autre œil.

«Bonjour», dit Jan. *Dzień dobry.* C'est par ces mots que les Polonais commençaient la plupart des conversations polies. Elle se présenta, «Magdalena Gross», un nom que Jan connaissait bien, car les sculptures de cette artiste étaient commandées autant par de riches Polonais que par des admirateurs internationaux. Il ignorait qu'elle sculptait des animaux – et pour cause : elle n'en avait encore jamais sculpté. Plus tard, elle raconterait à Antonina que, lors de sa première visite au zoo, elle avait été si captivée que ses mains s'étaient mises à modeler l'air, elle avait donc décidé d'apporter ses outils et de faire un safari; le destin l'avait menée jusqu'à cet enclos plein d'oiseaux profilés comme des trains futuristes. Jan lui déposa un petit baiser sur la main, selon la coutume, et déclara qu'il serait honoré

26

si elle considérait le zoo comme son atelier de plein air et les animaux comme ses turbulents modèles.

D'après tous les témoignages, la grande, svelte et blonde Antonina ressemblait à une Walkyrie au repos, et la brune et petite juive Magdalena pétillait d'énergie. Antonina voyait en Magdalena un charmant mélange de contradictions : catégorique et pourtant vulnérable, audacieuse mais pudique, farfelue et cependant très disciplinée, une amoureuse de la vie – le plus attrayant pour Antonina peut-être, qui était moins impassible et solennelle que Jan. Les deux femmes partageaient la passion de l'art et de la musique, avaient un sens de l'humour comparable, presque le même âge et des amis en commun – telles furent les prémices d'une grande amitié. Que pouvait servir Antonina quand Magdalena venait prendre le thé avec elle ? Un grand nombre de Varsoviens offrent du thé noir et un dessert à leurs invités. Antonina cultivait des roses et faisait beaucoup de confitures, il est donc quasi certain qu'il lui arriva de préparer les pâtisseries traditionnelles polonaises, des beignets moelleux fourrés à la confiture de rose et enrobés d'un savoureux glaçage à l'orange.

Magdalena confia qu'elle se sentait lassée, en mal d'inspiration, son grenier créatif vide, lorsqu'elle se trouva par hasard près du zoo et aperçut un groupe éclatant de flamants roses qui se pavanaient. Derrière eux déambulait un extraordinaire ensemble de bêtes plus étranges encore – des silhouettes fabuleuses, et des teintes plus subtiles que celles obtenues par les peintres. Ce spectacle lui fit l'effet d'une révélation et inspira une série de sculptures animalières qui seraient applaudies dans le monde entier.

Le zoo avait belle allure lorsque l'été 1939 arriva, et Antonina commença d'élaborer des projets pour le printemps suivant : elle et Jan auraient l'honneur d'accueillir à Varsovie la réunion annuelle de l'Association internationale des directeurs de jardins zoologiques. Néanmoins, cela signifiait repousser à la lisière de la conscience des peurs aussi dévastatrices que : *si notre monde est toujours intact*. Presque un an plus tôt, en septembre 1938, quand Hitler s'était emparé des Sudètes, cette partie de la Tchécoslovaquie frontalière de l'Allemagne et peuplée en majorité d'Allemands, la France et la Grande-Bretagne avaient consenti, mais les Polonais s'inquiétaient pour leurs propres frontières. Le territoire germanique cédé à la Pologne entre 1918 et 1922 incluait la Silésie orientale et la région auparavant appelée le couloir poméranien, d'où une séparation effective de la Prusse orientale d'avec le reste de l'Allemagne. Le grand port allemand sur la Baltique, Gdańsk, avait été déclaré « ville libre », ouvert à la fois aux Allemands et aux Polonais.

Un mois après avoir envahi la Tchécoslovaquie, Hitler exigea la restitution de Gdańsk et le droit de construire une route hors du territoire national à travers le couloir. La querelle diplomatique début 1939 conduisit à l'antagonisme en mars, quand Hitler ordonna en secret à ses généraux de « régler la question polonaise ». Les relations entre la Pologne et l'Allemagne se dégradèrent peu à peu et les présages de guerre s'imposèrent aux Polonais, perspective horrifiante mais pas nouvelle. L'Allemagne avait si souvent occupé la Pologne depuis le Moyen Âge, de 1915 à 1918 pour la période la plus récente, que la lutte des Slaves contre les Germains avait acquis le statut de tradition patriotique. Désavantagée par sa situation stratégique en Europe de l'Est, la Pologne avait été envahie, pillée et morcelée de nombreuses fois, ses frontières fluctuant ; certains petits villageois apprenaient cinq langues simplement pour parler à leurs voisins. La guerre n'était pas une chose à laquelle Antonina voulait penser, d'autant qu'elle avait perdu ses parents dans ces circonstances ; elle se convainquait donc, comme la majorité des Polonais, de l'alliance solide avec la France, qui possédait une armée puissante, et de la protection jurée de la Grande-Bretagne. D'un naturel optimiste, elle se concentrait sur sa vie heureuse. Après tout, en 1939, assez peu de femmes polonaises pouvaient se féliciter d'un bon mariage, d'un fils en bonne santé et d'une carrière gratifiante, encore moins d'une profusion d'animaux qu'elle considérait comme ses enfants adoptifs. Début août, se sentant chanceuse et pleine d'entrain, Antonina emmena Ryś, la grand-mère âgée de l'enfant et Zośka le saint-bernard dans le petit village de Rejentówka, lieu prisé de villégiature, tandis que Jan restait à Varsovie pour s'occuper du zoo. Elle décida de prendre aussi Koko, une vieille femelle cacatoès rose sujette à des vertiges, qui tombait souvent de son perchoir. Koko ayant la manie d'arracher les plumes de sa poitrine, Antonina lui mettait un collier en métal qui contribuait à amplifier ses cris ; elle espérait que « l'air vivifiant de la forêt, la possibilité de manger des racines sauvages et des brindilles » guériraient ses maux et lui redonneraient son plumage coloré. Les lynx maintenant adultes ne seraient pas du voyage, mais elle transporterait un nouveau venu, un bébé blaireau appelé Borsunio (« Petit blaireau »), trop jeune pour rester seul. Par-dessus tout, elle voulait éloigner Ryś de Varsovie, où les conversations sur la guerre allaient bon train, pour un dernier été de jeux innocents à la campagne, dont ils profiteraient l'un et l'autre.

La petite maison de campagne des Żabiński se trouvait dans un creux de la forêt à six kilomètres d'un élargissement dans le cours du Bug, et à quelques minutes de son petit affluent, la rivière Rządzą. Antonina et Ryś arrivèrent par une chaude journée d'été : la résine de pin embaumait, les pétunias et les acacias en fleurs ondoyaient. Les derniers rayons de soleil éclairaient les cimes des vieux arbres et l'obscurité gagnait déjà les parties les plus basses de la forêt, où la musique stridente des cigales se mêlait aux appels descendants des coucous et au vrombissement des femelles moustiques affamées.

Un peu plus tard, sous l'une des petites galeries, Antonina put se plonger dans l'ombre d'une vigne parfumée « dont les fleurs exhalaient une senteur légère, presque imperceptible, mais plus agréable que la rose, que le lilas et le jasmin, que le plus suave de tous – le lupin jaune des champs » tandis que « juste au-delà des herbes folles [...]

se dressait le mur de la forêt, imposant, avec les touches vert clair des chênes, çà et là les verticales des bouleaux blancs...». Elle et Ryś s'immergèrent dans la tranquillité verte qui semblait à des années-lumière de Varsovie, une distance immense, intérieure, personnelle, non de simples kilomètres. En l'absence d'une radio dans la maison, c'était de la nature que venaient les leçons, les nouvelles, les jeux. Une distraction appréciée consistait à pénétrer dans la forêt et à compter les peupliers trembles.

Chaque été, la maison de campagne les attendait avec vaisselle, casseroles, bassine, draps et gros surplus de denrées sèches, et eux fournissaient la collection de personnages humains et animaux qui transformaient ce cadre en comédie burlesque. Après qu'ils eurent installé le support de la grande cage à oiseaux sous la galerie et donné des morceaux d'orange au cacatoès, Ryś mit une longe au blaireau et tenta de le faire marcher en laisse, ce qu'il accepta, mais seulement à reculons, entraînant le garçon avec lui à toute vitesse. Comme les autres animaux vivant auprès d'elle, Blaireau s'attacha à Antonina, qui l'appelait son «enfant adoptif». Il sut bientôt répondre à son nom, patauger avec eux dans la rivière et grimper sur le lit de sa nourrice pour téter au biberon. De lui-même, Blaireau grattait à la porte d'entrée quand il voulait aller dehors pour ses besoins, et il se baignait assis dans la baignoire, comme les humains, tout en s'appliquant à deux pattes de l'eau savonneuse sur la poitrine. Dans son journal, Antonina écrivit que les instincts de Blaireau se conjuguaient avec les habitudes humaines et une personnalité unique en son genre. Ainsi, méticuleux en matière de propreté, il creusa un trou de chaque côté de la maison et rentrait au galop de grandes promenades rien que pour s'y soulager. Un jour qu'elle ne le trouvait pas, elle explora tous ses lieux de sieste habituels – un tiroir du placard à linge, l'espace entre le drap et la housse de couette, l'intérieur de la valise de la grand-mère – en vain. Dans la chambre de Ryś, elle se pencha pour regarder sous le lit et découvrit Blaireau qui en sortait le vase de nuit du garçon, se hissait dans le récipient émaillé blanc et l'utilisait comme il se doit.

Vers la fin des vacances d'été, des amis de Ryś, Marek et Zbyszek (fils d'un médecin qui habitait de l'autre côté du parc Praski), s'arrêtèrent à leur retour de la péninsule de Hel sur la Baltique. Les nombreux bateaux amarrés dans le port de Gdynia, les sorties de pêche et le poisson fumé, tous les changements sur le front de mer les avaient enthousiasmés. Depuis le séjour peu éclairé, alors que la nuit arrivait, Antonina entendit les garçons qui racontaient leurs aventures estivales sous la galerie et se dit que, dans la mémoire de Ryś, la Baltique, vue trois ans auparavant, n'existait sans doute plus qu'à l'état de souvenirs flous, fracas du ressac et chaleur lisse du sable à midi.

« C'est incroyable comme ils ont creusé la plage ! L'année prochaine, il n'y aura plus un civil dessus, dit Marek.

— Mais pourquoi ? demanda Ryś.

— Ils construisent des fortifications, pour la guerre ! »

Son frère aîné lui jeta un regard noir, Marek passa alors son bras autour des épaules de Ryś et affirma d'un ton dédaigneux : « Mais la plage, on s'en fiche ! Parle-nous plutôt de Blaireau. »

Ainsi Ryś commença-t-il, un peu bégayant d'abord, puis volubile, à évoquer les pirates de la forêt et les facéties de Blaireau, qui avaient atteint leur comble la nuit où l'animal se glissa dans le lit d'une voisine endormie et renversa sur elle le seau d'eau froide à son chevet, et les garçons rirent ensemble à gorge déployée.

« C'est bon de les entendre rire, songea Antonina, mais cette perpétuelle écharde qui picote Ryś – la guerre – reste une idée trouble dans son esprit. Il n'associe des mots comme "torpille" et "fortifications" qu'à des jouets, aux beaux bateaux qu'il fait naviguer dans les baies entourant les châteaux de sable qu'il construit le long de la rivière. Et il y a son charmant jeu de cow-boys et d'Indiens, où il tire à l'arc sur des pommes de pin… mais l'autre possibilité, celle d'une guerre réelle, il ne la comprend pas encore, heureusement. »

31

Les garçons plus âgés croyaient, comme Antonina, que la guerre appartenait au monde des adultes, non des enfants. Elle sentait que Ryś brûlait de leur poser mille et une questions, cependant il ne voulait pas passer pour un idiot ou, pire, un bambin, il garda donc le silence sur l'invisible grenade à ses pieds dont chacun redoutait l'explosion.

«Quel sujet pour d'innocentes lèvres enfantines», médita Antonina, lançant un coup d'œil vers les visages bronzés des trois garçons, qui brillaient dans la lumière émise par une grosse lampe à pétrole. «Effleurée par la tristesse» quant à leur sécurité, elle se demanda une nouvelle fois : «Que deviendront-ils si la guerre éclate?» C'était une interrogation qu'elle rejetait, éludait et reformulait depuis des mois. «Notre république animale, finit-elle par s'avouer, existe dans la ville polonaise la plus bouillonnante et animée qui soit, tel un petit État autonome défendu par la capitale. À vivre derrière ses grilles, comme sur une île coupée du reste du monde, il semble impossible que les vagues malfaisantes qui se déversent sur l'Europe puissent submerger aussi notre îlot.» Tandis que l'obscurité s'introduisait partout, effaçant les angles, une anxiété flottante harcela Antonina; malgré son désir de rapiécer le tissu de la vie de son fils dès l'instant où des trous se formaient, elle ne pouvait s'attendre qu'à l'effilochage.

Soucieuse de profiter des derniers bonheurs champêtres, elle organisa le lendemain une cueillette de champignons, avec prix et honneurs pour celui qui ramasserait le plus de lactaires délicieux, de cèpes et d'agarics, qu'elle comptait mettre en conserve. Si la guerre se produisait bel et bien, étaler une marinade de champignons sur du pain en hiver évoquerait à tous des souvenirs de la campagne, nage dans la rivière, pitreries de Blaireau et jours meilleurs. Ils parcoururent six kilomètres jusqu'au Bug, portant quelquefois Ryś sur leur dos, Zośka trottant à leurs côtés, Blaireau juché dans un havresac. Ils firent halte dans des prés le long du chemin, pique-niquèrent et jouèrent au ballon, les deux animaux occupant le poste de gardien de but, même si

Blaireau refusait férocement de lâcher le ballon de cuir dès lors qu'il y avait planté ses crocs et ses griffes.

La plupart des week-ends d'été, Antonina laissait Ryś en compagnie de sa grand-mère et retournait à Varsovie passer quelques jours seule avec Jan. Le jeudi 24 août 1939, alors même que la Grande-Bretagne renouvelait sa promesse d'aider la Pologne si l'Allemagne l'envahissait, Antonina fit son déplacement habituel à Varsovie où, à sa stupeur, elle vit des abris antiaériens sur le pourtour de la capitale, les civils creuser des tranchées et dresser des barricades, et, le plus inquiétant de tout, des affiches qui annonçaient la conscription imminente. La veille, les ministres des Affaires étrangères Ribbentrop et Molotov avaient abasourdi le monde en révélant que l'Allemagne et l'Union soviétique avaient signé un pacte de non-agression.

« La seule chose qui sépare Berlin de Moscou est la Pologne », pensa Antonina.

Ni elle ni Jan ne connaissaient les clauses secrètes du pacte, qui fractionnaient déjà leur pays après une invasion en deux temps et partageaient ses riches terres agricoles.

« Les diplomates sont cachottiers. Ce n'est peut-être que du bluff », se dit-elle.

Jan savait que la Pologne ne possédait pas les avions, les armes, le matériel de guerre pour rivaliser avec l'Allemagne, aussi commencèrent-ils à parler sérieusement d'envoyer Ryś dans un endroit plus sûr, une ville qui ne présentait aucun intérêt militaire, à supposer qu'un tel lieu existât.

Antonina avait l'impression « de s'éveiller d'un long rêve, ou d'entrer dans un cauchemar », quoi qu'il en soit de vivre un séisme mental. En vacances loin du fracas politique de Varsovie, protégée par « l'ordre calme et serein de la vie paysanne, l'harmonie des dunes de sable blanc et des saules pleureurs », des animaux excentriques et les aventures d'un petit garçon égayant chaque journée, il lui avait presque été possible d'ignorer les événements du monde, ou du moins de rester optimiste à leur sujet, et même d'une naïveté obstinée.

4

Varsovie, 1er septembre 1939

Juste avant l'aube, Antonina perçut au réveil un bruit lointain de gravier tombant dans un tube de métal, que son cerveau ne tarda pas à identifier : des moteurs d'avions. «Pourvu que ce soit l'aviation polonaise», espéra-t-elle alors qu'elle sortait sur la terrasse et scrutait l'étrange ciel sans soleil, voilé comme elle ne l'avait jamais vu, non par des nuages mais par un éclat épais, blanc doré, qui descendait bas vers le sol comme un rideau, pourtant ni fumée ni brouillard, et s'étendait sur toute la longueur de l'horizon. Vétéran de la Première Guerre mondiale et officier de réserve, Jan avait passé la nuit en faction, sans qu'elle sache où hormis «quelque part à l'extérieur du zoo» au-delà du fossé psychologique de la Vistule.

Elle entendit « le vrombissement des avions, des dizaines, voire des centaines », qui évoquait «les vagues au loin, non pas tranquilles mais venant déferler sur la plage durant une tempête». Elle continua d'écouter et distingua le vrombissement asynchrone révélateur des bombardiers allemands que les Londoniens, plus tard au cours de la guerre, juraient entendre gronder : *Where are you? Where are you? Where are you?*

Jan rentra vers 8 heures, agité, n'apportant que des informations sommaires. «Il ne peut pas s'agir des manœuvres d'entraînement dont on nous a parlé, dit-il. Ce sont à coup sûr des bombardiers, des escadrons de la Luftwaffe chargés d'escorter l'armée allemande qui arrive. Il faut partir sans délai.» Ryś et sa grand-mère étant bien l'abri à Rejentówka, ils décidèrent d'aller d'abord dans le village le plus proche, Zalesie, où habitaient des cousins de Jan, mais attendirent les dernières nouvelles à la radio.

En ce jour de rentrée des classes pour les écoliers polonais, les trottoirs auraient dû fourmiller d'uniformes et de cartables. Néanmoins, depuis leur terrasse, Jan et Antonina ne virent que des soldats se précipiter en tous sens dans les rues, sur les pelouses, même à l'intérieur du zoo, dresser des barrages d'aérostats, aligner des canons antiaériens et empiler de longs obus noirs fuselés à une extrémité comme certaines déjections animales.

Les animaux du zoo ne semblaient pas flairer le danger. Les petits feux ne les effrayaient pas – il y avait des années qu'ils regardaient en toute confiance les feux de jardin – mais l'irruption des soldats les affola, parce que les seuls humains qu'ils avaient jamais vus tôt le matin étaient la dizaine de gardiens vêtus de bleu, venus en général les nourrir. Les lynx se mirent à gargouiller un son entre le feulement et le miaulement, les léopards soufflèrent des notes graves, les chimpanzés glapirent, les ours lancèrent des braiments d'ânes et le jaguar toussa comme s'il voulait recracher quelque chose coincé dans sa gorge.

Lorsque 9 heures sonnèrent, ils avaient appris que, pour justifier l'invasion, Hitler avait monté une attaque bidon dans la ville frontière de Gleiwitz : des troupes SS en uniformes polonais avaient réquisitionné une station de radio locale et diffusé un faux appel aux armes contre l'Allemagne. Malgré les cadavres de prisonniers (habillés d'uniformes polonais) que l'on présenta comme preuve d'hostilités aux journalistes étrangers invités à témoigner des événements, la mascarade ne trompa personne. Pourtant, même un canular pareil ne pouvait rester sans réponse ; à 4 heures du matin le navire de guerre allemand *Schleswig-Holstein* bombarda un dépôt de munitions près de Gdańsk et l'armée Rouge russe commença à préparer une invasion depuis l'est.

Antonina et Jan firent leurs bagages en hâte et traversèrent le pont à pied, avec l'espoir d'atteindre Zalesie qui n'était qu'à une vingtaine de kilomètres au sud-est sur l'autre rive de la Vistule. Lorsqu'ils arrivèrent près de la place Zbawiciel, le vacarme des moteurs enfla, puis les avions apparurent, là-haut dans l'interstice des toits telles les images d'une lanterne magique. Les bombes sifflèrent et s'abattirent quelques rues devant eux, provoquant une fumée noire suivie par le craquement des tuiles en stuc brisées et le grincement des briques et du mortier qui s'écroulaient.

Chaque bombe produit une odeur particulière, selon l'endroit où elle tombe et ce qu'elle pulvérise, à mesure que les molécules se confondent avec l'air et flottent. L'odorat discerne alors mille effluves caractéristiques, du concombre à la colophane. Quand une boulangerie était touchée, le nuage de poussière qui s'élevait sentait la levure, les œufs, la mélasse et le seigle. Les odeurs mêlées de clous de girofle, de vinaigre et de chair en combustion indiquaient une boucherie. De la chair et du pin carbonisés signifiaient qu'une bombe incendiaire avait enflammé des maisons et que les gens à l'intérieur étaient vite morts dans l'embrasement.

«Il faut rebrousser chemin», dit Jan. À toutes jambes, ils longèrent les murs de la vieille ville et franchirent le pont métallique. De retour au zoo, Antonina écrivit: «J'étais trop accablée pour agir. Je ne pouvais qu'écouter la voix de Jan donnant des ordres à ses employés: "Faites venir un attelage de chevaux, chargez-le de nourriture et de charbon, prenez des vêtements chauds et fuyez…"»

Pour Jan, la question de trouver une ville dépourvue d'intérêt militaire constituait une équation truffée d'inconnues à laquelle il n'était pas préparé, puisque ni lui ni Antonina n'avaient pensé que les Allemands envahiraient la Pologne. Ils s'étaient inquiétés, mais avaient estimé que «c'était seulement la peur qui s'exprimait» et conclu à des opérations ponctuelles, non aux signes d'une guerre imminente. Antonina se demanda comment ils avaient pu se tromper à ce point tandis que Jan se concentrait sur la nécessité de cacher sa famille dans un lieu sûr. Lui-même resterait au zoo pour s'occuper des animaux le plus longtemps possible et attendre les ordres.

«Varsovie sera bientôt inaccessible, raisonna-t-il, et l'armée allemande vient par l'est, alors je crois qu'il vaut mieux que tu retournes à la maison de Rejentówka.»

Antonina réfléchit, puis trancha, malgré ses doutes: «Oui, au moins c'est un endroit que nous connaissons et qui évoque à Ryś des jours heureux.» En fait, elle n'en savait rien, mais elle persista à faire ses bagages, se fiant à l'intuition de Jan, puis monta sur un attelage chargé en vue de ce qui pourrait être une longue absence et se hâta de partir avant que les routes soient trop encombrées.

Le village de Rejentówka n'était qu'à trente-cinq kilomètres, mais Antonina et le cocher mirent sept heures pour effectuer le trajet, partageant la route de terre avec des milliers de gens, à pied pour la plupart, car les militaires avaient confisqué les voitures, les camions et un grand nombre de chevaux. Femmes, enfants et hommes âgés avançaient dans une transe anxieuse et précipitée, fuyant la ville avec tout ce qu'ils pouvaient emporter, les uns poussant des landaus, des chariots, les autres traînant des valises et de petits enfants, la majorité ayant sur eux plusieurs couches de vêtements, et des sacs à dos, des besaces, ainsi que des chaussures passées en bandoulière ou suspendues autour du cou.

Bordant la chaussée, de hauts peupliers, pins et épicéas abritaient de gros amas bruns de gui entre leurs branches; des cigognes noires et blanches étaient perchées à la cime des poteaux téléphoniques, continuant d'accumuler des réserves avant leur difficile migration vers l'Afrique. Bientôt les champs formèrent un tapis de chaque côté de la route, grains luisants et panicules pointant vers le ciel. Dans son journal, Antonina évoque la sueur qui coulait en ruisseaux et les souffles compacts, l'air épaissi par la poussière.

Un lointain grondement d'orage devint une nuée de moucherons à l'horizon, se mua au bout de quelques secondes en avions allemands qui s'approchaient, rongeant le ciel, volant à basse altitude, affolant les gens comme les chevaux. Chacun se pressa au milieu de nuages terreux, les infortunés tombèrent, les plus chanceux s'enfuirent sous le feu crépitant. Des cigognes mortes, les ailes rougies, et des corbeaux jonchèrent la route, ainsi que des branches d'arbres et des sacoches abandonnées. Être frappé par une balle relevait du pur hasard et, sept heures durant, Antonina déjoua les caprices de la fortune, mais les scènes de mort et d'agonie se gravèrent dans sa mémoire.

Au moins son fils, à Rejentówka, ne voyait-il pas ces images, si difficiles à oublier, surtout pour un jeune enfant dont le cerveau, occupé à explorer le monde, apprenait à quoi s'attendre et inscrivait ces vérités à une vitesse folle. Tiens-toi prêt pour un tel monde jusqu'à la fin de ton existence, se dit le cerveau d'un enfant, un monde de chaos et d'incertitude. « Ce qui ne me tue pas me rend plus fort », a écrit Nietzsche dans *Crépuscule des idoles*, comme si la volonté pouvait être trempée à la manière d'une épée de samouraï, chauffée et martelée, courbée et retravaillée, jusqu'à l'indestructibilité. Mais que devient le métal d'un petit garçon soumis au martelage ? L'inquiétude d'Antonina au sujet de son fils s'accompagnait d'une indignation morale : les Allemands, « dans cette guerre moderne, si différente des guerres que nous connaissions, permettaient le massacre de femmes, d'enfants, de civils ».

Lorsque la poussière retomba, le ciel bleu réapparut et Antonina remarqua deux avions de chasse polonais qui assaillaient un lourd bombardier allemand au-dessus d'un champ. De loin, la géométrie de la scène paraissait simple, deux féroces roitelets combattant un faucon, et les gens acclamaient chaque fois que les chasseurs piquaient le bombardier dans des panaches de fumée. Une armée de l'air aussi habile repousserait assurément la Luftwaffe ! Des fils argentés brillèrent au soleil déclinant, et des flammes rouges jaillirent soudain du bombardier, qui s'écrasa selon une forte courbe. Puis une méduse blanche flotta au-dessus des cimes des pins : un pilote allemand se balançait sous son parachute, descendait avec lenteur dans un ciel bleu barbeau.

Comme beaucoup de Polonais, Antonina ne mesurait pas l'ampleur du danger ; elle faisait confiance à l'armée de l'air nationale, fière de ses pilotes très entraînés, au courage bien connu (en particulier ceux de la brigade de poursuite qui défendait Varsovie), mais dont les chasseurs PZL P.11 obsolètes et trop peu nombreux ne pouvaient rien face aux Junkers Ju 87 Stuka rapides et maniables de l'Allemagne. Les bombardiers Karaś polonais survolaient les chars allemands à une vitesse si réduite que, passant à leur hauteur, ils étaient victimes des tirs antiaériens. Elle ne savait pas que l'Allemagne essayait une nouvelle forme de guerre combinée qui serait ensuite appelée *Blitzkrieg*, la guerre éclair, un assaut mené avec tous les moyens à disposition – chars, avions, cavalerie, artillerie, infanterie – pour surprendre et terroriser l'ennemi.

Quand elle arriva enfin à Rejentówka, elle trouva une ville fantôme dont les estivants étaient partis, les boutiques closes pour la saison, et même le bureau de poste fermé. Sale, épuisée, ébranlée, elle gagna la maison qu'entouraient de hauts arbres et un calme lumineux, dans un décor au parfum familier et rassurant, où se mêlaient terreau, plantes aromatiques et herbes sauvages, bois pourrissant et huile de pin. On l'imagine embrassant Ryś très fort et saluant la grand-mère du garçon ; dînant de sarrasin, de pommes de terre et de soupe ; défaisant ses bagages ; prenant un bain – recherchant les gestes habituels d'un été pareil à tous les autres, mais incapable d'apaiser sa nervosité ou d'atténuer son appréhension.

Les jours suivants, ils se tinrent à maintes reprises sous la galerie pour regarder des multitudes d'avions allemands, en route pour Varsovie, noircir le ciel de lignes nettes comme des haies. Leur régularité confondait Antonina : quotidiennement, les appareils fourmillaient vers 5 heures du matin, puis après le coucher du soleil, sans qu'elle sache exactement quelles avaient été leurs cibles.

Le paysage environnant semblait étrange aussi, parce que Rejentówka n'était pas un lieu qu'ils fréquentaient à l'automne, en l'absence de vacanciers et d'animaux de compagnie. Les grands tilleuls commençaient à virer au bronze, les chênes au bordeaux foncé du sang desséché, tandis que le vert persistait sur les érables, dont les gros-becs errants à ventre jaune picoraient les graines ailées. Le long des routes sablonneuses, les sumacs de Virginie présentaient leurs branches velouteuses comme des bois de cerf et des grappes de fruits rouges poilus. La chicorée bleue, les joncs bruns, les julienne des dames blanches, les chardons roses, les épervières orangées et les gerbes d'or mettaient les prés à l'unisson, dans un tableau qui changeait dès que le vent ployait les tiges telle une main effleurant un tapis pelucheux.

Le 5 septembre, Jan arriva en train, le visage sombre, et trouva Antonina « abattue et perplexe ».

« D'après des rumeurs, une aile de l'armée allemande qui envahit la Prusse orientale s'approche de Rejentówka, lui dit-il. Mais la ligne de front n'a pas encore atteint Varsovie, et les gens s'habituent peu à peu aux attaques aériennes. Notre armée ne peut que protéger coûte que coûte la capitale, alors autant rentrer chez nous. »

Même s'il ne paraissait pas entièrement convaincu, Antonina lui donna raison : Jan était un bon stratège dont les intuitions se confirmaient d'ordinaire ; en outre, la vie serait beaucoup plus facile s'ils pouvaient rester ensemble, partager les consolations, les soucis et les peurs.

Emprunter de nouveau la route principale était exclu. De nuit, ils montèrent dans un train lent aux vitres noircies et arrivèrent au crépuscule civil du matin, ce moment de clarté avant que le soleil passe au-dessus de l'horizon, dans une accalmie entre la nuit et les bombardements de l'aube. Selon le récit d'Antonina, un attelage les attendait à la gare et ils rentrèrent chez eux, captivés par cette nouvelle réalité – le vent inexistant, l'air humide, les haies d'aster, les feuilles colorées, les axes grinçants, les sabots claquant sur les pavés – et, pour une courte durée, ils plongèrent dans le passé d'avant la mécanisation, se coulant dans une tranquillité intacte où la guerre paraissait étouffée, irréelle, réduite à une lueur lointaine comme la lune.

À Praga, devant la grille principale, la gravité des dégâts les réveilla brutalement lorsqu'ils mirent pied à terre. Des bombes avaient arraché l'asphalte, des obus avaient ouvert de larges brèches dans les bâtiments en bois, les roues des canons avaient labouré les pelouses, de vieux saules et tilleuls avaient des branches pendantes. Antonina serra très fort Ryś, comme si la dévastation face à elle était communicable. Malheureusement, le zoo bordait une rivière aux ponts fort utilisés, premières cibles des Allemands ; un bataillon polonais y étant stationné, il avait constitué un objectif de choix, encore et encore, durant plusieurs jours. Louvoyant parmi les débris, ils se dirigèrent vers la villa et sa cour creusée par les bombes. Le regard d'Antonina s'arrêta sur les parterres qu'avaient piétinés les sabots des chevaux, et elle considéra les petits calices délicats des fleurs écrasées « comme des larmes colorées ».

Juste après l'aube, la journée et la bataille devinrent intenses. Alors qu'ils étaient sous la galerie, des bruits d'explosions rauques et de poutrelles métalliques se brisant dans la vallée les surprirent. Soudain, le sol trembla et se déroba sous leurs pieds, ils se précipitèrent à l'intérieur, mais les poutres du toit, les parquets, les murs vibraient tous. Les gémissements des lions et les miaulements des tigres montaient en spirale de la grande maison des félins, où elle savait que les mères, « folles de terreur, saisissaient leurs petits par la peau du cou et arpentaient leurs cages, dans une recherche anxieuse d'un endroit sûr pour les cacher ». Les éléphants barrissaient avec frénésie, les hyènes émettaient des gloussements effrayés interrompus par des hoquets, les lycaons hurlaient et les singes rhésus, agités au-delà du bon sens, se disputaient, leurs cris hystériques

déchirant l'air. Malgré le vacarme, les employés continuaient de transporter l'eau et la nourriture aux bêtes et de
vérifier l'état des barreaux et des serrures.

Durant cette attaque de la Luftwaffe, une bombe d'une
demi-tonne détruisit la montagne des ours polaires, fracas-
sant les murs, les fossés, les clôtures, et libérant les animaux
terrifiés. Lorsqu'une section de soldats polonais découvrit
les ours affolés, striés de sang et décrivant des cercles autour
de leur ancien repaire, ils s'empressèrent de les tuer. Puis,
craignant que les lions, les tigres et d'autres animaux dangereux s'échappent aussi, les soldats décidèrent d'abattre les
plus agressifs, y compris l'éléphant Jaś, le père de Tuzinka.

Depuis la galerie de devant, Antonina voyait bien l'extrémité du terrain où les soldats étaient rassemblés près d'un
puits, plusieurs employés du zoo s'ajoutant à eux, l'un en
pleurs, les autres lugubres et silencieux.

«Combien d'animaux ont-ils déjà tués?», s'interrogea-t-elle.

Les événements se déroulaient sans que nul ait le temps
de protester ou de s'affliger, et les animaux survivants
avaient besoin d'aide, elle et Jan rejoignirent donc les gardiens occupés à nourrir, soigner et apaiser du mieux qu'ils
le pouvaient.

«Les humains ont au moins la possibilité d'empa-
queter l'essentiel, de se déplacer sans cesse, d'improviser
sans relâche, pensa Antonina. Si l'Allemagne occupe la
Pologne, que deviendra la forme de vie délicate du zoo?
[...] Les animaux du zoo sont dans une situation bien
pire que la nôtre, déplora-t-elle, parce qu'ils dépendent de
nous en totalité. Installer le zoo ailleurs est inimaginable;
c'est un organisme trop complexe. Même si la guerre devait
éclater et finir vite, les conséquences seraient coûteuses», se
dit-elle. Où trouveraient-ils la nourriture et l'argent pour
entretenir le zoo? Essayant de ne pas imaginer le pire scénario, elle et Jan achetèrent néanmoins des réserves supplémentaires de foin, d'orge, de fruits secs, de farine, de pain
séché, de charbon et de bois.

Le 7 septembre, un officier polonais frappa à la porte et ordonna solennellement à tous les hommes valides de rallier l'armée combattant sur le front nord-ouest – ce qui incluait Jan, alors âgé de quarante-deux ans – et à tous les civils d'évacuer le zoo sans délai. Antonina fit ses valises en hâte et franchit de nouveau la rivière avec Ryś, cette fois pour habiter chez sa belle-sœur, dans la partie ouest de la ville, au n° 3 de la rue Kapucyńska, un appartement situé au quatrième étage.

5

La nuit, dans le petit appartement de la rue Kapucyńska, Antonina se familiarisa avec un nouveau bruit : les coups de boutoir de l'artillerie allemande. Ailleurs, des femmes de son âge se glissaient dans des boîtes de nuit et dansaient sur la musique de Glenn Miller, des airs pleins d'entrain qui s'intitulaient par exemple « A Strings of Pearls » et « Little Brown Jug ». D'autres dansaient dans des cafés en bord de route au son du juke-box récemment inventé. Des couples engageaient des baby-sitters et allaient au cinéma voir les nouveautés de 1939 : Greta Garbo dans *Ninotchka*, *La Règle du jeu* de Jean Renoir, Judy Garland dans *Le Magicien d'Oz*. Des familles roulaient à travers la campagne pour admirer les feuilles d'automne et manger des gâteaux à la pomme et des beignets de maïs dans des fêtes de la moisson. Mais, pour beaucoup de Polonais, la vie était devenue un résidu, ce qui reste après que le jus présent à l'origine s'est évaporé. Sous l'Occupation, les nombreux piments du quotidien n'existaient plus, chacun était pris au piège d'une réalité où seul comptait l'élémentaire, qui absorbait une grande partie de l'énergie, du temps, de l'argent et des pensées.

De même que d'autres mères animales, Antonina désirait à tout prix trouver une cachette sûre pour son enfant, mais, « contrairement à elles, écrivit-elle dans son journal, je ne peux pas transporter Ryś dans mes mâchoires jusqu'à un nid protégé ». Elle ne pouvait pas non plus rester dans l'appartement du quatrième étage : « Et si l'immeuble s'écroule et qu'il est impossible de fuir ? » Peut-être qu'il valait mieux, estima-t-elle, s'installer au rez-de-chaussée, où une petite boutique vendait des abat-jour – à condition, bien sûr, de persuader les propriétaires de les accueillir.

Suivie de Ryś, elle descendit les quatre étages de marches sombres et frappa à une porte à laquelle apparurent deux dames assez âgées, Mme Caderska et Mme Stokowska.

«Entrez, entrez.» Elles jetèrent un coup d'œil sur le corridor derrière elle et s'empressèrent de refermer la porte.

Un étrange continent inédit, moitié récif corallien, moitié planétarium, se dessina tandis qu'elle pénétrait dans un magasin encombré qui sentait le tissu, la colle, la peinture, la sueur et les flocons d'avoine en train de cuire. Des quantités d'abat-jour pendaient du plafond, emboîtés tels des ziggourats ou groupés comme des cerfs-volants exotiques. Des étagères en bois contenaient des rouleaux de tissus évoquant des strudels, des cadres en laiton, des outils, des vis, des rivets et des plateaux brillants d'ornements triés par matière : verre, plastique, bois, métal. Dans ces magasins de l'époque, les femmes cousaient à la main des abat-jour neufs, en réparaient de vieux et en vendaient qui avaient été fabriqués par d'autres.

Tandis que ses yeux parcouraient la pièce, Antonina dut voir des modèles répandus dans les années 1930, période où le décor des régions baltiques allait du style victorien à l'art déco et au modernisme, et incluait des abat-jour tels que ceux-ci : soie rose en forme de tulipe avec un chrysanthème de brocart ; mousseline verte avec des médaillons en dentelle de satin blanc ; ivoire plissé aux formes géométriques ; panneaux jaune vif constituant un bicorne ; métal perforé à huit pans avec de fausses pierres serties çà et là ; mica ambre foncé couronnant un globe en plâtre orné d'archers art nouveau à la poursuite d'un cerf ; dôme de verre rouge orangé granuleux comme de la chair de poule, ceint de pendeloques en cristal, sous lequel était accrochée une nacelle en laiton gravée de volutes de lierre. Ce verre rouge à la mode, appelé gorge-de-pigeon, souvent utilisé pour les coupes à vin au temps d'Antonina, paraissait cerise

45

quand il faisait sombre et, une fois éclairé, jetait un éclat de la couleur des oranges sanguines tout juste pelées. Il était teinté avec du sang de pigeon, élixir employé aussi pour classer les rubis de grande qualité (les meilleures pierres se rapprochant du sang le plus frais).

Ryś attira l'attention de sa mère vers l'autre côté de la pièce où elle aperçut, tout étonnée, des femmes et des enfants débraillés du voisinage, assis, entourés par des abat-jour.

Antonina salua chaque femme l'une après l'autre : « *Dzień dobry, dzień dobry, dzień dobry.* »

Quelque chose dans l'atmosphère douillette du lieu amenait les personnes déplacées et transies jusqu'à cette boutique tenue par des dames à l'allure de grands-mères qui partageaient volontiers leurs victuailles, leur charbon et leur literie. Citons Antonina : « Le magasin d'abat-jour agissait comme un aimant sur une foule de gens. Grâce aux deux minuscules vieilles dames adorables, qui étaient d'une extrême cordialité, pleines d'amour et de gentillesse, nous avons survécu à cette terrible période. Elles étaient pareilles à la chaude lumière les soirs d'été, et les gens des étages, les sans-logis originaires d'autres endroits, de bâtiments détruits, même d'autres rues, se rassemblaient comme des insectes attirés par la chaleur émanant d'elles. »

Antonina s'émerveilla tandis que leurs mains ridées distribuaient de la nourriture (surtout des flocons d'avoine), des bonbons, un album de cartes postales, de petits jeux. Tous les soirs quand les gens choisissaient un coin où dormir, elle étendait un matelas sous un robuste châssis de porte et abritait Ryś de son corps, saisissant des bribes de sommeil comme si elle tombait dans un puits, alors que son passé devenait plus idyllique et s'éloignait davantage. Elle avait eu tant de projets pour l'année à venir ; maintenant elle se demandait si Ryś et elle passeraient la nuit, si elle reverrait jamais Jan, si son fils fêterait un nouvel anniversaire. « Chaque jour de notre vie abondait en pensées de l'horrible présent, et même de notre propre mort, écrivit-elle dans ses mémoires, ajoutant : Nos alliés n'étaient pas là, ne nous aidaient pas – nous, Polonais, étions absolument seuls [quand] une seule attaque anglaise dirigée contre les Allemands aurait pu interrompre le bombardement continuel de Varsovie [...] Nous recevions des nouvelles très décourageantes de notre gouvernement – notre maréchal Śmigly et des membres du cabinet avaient fui en Roumanie, ils avaient été capturés et arrêtés. Nous nous sentions trahis, bouleversés, nous étions affligés. »

Lorsque la Grande-Bretagne et la France déclarèrent la guerre à l'Allemagne, les Polonais se réjouirent et les radios diffusèrent sans relâche les hymnes nationaux britannique et français pendant des jours, mais la mi-septembre n'atténua en rien les bombardements et assauts impitoyables de l'artillerie lourde. « Nous vivions au cœur d'une ville assiégée », nota Antonina incrédule dans ses mémoires, une ville pleine de bombes sifflantes, d'explosions violentes, du tonnerre sec des écroulements, et remplie de gens affamés. Les commodités habituelles comme l'eau et le gaz disparurent d'abord, puis la presse et la radio. Quiconque se hasardait dans la rue allait au pas de course, et les gens risquaient leur vie à faire la queue pour un peu de viande de cheval ou de pain. Durant trois semaines, Antonina entendit les obus passer au-dessus des toits le jour et les bombes pilonner les murs de l'obscurité la nuit. Des sifflements épouvantables précédaient d'horribles déflagrations, et elle se retrouva à écouter jusqu'au bout chaque sifflement, redoutant le pire, libérant son souffle lorsqu'elle entendait l'existence de quelqu'un d'autre voler en éclats. Sans réfléchir, elle estimait la distance et se sentait soulagée de n'être pas la cible de la bombe, mais presque aussitôt se produisaient le sifflement suivant, l'explosion suivante.

Les rares fois où elle s'aventurait dehors, elle entrait dans une guerre digne d'un film, avec de la fumée jaune, des pyramides de gravats, des falaises de pierres déchiquetées où se dressaient naguère des bâtiments, des lettres et des fioles de médicaments poussées par le vent, des personnes blessées, des chevaux morts dont les pattes formaient des angles étranges. Mais rien n'était plus irréel que ceci : voltigeant à faible hauteur, ce qui semblait à première vue de la neige mais ne bougeait pas comme des flocons, quelque chose qui montait et descendait délicatement sans toucher le sol. Plus mystérieux qu'un blizzard, un curieux nuage mouvant de petites plumes échappées des oreillers et des édredons de la ville tournoyait doucement au-dessus des immeubles. Jadis, un roi polonais repoussa des envahisseurs turcs en attachant de grands arceaux emplumés dans le dos de tous les soldats. Lorsqu'ils galopèrent sur le champ de bataille, le vent passa dans les fausses ailes et provoqua un fort vrombissement de tornade qui effaroucha les chevaux de l'ennemi. Ceux-ci s'arrêtèrent net et refusèrent d'avancer. Pour beaucoup de Varsoviens, la tempête de plumes dut rappeler le massacre de ces chevaliers, anges gardiens de la ville.

Un jour, après qu'un obus tombé sur l'immeuble se fut planté dans le plafond du quatrième étage, Antonina attendit une explosion qui ne vint jamais. Cette nuit-là, pendant que les bombes répandaient des rubans de fumée à travers le ciel, elle emmena Ryś dans la cave d'une église voisine. Puis, « dans le silence sourd du matin », elle le ramena au magasin d'abat-jour. « Je suis exactement comme notre lionne, dit-elle à ses compagnes, à déplacer mon lionceau d'un côté à l'autre de la cage. »

Elle n'avait aucune nouvelle de Jan, et l'inquiétude perturbait beaucoup son sommeil, mais elle se dit qu'elle le décevrait si elle ne sauvait pas les animaux restants du zoo. Étaient-ils même encore en vie, s'interrogea-t-elle, et les jeunes garçons chargés de veiller sur eux pouvaient-ils vraiment s'en occuper ? Elle n'avait pas le choix : bien que malade de peur, elle laissa Ryś à sa belle-sœur et s'obligea à franchir la rivière au milieu des tirs et des obus. « C'est la sensation qu'éprouve un animal traqué, pensa-t-elle, prise dans la confusion, rien d'héroïque, juste l'impérieuse nécessité de regagner son gîte sain et sauf à tout prix. » Elle se rappela la mort de Jaś et des félins, tués à bout portant par les soldats. Les images de leurs derniers instants la tourmentaient, avec peut-être une crainte plus difficile à chasser : et s'il se révélait qu'au fond ils avaient eu de la chance ?

6

Les bombardiers nazis attaquèrent Varsovie au cours de mille cent cinquante sorties, dévastant le zoo qui se trouvait être à proximité des canons antiaériens. Par cette journée de temps clair, le ciel s'ouvrit et le feu sifflant s'abattit. Des cages étaient disloquées, des fossés pulvérisés, des barreaux métalliques crissaient en se rompant. Des bâtiments de bois s'écroulaient, engloutis par la chaleur. Des éclats de verre et de métal mutilaient indistinctement peau, plumes, sabots et écailles alors que des zèbres blessés couraient, striés de sang, que des singes hurleurs et des orangs-outans terrifiés s'élançaient en braillant vers les arbres et les buissons, que des serpents ondulants s'échappaient et que des crocodiles se haussaient sur leurs orteils et trottaient à vive allure. Des balles déchiraient les filets des volières et les perroquets montaient en spirale comme des dieux aztèques pour redescendre aussitôt, d'autres oiseaux des tropiques se cachaient dans les arbustes ou essayaient de voler malgré leurs ailes roussies. Des tourbillons de flammes enveloppaient certains animaux blottis dans leurs cages ou leurs bassins. Deux girafes mortes gisaient sur le sol, pattes tordues, lamentablement horizontales. L'air épais faisait mal aux poumons et empestait le bois, la paille et la chair en combustion. Les singes et les oiseaux, qui poussaient des cris infernaux, créaient un chœur surnaturel soutenu par les timbales crépitantes des tirs et des explosions. Résonnant d'un bout à l'autre du zoo, le tumulte devait évoquer dix mille Furies surgies de l'enfer pour déstabiliser le monde.

Antonina et une poignée de gardiens couraient à travers les terrains, s'efforçant de sauver tel animal et de libérer tel autre, tout en évitant eux-mêmes les blessures. Tandis qu'elle se précipitait de cage en cage, elle s'inquiétait aussi pour son mari qui combattait sur le front: «Un homme courageux, un homme de conscience; si même les bêtes innocentes ne sont pas à l'abri, quel espoir a-t-il?» Et que trouverait-il quand il rentrerait? Puis une nouvelle pensée s'imposa: où était Kasia, la mère éléphant, une de leurs préférés? Enfin arrivée à l'enclos, elle le découvrit détruit, Kasia disparue (déjà tuée par un obus, apprendrait-elle plus tard), mais elle entendit son bébé Tuzinka, âgé de deux ans, barrir à quelque distance. De nombreux singes étaient morts dans l'incendie d'un pavillon ou avaient péri sous les balles, d'autres hurlaient, frénétiques, en trottinant parmi la végétation.

Miraculeusement, des animaux survécurent au sein du zoo et beaucoup fuirent sur le pont, pénétrant dans la vieille ville alors que la capitale brûlait. Des gens assez braves pour se tenir à la fenêtre, ou ayant la malchance de se trouver dehors, furent témoins d'un hallucinant spectacle biblique à mesure que le zoo se vidait dans les rues de Varsovie. Des phoques se dandinaient le long des berges de la Vistule, des chameaux et des lamas erraient dans des allées, leurs sabots glissant sur les pavés, des autruches et des antilopes trottaient à côté de renards et de loups, des fourmiliers lançaient des «hatchi, hatchi!» en filant sur les briques. Des habitants virent des boules de fourrure et de cuir passer en trombe devant des usines et des immeubles, foncer en direction des champs d'avoine, de sarrasin et de lin à la périphérie, se ruer vers des ruisseaux, se tapir dans des escaliers et des hangars. Immergés dans leurs mares boueuses, hippopotames, loutres et castors furent épargnés. Les ours, les bisons, les chevaux de Przewalski, les chameaux, les zèbres, les lynx, les paons et d'autres oiseaux, des singes et des reptiles parvinrent également à survivre.

Antonina écrivit qu'elle avait arrêté un jeune soldat près de la villa pour lui demander: «Auriez-vous vu un gros blaireau?»

Il répondit : « Un blaireau a cogné et gratté longtemps à la porte de la villa, mais, comme nous ne l'avons pas laissé entrer, il a fini par s'éloigner dans les buissons. »

« Pauvre Blaireau », déplora-t-elle alors qu'elle se représentait les appels effrayés du chouchou de la famille sur le seuil. Un moment après, l'espoir qu'il avait « réussi à s'en tirer » gagna son esprit, la chaleur et la fumée revinrent, elle retrouva ses jambes et se dirigea en hâte vers les chevaux à crinière hérissée de Mongolie. Les autres chevaux et les ânes – dont le poney de son fils, Figlarz (Farceur) – gisaient sans vie dans les rues, mais les rares chevaux de Przewalski étaient debout, tremblants, dans leur pré.

Antonina quitta enfin le zoo, traversa le parc Praski entre des rangées de tilleuls auréolés de flammes et retourna au magasin d'abat-jour où elle et son fils s'étaient réfugiés. Confuse, exténuée, elle essaya de décrire les volutes de fumée, l'herbe et les arbres déracinés, les bâtiments et les carcasses éclaboussés de sang. Puis, lorsqu'elle se sentit un peu plus calme, elle se rendit dans un immeuble en pierre au n° 1 de la rue Miodowa et gravit l'escalier jusqu'à un petit bureau rempli de gens agités et d'immenses piles de documents, un des repaires secrets de la Résistance, où elle retrouva un vieil ami, Adam Englert.

« Des nouvelles ?

— Il semble que notre armée n'a plus de munitions ni de vivres, et qu'elle envisage une reddition officielle », répondit-il, lugubre.

Dans ses mémoires, elle écrivit qu'elle l'entendait parler, mais que les mots flottaient loin d'elle ; c'était comme si son cerveau, déjà étouffé par les horreurs de la journée, opposait un *non serviam* et refusait d'en absorber davantage.

Elle s'assit lourdement dans un canapé avec l'impression d'être clouée sur place. Jusqu'alors, elle ne s'était pas autorisée à croire que la Pologne pourrait réellement perdre son indépendance. Encore une fois. Si l'Occupation n'était pas une nouveauté, chasser l'ennemi ne l'était pas non plus, mais la dernière guerre contre l'Allemagne remontait à vingt et un ans, soit la plus grande partie de la vie d'Antonina, et cette perspective l'accablait. Dix années durant, le zoo avait paru constituer une principauté en soi, protégée par le fossé de la Vistule, la vie quotidienne tel un puzzle adapté à sa sensibilité intense.

De retour au magasin, elle annonça à tous la triste nouvelle qu'elle tenait d'Englert et qui ne concordait pas avec les émissions radiophoniques optimistes du maire Starzyński, dans lesquelles il dénonçait les nazis, nourrissait l'espoir et invitait chacun à défendre la capitale coûte que coûte.

«À l'instant même où je vous parle, avait-il dit un jour, je la vois par la fenêtre dans toute sa grandeur et sa magnificence, enveloppée par la fumée, rougie par les flammes : Varsovie glorieuse, invincible et combattante!»

Perplexes, ils se demandèrent qui croire : le maire dans un discours public ou des membres de la Résistance. Sûrement les seconds. Dans une autre émission, Starzyński avait à un moment utilisé le passé : «Je voulais que Varsovie fût une grande ville. Je croyais qu'elle serait grande. Mes associés et moi avions formé des projets et dessiné les plans d'une grande Varsovie de l'avenir.» À la lumière du temps qu'avait employé Starzyński (un lapsus?), la nouvelle apportée par Antonina sonnait plus vrai et l'humeur générale devint morose tandis que les propriétaires se glissaient parmi les tables et allumaient de petites lampes.

Quelques jours plus tard, après la capitulation de Varsovie, Antonina était assise à une table avec les autres, le ventre vide mais trop déprimée pour manger le peu de nourriture devant elle, lorsqu'elle entendit un coup sec à la porte. Plus personne ne venait, personne n'achetait de lampe ni ne réparait d'abat-jour cassé. Anxieuses, les propriétaires entrouvrirent la porte et, à sa stupeur, Antonina vit Jan, l'air aussi fatigué que soulagé. Des étreintes et des baisers suivirent, puis il s'attabla et leur raconta son histoire.

Lorsque Jan et ses amis avaient quitté Varsovie des semaines auparavant, le soir du 7 septembre, ils avaient suivi la rivière et marché en direction de Brest-Litovsk, membres d'une armée fantôme, cherchant une unité à intégrer. N'en trouvant pas, ils finirent par se séparer; le 25 septembre, Jan dormit à Mienie dans une ferme dont il connaissait les propriétaires grâce aux étés passés à Rejentówka dans la maison de campagne. Le lendemain matin, la gouvernante le réveilla pour lui demander s'il pouvait lui traduire les propos d'un officier allemand arrivé pendant la nuit. Toute rencontre avec un nazi était dangereuse et, tandis qu'il s'habillait, Jan essaya de se préparer aux ennuis et de répéter des scénarios possibles. Descendant l'escalier avec l'assurance feinte d'un invité légitime, il garda les yeux rivés sur l'officier de la Wehrmacht qui se tenait dans le séjour et discutait des provisions avec les propriétaires. Quand le nazi se tourna vers lui, l'incrédulité envahit Jan et il se demanda s'il ne voyait pas une image produite par son cœur nerveux. Mais, au même instant, la surprise se peignit sur le visage de l'officier et il sourit. C'était là le Dr Müller, un confrère de l'Association internationale des directeurs de zoo, à la tête du zoo de Królewiec (ville de Prusse orientale, connue sous le nom de Königsberg avant la guerre).

Müller dit en riant : « Je ne connais bien qu'un seul Polonais, vous, mon ami, et je vous rencontre ici ! Comment est-ce possible ? » Responsable du ravitaillement, Müller était venu à la ferme chercher de la nourriture pour ses troupes. Lorsqu'il parla de la catastrophe à Varsovie et au zoo, Jan voulut rentrer sans attendre, et Müller lui proposa de l'aider, mais l'avertit que les hommes polonais de son âge n'étaient pas en sécurité sur les routes. La meilleure solution, suggéra-t-il, était d'arrêter Jan et de le conduire à Varsovie comme prisonnier; en dépit de leur cordialité passée, Jan n'était pas certain de pouvoir lui faire confiance. Mais, fidèle à sa parole, Müller revint quand Varsovie déposa les armes et conduisit Jan aussi loin qu'il l'osa à l'intérieur de la ville. Espérant se revoir à une période plus heureuse, ils prirent congé, et Jan se glissa au milieu des ruines de la ville, se demandant s'il rejoindrait jamais la rue Kapucyńska, Antonina et Ryś – s'ils étaient en vie. Enfin, il trouva l'immeuble de quatre étages, frappa à la porte et, dans le silence qui s'éternisait, « vacilla d'effroi ».

Les jours suivants, le calme implacable devint troublant, Jan et Antonina décidèrent donc de traverser le pont et de se rendre au zoo, cette fois sans que des obus ou des balles pleuvent sur eux. Plusieurs vieux gardiens étaient aussi revenus et avaient repris leurs tâches habituelles, telle une équipe fantôme travaillant dans un village à moitié massacré, où le corps de garde et la caserne étaient réduits à des collines carbonisées, et les ateliers, la maison des éléphants, tous les habitats et enclos avaient aussi brûlé ou s'étaient effondrés. Le plus étrange était les nombreux barreaux des cages qui avaient fondu et présentaient des formes grotesques dignes de soudeurs avant-gardistes. Jan et Antonina marchèrent jusqu'à la villa et furent frappés par un spectacle encore plus surréaliste. Certes l'édifice restait debout, mais les explosions avaient soufflé ses hautes fenêtres et de fines particules de verre couvraient le sol comme du sable, mêlées à la paille écrasée qui datait de la phase où les soldats polonais s'étaient abrités pendant les attaques aériennes. Tout avait besoin de réparations, en priorité les fenêtres ; les vitres étant un produit rare, ils résolurent de mettre provisoirement du contreplaqué, bien que cela signifiât une réclusion supplémentaire.

Néanmoins, ils partirent d'abord à la recherche d'animaux blessés, ratissant les lieux, fouillant les cachettes même improbables ; une acclamation jaillissait dès que l'un d'eux trouvait un animal coincé sous les décombres, famélique et désorienté, mais vivant. D'après les écrits d'Antonina, les chevaux morts de l'armée gisaient en grand nombre, le ventre gonflé, un rictus aux lèvres, les yeux écarquillés de terreur. Il fallait enterrer ou découper tous les cadavres (puis distribuer aux affamés de la ville la viande des antilopes, des daims et des chevaux), corvée que Jan et Antonina ne pouvaient affronter, par conséquent ils laissèrent les gardiens l'effectuer et, à la tombée de la nuit, harassés, démoralisés, leur villa inhabitable, ils regagnèrent la rue Kapucyńska.

Le lendemain, le général Rommel s'exprima à la radio : il recommanda vivement aux soldats et aux citoyens de Varsovie d'accepter la reddition avec dignité et de rester calmes pendant que l'armée allemande entrait dans leur ville vaincue. Son discours se terminait par ces mots : « Je compte sur la population de Varsovie, qui l'a défendue avec bravoure et a fait preuve d'un profond patriotisme, pour accepter l'entrée des forces allemandes sereinement, honorablement et calmement. »

« C'est peut-être une bonne nouvelle, se dit Antonina, c'est peut-être enfin la paix et la possibilité de reconstruire. »

Après une matinée pluvieuse, les gros amoncellements de nuages s'éloignèrent et un chaud soleil d'octobre se mit à briller tandis que les soldats allemands patrouillaient dans tous les quartiers. Le claquement des lourds talons de bottes et un brouhaha en langue étrangère emplirent les rues. Puis d'autres sons filtrèrent dans le magasin d'abat-jour, sifflants et cristallins : les voix de la foule polonaise. Antonina vit « un vaste organisme se déplacer avec lenteur » vers le centre et des gens sortir par petits groupes des immeubles pour s'y fondre.

« Où crois-tu qu'ils aillent ? »

La radio leur apprit qu'Hitler s'apprêtait à passer ses troupes en revue, et Antonina et Jan sentirent la même force osmotique les attirer dehors. Où qu'Antonina portât son regard, ce n'était que destruction. Dans ses notes, elle décrivit « des bâtiments guillotinés par la guerre – privés de leurs toits, retombés, déformés, dans des arrière-cours voisines. D'autres immeubles semblaient tristes, éventrés par des bombes du sommet à la cave ». Ils lui évoquaient des « gens embarrassés par leurs blessures, cherchant une manière de dissimuler les béances dans leur abdomen ».

Antonina et Jan longèrent ensuite des bâtiments gorgés d'eau, qui avaient perdu leurs plâtres et dont les briques rouge sang exposées dégageaient de la vapeur sous le chaud soleil. Des feux continuaient à brûler, des entrailles de maisons se consumaient encore, chargeant l'air d'une quantité de fumée suffisante pour que les yeux larmoient et que les gorges se nouent. Hypnotisée, la foule de plus en plus nombreuse s'écoulait vers le centre de la ville : dans des films d'archives, on voit les spectateurs border les rues principales, où défilaient des soldats allemands conquérants, flot régulier d'uniformes vert-de-gris, leurs pas résonnant telles des cordes frappant du bois dur.

Jan se tourna vers Antonina, qui semblait sur le point de s'évanouir.

« Je n'arrive pas à respirer, dit-elle. J'ai l'impression de me noyer dans une mer grise, comme s'ils submergeaient la ville entière, emportaient notre peuple et notre histoire, éliminaient tout de la surface du globe. »

Bloqués au cœur de la foule, ils regardèrent les chars et les canons étincelants se succéder, ainsi que les soldats aux visages rubiconds, une expression si provocatrice dans les yeux de certains que Jan dut se détourner. Le théâtre de marionnettes, forme artistique populaire en Pologne, n'était pas destiné aux seuls enfants, mais abordait souvent des sujets satiriques et politiques, comme jadis dans la Rome antique. De vieux films montrent ce que les habitants purent trouver ironique : une bruyante fanfare annonçant des vagues de cavalerie éclatante et d'orgueilleux bataillons, et Hitler occupant une tribune plus bas sur l'avenue, passant les troupes en revue, une main levée à la façon d'un marionnettiste remuant des fils invisibles.

Des représentants des principaux partis politiques polonais se réunissaient déjà dans la salle forte d'une caisse d'épargne pour renforcer la Résistance, qui connut presque un premier succès : des explosifs placés sous la tribune d'Hitler étaient censés le déchiqueter, mais à la dernière minute un officiel allemand envoya le plastiqueur ailleurs, l'empêchant d'allumer la mèche.

La ville ne tarda pas à dépérir aux mains des Allemands, les banques fermèrent, les salaires tarirent. Antonina et Jan se réinstallèrent dans la villa, mais sans argent ni provisions, ils récupérèrent la nourriture laissée par les soldats polonais qui avaient logé ici. La nouvelle colonie allemande était dirigée par l'avocat personnel d'Hitler, Hans Frank, membre de longue date du parti nazi et insigne juriste qui s'employait à modifier les lois allemandes selon la philosophie nazie, en particulier la législation sur les races et sur la Résistance. Durant son premier mois d'exercice, le gouverneur général Frank déclara que «tout juif quittant le quartier dans lequel il a été consigné» serait tué, tout comme «les personnes qui proposent de plein gré une cachette à ces juifs [...] Les instigateurs et les auxiliaires sont soumis au même châtiment que les auteurs; une tentative d'action sera punie de la même manière qu'une action accomplie».

Peu après, il promulgua un décret pour combattre les actes violents, lequel condamnait à mort quiconque désobéissait à l'autorité allemande, préparait des opérations de sabotage ou des incendies volontaires, possédait un fusil ou une autre arme, attaquait un Allemand, ne respectait pas le couvre-feu, disposait d'une radio, se livrait au marché noir, avait chez lui des tracts de la Résistance – ou ne signalait pas de tels comportements. Transgresser les lois ou ne pas signaler les transgresseurs, autant acteurs qu'observateurs, constituait des infractions pareillement punissables. La nature humaine étant ce qu'elle est, la plupart des gens ne voulurent pas s'engager, donc peu de gens furent dénoncés, et encore moins furent dénoncés pour n'avoir pas dénoncé autrui... dans ce qui aurait vite pu devenir un enchaînement absurde de réticence et d'inaction. Entre agir et ne pas agir, la conscience de chacun trouve son propre niveau: la majorité des Polonais ne risquèrent pas leur vie pour les fugitifs, mais ne les dénoncèrent pas non plus.

Hitler autorisa Frank à «exploiter sans merci cette région en tant que zone de guerre et butin, et réduire à un tas de décombres ses structures économiques, sociales, culturelles et politiques». L'une des tâches majeures de Frank était de tuer toutes les personnes influentes, professeurs, prêtres, propriétaires terriens, hommes politiques, avocats, artistes. Puis il entreprit de déplacer une grande partie de la population : en l'espace de cinq ans, 860 000 Polonais seraient déracinés et implantés ailleurs ; 75 000 Allemands s'empareraient de leurs terres ; 1 300 000 Polonais seraient envoyés en Allemagne comme travailleurs forcés ; enfin, 330 000 seraient purement et simplement assassinés.

Avec courage et ingéniosité, la Résistance polonaise saboterait le matériel allemand, ferait dérailler des trains et sauter des ponts, imprimerait plus de 1 100 périodiques, diffuserait des émissions de radio, enseignerait dans des établissements secondaires et supérieurs (fréquentés par 100 000 élèves et étudiants), aiderait des juifs à se cacher, fournirait des armes, fabriquerait des bombes, éliminerait des agents de la Gestapo, secourrait des prisonniers, monterait des pièces de théâtre secrètes, publierait des livres, accomplirait des exploits de résistance civile, organiserait ses propres tribunaux, échangerait des coursiers avec le gouvernement en exil, basé à Londres. Son aile militaire, l'Armée intérieure, eut à son apogée 380 000 soldats – parmi lesquels Jan Żabiński, qui raconta ensuite lors d'interviews : « Depuis le début, j'étais en liaison avec l'Armée intérieure dans le secteur du zoo. » Aussi déroutante que devait être la vie sous l'Occupation, l'État polonais clandestin, uni par la langue plus que par le territoire, lutterait sans discontinuer pendant six années.

Un élément essentiel pour la force de la Résistance était sa politique d'absence de contact avec la hiérarchie et l'utilisation inlassable de pseudonymes et de cryptonymes. Si personne ne connaissait son supérieur, une arrestation ne mettrait pas le noyau en danger ; si personne ne connaissait le véritable nom d'autrui, les saboteurs se révéleraient plus difficiles à découvrir. Les quartiers généraux de la Résistance se mouvaient à travers la ville, les écoles migraient d'une église ou d'un appartement à un autre, tandis qu'un ensemble de coursiers et d'imprimeries illégales assuraient l'information de tous. Le Mouvement paysan de résistance adopta le slogan «aussi peu, aussi tard, aussi médiocre que possible», et s'employa à saboter les livraisons aux Allemands et à détourner les vivres vers les populations citadines, soutenant maintes fois avoir livré les mêmes céréales ou le même bétail, gonflant les recettes, perdant, détruisant ou cachant les provisions. Les travailleurs forcés du centre de recherche militaire secret de Peenemünde urinèrent sur les composants électroniques pour les corroder, ce qui endommagea les roquettes. La Résistance englobait tant de cellules que chacun pouvait trouver un créneau, quel que fût son âge, son instruction ou son courage. Jan avait le goût du risque, qu'il estimait stimulant, expliqua-t-il par la suite à un journaliste, ajoutant à sa manière sobre que le pari électrisant lui rappelait assez «le jeu d'échecs – soit je gagne, soit je perds».

7

Avec l'automne, le froid commença de s'introduire sous les portes et par les fentes minuscules et, la nuit, des vents rudes balayaient le toit plat de la villa, gonflaient tous les volets en contreplaqué qui s'étaient gauchis, soufflaient en rafales sur la terrasse ceinte d'un mur. En dépit de ses bâtiments et pelouses dévastés, le zoo installa pour l'hiver ses quelques animaux restants, mais rien n'était plus comme avant la guerre, en particulier les tableaux saisonniers de l'existence. Le rythme des journées connaissait jadis un changement spectaculaire quand le zoo entrait dans sa propre période d'hibernation : les avenues, d'habitude encombrées d'une foule allant jusqu'à dix mille personnes pendant les vacances d'été, devenaient presque désertes. De rares visiteurs allaient encore voir la maison des singes, les éléphants, les îles des prédateurs ou le bassin des phoques, mais les longues files d'écoliers qui attendaient de monter sur les lamas, les poneys, les chameaux ou dans les petites voitures à pédales disparaissaient. Les animaux délicats tels les flamants roses et les pélicans, s'aventurant dehors pour une brève promenade de santé quotidienne, marchaient avec précaution sur le sol gelé. Tandis que les jours raccourcissaient et que les branches des arbres se dénudaient, la plupart des animaux restaient à l'intérieur, et la gamme sonore du zoo se réduisait à des murmures et des bruits rauques durant la morte-saison, phase de repos pour les animaux et de réparations pour les humains.

Même dans son état amoindri lié à la guerre, le zoo demeurait une complexe machine vivante, dans laquelle une vis desserrée ou un engrenage démonté pouvait provoquer une catastrophe, et un directeur de zoo se devait de remarquer un boulon rouillé ou un singe dont le nez coulait, de penser à donner un tour de clé ou à régler la chaleur d'un bâtiment, de ne pas négliger une barbe de bison très emmêlée. Tout cela redoublait d'importance pendant une tempête, par temps de pluie ou de gel.

Il manquait désormais les femmes qui ratissaient les feuilles mortes, les hommes qui isolaient les toits et les murs de l'écurie avec de la paille, les jardiniers qui enveloppaient les roses et les buissons ornementaux pour les protéger du gel. D'autres aides en uniformes bleus auraient dû mettre en cave betteraves, oignons, carottes, et remplir les silos de fourrage afin que les animaux hivernant aient quantité de « vitamines » (mot forgé en 1912 par le biochimiste polonais Casimir Funk). Les granges auraient dû contenir des tonnes de foin, les magasins et les offices renfermer avoine, farine, sarrasin, graines de tournesol, courges, œufs de fourmis et autres produits essentiels. Des camions auraient dû livrer du charbon et du coke, et le forgeron remettre à neuf les outils abîmés, tresser des treillis, huiler des cadenas. Dans l'atelier de menuiserie, des hommes auraient dû réparer des clôtures, des tables, des bancs et des étagères, fabriquer des portes et des fenêtres pour les bâtiments supplémentaires quand le sol dégèlerait au printemps.

Dans des circonstances normales, Antonina et Jan auraient préparé le budget pour l'année suivante, attendu l'arrivée de nouveaux animaux et lu des rapports dans les bureaux orientés vers la rivière et les maisons à toit pentu de la vieille ville. Le service des relations publiques aurait organisé des conférences et des concerts, des chercheurs auraient enduit des lames porte-objet et procédé à des analyses dans leurs laboratoires.

La morte-saison, même si elle n'était jamais une période facile, offrait en général un havre dans un monde intime et préservé, où ils comptaient sur un garde-manger bien approvisionné, des virements automatiques pour les denrées alimentaires et une certaine indépendance. La guerre ébranla ces trois piliers.

« La ville blessée s'efforce de nourrir ses animaux », dit Antonina, rassurante, à Jan, un matin où elle entendit des sabots claquer, puis vit deux charrettes grinçantes rouler jusqu'à la grille. Elles apportaient des restes de fruits et des épluchures de légumes venus de cuisines, de restaurants et de maisons. « Au moins ne sommes-nous pas seuls.

— Non. Les Varsoviens savent qu'il est important de conserver leur identité, répondit Jan, tous les éléments de l'existence qui les grandissent et les définissent ; par bonheur, le zoo figure parmi eux. »

Antonina écrivit pourtant qu'elle sentit le sol se dérober sous elle lorsque les autorités d'occupation décidèrent de transférer la capitale à Cracovie, notant que Varsovie, simple ville provinciale, n'avait plus besoin de zoo. Elle ne pouvait qu'attendre la « liquidation », mot abominable sous-entendant une fusion des créatures qui constituaient aux yeux de sa famille des individus, non pas une masse collective de fourrure, d'ailes et de sabots.

Seuls Antonina, Jan et Ryś demeurèrent dans la villa, sans beaucoup de nourriture à quelque prix que ce fût, avec peu d'argent et sans emploi. Tous les jours, Antonina faisait du pain, puisait dans les légumes du jardin d'été et les conserves de corbeaux, de corneilles, de champignons et de baies. Des amis et parents des hameaux périphériques envoyaient régulièrement de la nourriture, parfois même du lard et du beurre, luxes rarissimes dans la ville dévastée ; l'homme qui livrait des carcasses de chevaux au zoo avant la guerre leur procurait maintenant un peu de viande.

Un jour de la fin septembre, un visage familier apparut à leur porte : un vieux gardien du zoo de Berlin, en uniforme allemand.

« Le directeur Lutz Heck m'a dépêché avec ses salutations et un message, annonça-t-il solennellement. Il voudrait vous proposer son aide, et il attend mon appel. »

Antonina et Jan se regardèrent, étonnés, ne sachant trop que penser. Ils connaissaient Lutz Heck par les réunions annuelles de l'Association internationale des directeurs de zoo, petite coterie d'altruistes, de pragmatistes, d'évangélistes... et de crapules. Au début du xxᵉ siècle, il y avait deux grandes écoles au sujet des animaux exotiques. L'une croyait à la création d'habitats naturels, correspondant au paysage et au climat que chaque espèce trouvait dans son pays d'origine. Les ardents défenseurs de cette vision étaient le professeur Ludwig Heck du zoo de Berlin et son fils aîné, Lutz Heck. Selon la conception opposée, livrés à eux-mêmes, les spécimens exotiques s'adapteraient à un nouvel environnement, où que fût situé le zoo. Le chef de ce camp adverse était le cadet du professeur Heck, Heinz, directeur du zoo de Munich. Influencé par Ludwig et Lutz, le zoo de Varsovie était conçu pour aider les animaux à s'acclimater ; il offrait en outre des habitats accueillants. C'était le premier zoo polonais qui ne maintenait pas les bêtes dans des cages exiguës : Jan essayait au contraire d'adapter chaque enclos à l'animal et de reproduire autant que possible ses conditions de vie en liberté. De plus, le zoo s'enorgueillissait d'avoir une bonne source d'eau pure (grâce à des puits artésiens), un système d'égouts élaboré, ainsi que des employés formés et dévoués.

Aux réunions annuelles, les idéologies dégénéraient parfois en disputes, mais les familles de gardiens se glorifiaient toutes de leurs zoos et jonglaient avec les mêmes passions et préoccupations, il régnait donc une atmosphère de complicité, sagesse et bien-être partagés, malgré les barrières linguistiques. Les autres directeurs ne parlaient pas polonais, Jan n'était pas très à l'aise en allemand ; Antonina parlait polonais et avait des notions de russe, de français et d'allemand. Un genre d'espéranto (invention polonaise) se constitua néanmoins : il reposait sur l'allemand et l'anglais, et s'accompagnait de photographies, de dessins à main levée, de cris d'animaux et de pantomimes. Les réunions annuelles faisaient l'effet de retrouvailles, et Antonina, la plus jeune des épouses, captivait chacun des participants par son élégance et sa sveltesse; de surcroît, ils considéraient Jan comme un directeur énergique et déterminé, dont le zoo prospérait et avait la chance d'accueillir des progénitures rares.

Heck avait toujours été cordial, en particulier avec Antonina. Mais, dans son travail au zoo, et maintenant dans sa politique, il avait l'obsession des lignées, y compris aryennes, et d'après les rumeurs, il était devenu un fervent et puissant nazi, ayant pour compagnons de chasse et fréquents invités le maréchal du Reich Hermann Göring et le ministre de la Propagande Joseph Goebbels.

« Nous sommes reconnaissants au directeur Heck pour son offre, répondit poliment Antonina. S'il vous plaît, remerciez-le et dites-lui que nous n'avons pas besoin d'aide, car le zoo est voué à la liquidation. » Zoologiste le plus insigne du gouvernement d'Hitler, Heck pourrait même être la personne chargée de le liquider, savait-elle pertinemment.

Le lendemain, à leur grande surprise, le gardien revint et annonça que Lutz Heck leur rendrait visite sous peu; lorsqu'il s'en alla, ils s'interrogèrent sur la conduite à tenir. Ils n'avaient pas confiance en Heck, mais d'un autre côté celui-ci avait un faible pour Antonina et, en tant que confrère, il devait en principe compatir à leur situation. Dans un pays occupé où la survie dépendait souvent du fait d'avoir des amis en haut lieu, cultiver Heck était raisonnable. Antonina pensait qu'il savourait l'idée d'être son protecteur, un chevalier médiéval comme Parsifal, un idéal romantique pour conquérir son cœur et se montrer noble. Tandis qu'elle se demandait si cette démarche était secourable ou malveillante, une imagerie féline surgit dans son esprit: « Pour ce que nous en savons, il pourrait simplement jouer avec nous. Les gros chats ont besoin de petites souris avec lesquelles s'amuser. »

Jan défendit la possible bonne volonté du Berlinois: étant gardien de zoo lui-même, Lutz Heck adorait les animaux, consacrait son existence à leur sauvegarde et s'apitoyait sans aucun doute sur les pertes de ses confrères. Ainsi, oscillant entre espoir et peur, passèrent-ils la soirée avant sa première visite.

Après le couvre-feu, les Polonais n'avaient plus le droit de flâner sous un ciel étoilé. Derrière leurs fenêtres ou de leurs balcons, ils pouvaient encore observer les Perséides d'août, suivies par les pluies météoriques de l'automne – les Draconides, Orionides et Léonides –, mais, à cause de tous les bombardements et de la poussière, la plupart des journées devenaient nuageuses, avec des couchers de soleil tumultueux et de la bruine avant l'aube. Ironiquement, la guerre à vaste échelle, qui créait des champs de bataille hideux et de la pollution, engendrait aussi de magnifiques spectacles célestes. Malgré leurs queues en forme de cerfs-volants, les rapides chutes de météores nocturnes évoquaient désormais des tirs d'artillerie et des bombes. Jadis, les météores figuraient dans une catégorie mentale distante de toute technologie, voyageuses en provenance de lointains royaumes où les étoiles scintillaient comme des barbelés recouverts de givre. Dans un passé ancien, l'Église catholique avait baptisé les Perséides «les larmes de saint Laurent», car elles apparaissaient autour de la fête de ce saint, mais l'image plus scientifique de boules de neige sale entraînées par d'invisibles ondes depuis les confins du système solaire, puis précipitées vers la Terre, recèle sa propre magie sacrée.

8

Lutz Heck prit la succession de son distingué père à la tête du zoo de Berlin en 1931 et commença presque aussitôt à en remodeler l'écologie et l'idéologie. Pour coïncider avec les jeux Olympiques de 1936, organisés à Berlin, il ouvrit un « zoo allemand », parcours qui mettait à l'honneur la faune du pays : au centre, un « rocher aux loups », entouré d'enclos pour les ours, les lynx, les loutres et d'autres espèces autochtones. Cette exposition patriotique audacieuse, soulignant l'importance des animaux familiers et le fait que l'on n'avait pas besoin d'aller au bout du monde pour trouver des espèces exotiques, transmettait un message louable, et si Heck l'avait présentée aujourd'hui, ses motifs ne seraient pas contestés. Mais, vu la période, ses convictions et l'ultra-nationalisme de sa famille, il voulait évidemment plaire à ses amis nazis en contribuant à l'idéal des races supérieures de l'Allemagne. Une photo de 1936 montre Heck et Göring lors d'une partie de chasse à Schorfheide, la vaste réserve d'Heck en Prusse ; l'année suivante, Heck adhéra au parti nazi.

Chasseur de gros gibier, Heck passa les moments forts de sa vie à rechercher le danger et l'aventure, se lançant plusieurs fois par an dans des voyages pour capturer des animaux destinés à son zoo, peut-être rapporter quelques têtes de mouflons qui orneraient son mur ou affronter une femelle grizzly au comble de la fureur. Il se délectait des périlleuses chasses extravagantes, en Afrique tout particulièrement, qu'il résumait dans des lettres pittoresques, écrites à la lueur d'une lanterne, à califourchon sur un pliant près d'une belle flambée, tandis que des lions grondaient, invisibles, dans l'obscurité et que ses compagnons dormaient.

« Le feu de camp dansant devant moi, écrivit-il à une occasion, et derrière moi, sortant des ténèbres infinies, les bruits d'une mystérieuse bête sauvage indiscernable. » Seul mais peu inquiet des prédateurs alentour, il rejouait sur le papier les exploits de la journée, soit pour les conserver, soit pour les partager avec des amis évoluant dans une autre réalité, l'Europe qui lui semblait à des années-lumière. Souvent, des photos d'action accompagnaient ses lettres : on l'y voyait prendre une girafe au lasso, conduire un bébé rhinocéros, attraper un oryctérope, éviter la charge d'un éléphant.

Heck adorait collectionner les trophées, en guise d'aide-mémoire à une part sauvage de son être qui se manifestait dans les espaces naturels lointains – animaux vivants à montrer dans son zoo, animaux morts à empailler, photos à diffuser et à encadrer. À la grande époque de ses voyages, il semblait collectionner la vie elle-même, tenant de volumineux journaux, prenant des centaines de photos, écrivant des livres à grand succès (par exemple, *Mes Bêtes sauvages*) qui dépeignaient sa passion de la nature, dans lesquels il détaillait des actes d'une bravoure, d'un stoïcisme et d'une habileté extraordinaires. Heck connaissait ses forces, admirait l'héroïsme chez lui et chez les autres, savait raconter une histoire captivante lors de l'apéritif des réunions annuelles. Même s'il bâtissait parfois sa propre légende, sa personnalité correspondait à une profession qui a toujours attiré des gens avides d'exploration, fuyant la vie domestique et désirant juste assez d'épreuves pour sentir vaciller les bases de l'existence. Sans des individus comme lui, les cartes représenteraient encore une Terre plate et nul ne croirait à la source du Nil. Il arrivait à Heck d'abattre des dragons – ou plutôt leurs versions actuelles – mais avant tout il capturait, photographiait et exposait avec enthousiasme. Ardent et déterminé, quand il jetait son dévolu sur un animal, soit sauvage soit appartenant à quelqu'un, il le convoitait, essayait tous les leurres et ruses qu'il pouvait concevoir et persévérait jusqu'à épuiser l'animal ou à lasser le propriétaire.

Durant des décennies, les frères Heck poursuivirent un fabuleux objectif, menèrent une quête qui intéressa Heinz et enflamma complètement Lutz : la recréation de trois espèces disparues de pure race – à savoir le cheval néolithique connu sous le nom de tarpan des forêts, l'aurochs (le bœuf sauvage dont descendent toutes les espèces bovines européennes) et le bison d'Europe ou « des forêts ». À la veille de la guerre, les Heck avaient produit de quasi-aurochs et tarpans de leur cru, mais les variétés polonaises étaient plus typiques, héritières évidentes.

Seules conviendraient des créatures préhistoriques, non entachées par le mélange racial, et bien que Lutz eût l'espoir d'acquérir influence et célébrité dans l'opération, il avait des motivations plus personnelles : il voulait connaître l'exaltation de ramener à la vie des animaux disparus, presque magiques, et de gouverner leur sort, ainsi que d'en chasser certains pour son plaisir. Le génie génétique n'apparaîtrait pas avant les années 1970, mais il décida d'employer l'eugénisme, méthode traditionnelle pour produire des animaux présentant des caractères spécifiques. Le raisonnement d'Heck était le suivant : un animal reçoit cinquante pour cent de ses gènes de chaque parent, et même les gènes d'un animal disparu demeurent dans le patrimoine héréditaire, donc s'il concentrait les gènes en croisant des animaux qui ressemblaient le plus au disparu, il finirait par arriver à leur ancêtre de pure race. La guerre lui fournit le prétexte pour piller les meilleurs spécimens des zoos et des espaces naturels d'Europe orientale.

Justement, les animaux qu'il choisit prospéraient tous en Pologne, leur paysage immémorial était Białowieża, et l'accord d'un zoo polonais respecté légitimerait ses efforts. Lorsque l'Allemagne envahit la Pologne, Heck chercha dans les fermes les juments qui avaient gardé le plus de traits des tarpans pour les accoupler avec plusieurs races sauvages, dont les shetlands, les chevaux arabes et de Przewalski, espérant remonter à l'animal idéal, les farouches équidés presque indomptables peints en ocre dans les grottes des hommes de Cro-Magnon. Heck supposait qu'il ne faudrait pas beaucoup de générations, peut-être six ou sept, car à une époque aussi récente que les années 1700, des tarpans peuplaient encore les forêts du nord-est de la Pologne.

Aux périodes glaciaires, quand une toundra balayée par le vent s'étendait jusqu'à la campagne méditerranéenne et que les glaciers recouvraient l'Europe septentrionale, des forêts épaisses et des prés fertiles abritaient de vastes troupeaux de tarpans qui parcouraient les plaines d'Europe centrale, paissaient dans les steppes d'Europe orientale et galopaient à travers l'Asie et les Amériques. Au Ve siècle avant notre ère, Hérodote disait combien il aimait regarder les troupeaux de tarpans brouter dans les tourbières et les marécages de ce qui est aujourd'hui la Pologne. Pendant très longtemps, des tarpans de pure race échappèrent à tous les chasseurs et survécurent en Europe, mais lorsque le XVIIIe siècle commença il en restait peu, notamment parce que les restaurants prisaient leur viande (tendre et, qui plus est, rare) et que la majorité des tarpans s'étaient croisés avec des chevaux de fermes pour donner une progéniture fertile. En 1880, poursuivie par les hommes, la dernière jument tarpan sauvage tomba dans une crevasse en Ukraine et périt ; le dernier tarpan en captivité mourut sept ans plus tard au zoo de Munich. À ce moment, l'extinction de l'espèce fut officiellement constatée, chapitre supplémentaire dans les annales de la vie sur Terre.

Les humains domestiquèrent les chevaux il y a environ six mille ans et entreprirent aussitôt de les sélectionner : ils tuèrent les rebelles pour s'en nourrir tandis qu'ils élevaient les plus doux, afin d'obtenir une bête qui se plie davantage à la selle et à la charrue. Dans ce processus, la nature du cheval s'est trouvée modifiée, perdant sa part sauvage fougueuse, incontrôlable et fuyante. Élevés en plein air, distants, les chevaux de Przewalski conservaient cette fureur, et Heck projeta d'introduire leur esprit combatif dans le mélange génétique du nouveau tarpan. L'Histoire attribue au colonel Nikolai Przewalski, explorateur russe d'origine polonaise, la « découverte » du cheval sauvage asiatique en 1879, d'où son nom, même si, évidemment, l'animal était bien connu des Mongols, qui l'avaient appelé *tahki*. Heck inclut l'endurance, le tempérament et la beauté du *tahki* dans sa formule, mais il voulait des créatures encore plus anciennes : les chevaux qui dominaient le monde préhistorique.

Quel puissant idéal, ce cheval séduisant, nerveux, frappant le sol en signe de défi, s'exprimant de ses quatre sabots! Après la guerre, Heinz Heck écrivit que son frère et lui avaient entrepris cette aventure par curiosité, mais aussi à cause de l'idée que « s'il est impossible d'arrêter l'homme dans sa folle destruction de lui-même et d'autres créatures, au moins est-ce une consolation si certaines des espèces animales qu'il a déjà exterminées peuvent être ramenées à la vie ». Mais pourquoi avoir des tarpans comme montures s'il n'y avait aucune proie digne d'être chassée?

Lutz Heck commença bientôt à s'occuper de plusieurs bisons d'Europe, dont ceux qu'il vola au zoo de Varsovie, espérant qu'ils parviendraient à prospérer sous le couvert des vénérables arbres de Białowieża, tout comme leurs ancêtres. Heck envisageait que des bisons des forêts galopent à nouveau sur les pistes tandis que le soleil dardait ses rayons entre les branches de chênes immenses, dans des bois peuplés d'une profusion de loups, de lynx, de sangliers et d'autre gibier, auxquels ne tarderaient pas à s'ajouter, osait-il croire, des troupeaux de chevaux anciens.

Heck se pencha aussi sur un taureau légendaire, l'aurochs, jadis le plus gros animal terrestre d'Europe, célèbre pour sa vigueur et sa férocité. Quand les glaciers fondirent, il y a environ douze mille ans, la plupart des mammifères géants disparurent, mais, dans les forêts de l'Europe septentrionale, des aurochs survécurent, et tous les bovins modernes descendent de ces quelques spécimens – non que les aurochs eussent été faciles à domestiquer il y a huit mille ans. Comme les aurochs disparurent au XVIIe siècle, date récente sur le plan de l'évolution, Heck avait la certitude qu'il pourrait le recréer et, ce faisant, le sauver de la «dégénérescence raciale». Il souhaitait que, avec la croix gammée, le taureau devienne un symbole du nazisme. Certains dessins de cette période montraient l'aurochs et une svastika associés dans un emblème de sophistication idéologique jointe à une force impitoyable.

Beaucoup de cultures antiques vouaient un culte à l'aurochs, en particulier l'Égypte, Chypre, la Sardaigne et la Crète (dont le dirigeant hybride, selon la légende, descendait d'un taureau sacré). Dans la mythologie grecque, Zeus prenait souvent la forme d'un taureau pour mieux conquérir les séduisantes mortelles et engendrer une progéniture ayant des dons magiques. Lorsqu'il enleva Europe, c'était sous l'apparence d'un aurochs, grand taureau noir avec une courte barbe et de gigantesques cornes pointées vers l'avant (comme celles des vaches longhorn ou du casque des héros des *Nibelungen*). Quel meilleur animal totémique pour le Troisième Reich? Des officiels nazis de premier ordre partageaient l'enthousiasme d'Heck à l'égard du projet, signe que le travail de ce dernier ne se limitait pas à la recréation d'espèces disparues. Après l'arrivée au pouvoir d'Hitler, les visées biologiques du mouvement nazi suscitèrent de nombreuses opérations pour établir la pureté raciale, qui servit à justifier des stérilisations, des euthanasies et des massacres. L'un des scientifiques les plus importants du Troisième Reich, le collègue et grand ami d'Heck Eugene Fischer, fonda «l'Institut d'anthropologie, d'hérédité humaine et d'eugénisme», lequel soutint Josef Mengele et d'autres médecins SS également sadiques qui utilisèrent comme cobayes des prisonniers des camps de concentration.

Fasciné par la violence et l'esprit viril — naturellement brave, audacieux, féroce, robuste, sain, vigoureux et résolu —, Eugene Fischer considérait les mutations chez les êtres humains aussi destructrices que chez les animaux domestiques; d'après lui, le métissage fanait la race humaine de même qu'il avait déjà dénaturé certains «beaux, bons et héroïques» animaux sauvages, la puissance originelle se perdant au milieu du désordre génétique. Le nazisme s'enracinait dans un occultisme florissant qui donna naissance à la Société Thulé, au Germanenorden, au mouvement Völkisch, au pangermanisme et à d'autres groupes nationalistes persuadés de l'existence d'une race d'hommes-dieux aryens et de l'urgence d'exterminer tous les inférieurs. Ils exaltaient des ancêtres surhumains dont la règle gnostique ancienne avait apporté aux aryens la sagesse, la puissance et la prospérité aux temps préhistoriques, avant d'être supplantée par une culture étrangère, hostile (à savoir le judaïsme, le catholicisme et la franc-maçonnerie) ; ces ancêtres étaient censés avoir transcrit leurs connaissances, sources de salut, dans des formes énigmatiques (par exemple, les runes, les mythes, les traditions), que seuls leurs héritiers spirituels pourraient un jour déchiffrer.

Cet idéal de pureté raciale s'épanouit vraiment avec Konrad Lorenz, scientifique couronné par le prix Nobel, très respecté dans les cercles nazis, qui partageait la conviction d'Oswald Spengler, popularisée dans *Le Déclin de l'Occident* (1920), que les cultures dépérissent inévitablement – mais sans partager son pessimisme. Il prit la domestication des animaux comme exemple de la manière dont les cultures déclinent, à travers des croisements au hasard entre individus robustes et ordinaires, et prôna une solution biologique : l'hygiène raciale, « politique raciale réfléchie, fondée sur la science » dans laquelle l'élimination des types « dégénérés » permet d'éviter la ruine. Lorenz employait les termes « espèce », « race » et « *Volk* » de façon interchangeable et prévenait que « le corps *völkisch* sain "s'aperçoit" rarement combien des éléments de détérioration l'envahissent ». Décrivant cette détérioration comme le cancer d'un peuple physiquement laid et soutenant que le but de chaque animal est la survie de son espèce, il invoqua un commandement éthique soutenu par la Bible, affirmait-il – « Tu aimeras par-dessus tout l'avenir de ton *Volk* » – et recommanda de diviser les gens entre ceux de « pleine valeur » et ceux de « valeur inférieure » (ce qui incluait des ethnies entières et tout individu né avec un handicap physique ou mental), d'éliminer les faibles, autant parmi les hommes que chez les animaux.

Heck était du même avis, puisqu'il aspirait ni plus ni moins à réorganiser le monde naturel allemand, à le nettoyer, l'affiner, le parfaire. Fidèle partisan dès les prémices du nazisme, Heck s'insinua dans les bonnes grâces des SS, s'imprégna des convictions de Fischer et de Lorenz sur la pureté raciale, devint un favori d'Hitler et tout spécialement d'Hermann Göring, son mécène idéal. Dans cette utopie sanitaire, la mission principale d'Heck était de réinventer la nature, et il trouva en Göring un mécène généreux, aux poches bien remplies. En retour, Heck voulait lui donner l'autorité sur le plus grand trésor naturel de la Pologne, la fabuleuse réserve perdue dans le temps à la frontière avec la Biélorussie, Białowieża. Heck le devinait, ce serait là le cadeau suprême pour un homme qui mettait son blason sur la plupart de ses biens et aimait revêtir des « tenues pseudo-moyenâgeuses, longs pourpoints en cuir, bottes souples et volumineuses chemises en soie, et faire le tour de sa maison et de son domaine une lance au côté ». De nombreux aristocrates occupaient des postes stratégiques dans le parti nazi et la majeure partie du haut commandement possédait des pavillons ou des domaines de chasse ; aussi un aspect important du travail d'Heck consistait-il à s'emparer des meilleures réserves de chasse et à les peupler de manière innovante. Parsemée de châteaux médiévaux, héritière de la seule forêt primitive d'Europe, la Pologne se glorifiait d'offrir certaines des plus belles chasses sur le continent. Des photos d'avant-guerre montrent Göring dans son pavillon de chasse magnifiquement aménagé au nord-est de Berlin, sur un domaine qui s'étendait jusqu'à la Baltique, avec une réserve privée de huit mille hectares où il lâcha des élans, des cerfs, des sangliers, des antilopes et d'autres animaux encore.

Plus largement, les nazis étaient d'ardents écologistes et défenseurs des animaux, qui promurent la gymnastique rythmique, une vie saine, des excursions régulières à la campagne et une politique des droits de l'animal d'une grande portée lorsqu'ils accédèrent au pouvoir. Göring s'enorgueillissait de sponsoriser des sanctuaires naturels («poumons verts»), à la fois zones de détente et de conservation, et d'ouvrir de vastes routes bordées de vues pittoresques. Cela plaisait à Lutz Heck comme à nombre d'autres scientifiques d'envergure internationale, le physicien Werner Heisenberg, le biologiste Karl von Frisch, le concepteur de fusées Wernher von Braun. Sous le Troisième Reich, des animaux devinrent nobles, légendaires, presque angéliques – y compris des humains, bien sûr, mais pas les Slaves, ni les tziganes, ni les catholiques, ni les juifs. Exemple notable de l'amour des nazis pour les animaux : alors que les sujets de Mengele subissaient parfois des opérations sans recevoir aucun analgésique, un grand biologiste fut un jour sanctionné car il n'avait pas assez anesthésié des vers pendant une expérience.

9

Avec le black-out en vigueur et la plupart des animaux tués, l'aube ne s'annonçait plus par un flot de lumière dans la chambre et le début de la chorale fantasmagorique du zoo. On se réveillait dans le noir et le silence, les fenêtres de la chambre obturées par le contre-plaqué et les cris des animaux soit manquants soit étouffés. Dans un silence aussi épais, les bruits corporels deviennent perceptibles, on entend le flux du sang et le soufflet des poumons. Dans une obscurité aussi profonde, des lucioles dansent devant des yeux tournés vers l'intérieur. Si Jan s'habillait près de la porte de la terrasse, Antonina ne le voyait pas. Si elle étirait le bras vers l'autre côté du lit, tâtonnait autour de l'oreiller et le trouvait vide, elle pouvait avoir la tentation de s'attarder aux souvenirs de la vie du zoo avant la guerre, perdue dans la clarté rêveuse de ses livres d'enfant. Mais, ce jour-là, elle devait s'occuper des tâches habituelles : il y avait encore des animaux à nourrir, Ryś à vêtir pour l'école et la maison à préparer pour la visite d'Heck.

Antonina écrivit qu'Heck lui apparaissait comme « un vrai romantique allemand », naïf dans ses convictions politiques et vaniteux peut-être, mais courtois et impressionnant. Son attention la flattait, et elle apprit par un ami commun qu'elle lui rappelait son premier grand amour ; du moins le jurait-il. Leurs chemins se croisaient rarement, toutefois il arrivait que Jan et elle se rendent au zoo de Berlin, et Heck leur avait envoyé des photos prises durant des expéditions, accompagnées de lettres cordiales dans lesquelles il faisait l'éloge de leur travail.

Antonina passa l'une des nombreuses robes à pois qu'elle aimait pour les visites (certaines avaient un col en dentelle ou orné de fronces). Les photos la montrent presque toujours drapée dans des robes tachetées comme une fourrure de lynx ou à gros pois pâles sur un fond noir ou bleu marine qui met en valeur sa chevelure blonde.

Depuis la galerie, la voiture d'Heck franchissant la grille principale était visible, Jan et Antonina parvinrent donc sans nul doute à présenter des visages souriants lorsqu'il se gara.

« Bonjour, mes amis ! », lança Heck en sortant du véhicule. Grand homme musclé, aux cheveux peignés en arrière et à la moustache sombre et soignée, Heck portait maintenant l'uniforme des officiers nazis. Cette vision, bien qu'attendue, se révéla troublante pour Jan et Antonina, habitués à le voir en civil, dans des vêtements de travail ou en habit de chasse.

Lui et Jan se serrèrent la main avec chaleur, et il prit la main d'Antonina pour y déposer un baiser. Nous pouvons en être certains puisque c'était la coutume, mais nous ignorons la manière dont ce « vrai romantique allemand » le fit. Avec simplicité ou ostentation ? Lèvres touchant la peau ou s'arrêtant à portée de souffle ? De même qu'une poignée de main, un baisemain peut refléter des sentiments subtils : un salut à la féminité, un cœur tremblant, une obéissance réticente, un instant d'adoration secrète.

Lui et Jan durent parler de l'élevage des animaux rares, surtout ceux qui intéressaient Heck au plus haut degré – la mission (certains diraient l'obsession) de sa vie rejoignant à merveille le désir des nazis d'avoir des chevaux pur sang à monter et des proies de pure race à chasser.

Dans ce domaine, Jan et Lutz se passionnaient tous deux pour les espèces indigènes polonaises, en particulier le gros bison des forêts laineux (*Bison bison bonasus*), cousin barbu du bison nord-américain (*Bison bison*) et plus lourd animal terrestre d'Europe. Spécialiste reconnu de ces bovins, Jan jouait un rôle essentiel dans la Société internationale pour la protection du bison d'Europe, fondée à Berlin en 1923. Une priorité à son ordre du jour : retrouver tous les bisons des forêts restant dans les zoos et les collections privées. Il en recensa cinquante-quatre, dont un grand nombre n'étaient plus en âge de se reproduire, et en 1932 Heck inscrivit des généalogies dans le premier registre du bison d'Europe.

Antonina écrivit plus tard qu'elle se sentit pleine d'espoir lorsque Lutz Heck évoqua le souvenir de leurs rencontres avant-guerre et tous leurs points communs, louant une nouvelle fois leur travail dans le récent zoo. La véritable raison de la visite d'Heck finit par affleurer dans la conversation, qui se déroula en ces termes, selon le témoignage d'Antonina :

« Je vous en fais la promesse, dit-il solennellement. Vous pouvez compter sur moi. Quoique je n'aie pas de réelle influence sur le haut commandement allemand, j'essaierai néanmoins de convaincre ses membres d'être cléments avec votre zoo. En attendant, je vais emmener vos animaux les plus importants en Allemagne, mais je jure de prendre soin d'eux. Mes amis, je vous en supplie, considérez qu'il s'agit d'un prêt ; aussitôt la guerre terminée, je vous les rendrai. » Il adressa un sourire rassurant à Antonina. « Et je serai personnellement responsable de vos préférés, les lynx, madame Żabińska. Je vous garantis qu'ils trouveront un bon foyer dans mon zoo de Schorfheide. »

La discussion porta ensuite sur des sujets politiques délicats, dont le sort de Varsovie ravagée par les bombardements.

« Au moins avons-nous un motif de nous réjouir, dit Heck. Le cauchemar du mois de septembre à Varsovie est fini et la Wehrmacht ne prévoit plus de bombarder la ville.

— Que ferez-vous de tous vos animaux rares si la guerre éclate ?

— On m'a beaucoup posé cette question, tout comme celle-ci : "Que ferez-vous des spécimens dangereux ? Supposez que vos bêtes s'échappent pendant une attaque aérienne", etc. Ce sont des pensées terribles. Le spectacle de

Berlin et de mon zoo après le passage de bombardiers britanniques est un cauchemar personnel. Je ne veux pas imaginer ce que pourraient connaître d'autres zoos d'Europe s'ils étaient bombardés. Voilà sans doute pourquoi je me désole autant d'être témoin de votre perte, mes amis. C'est épouvantable, et je ferai tout mon possible pour vous aider.

— L'Allemagne s'est déjà retournée contre la Russie…

— À juste titre, soutint Heck, mais vaincre la Russie ne pourra se faire sans le concours britannique, et dans la situation actuelle, avec la Grande-Bretagne dans le camp adverse, nos chances de gagner sont faibles. »

L'enjeu étant si grand, Antonina examina Heck avec attention. Lorsque des émotions s'y peignent, fugaces, un visage peut trahir la peur ou la culpabilité d'un mensonge imminent. La guerre tendait à ruiner la confiance d'Antonina dans les gens, mais la dévastation de Varsovie, ainsi que du zoo, ébranlait manifestement Heck. Son manque d'enthousiasme vis-à-vis des décisions d'Hitler l'étonnait par ailleurs, elle trouva même « de tels propos, venant d'un fonctionnaire du Troisième Reich, assez choquants », ce d'autant plus qu'avant la guerre il exprimait peu d'opinions politiques et parlait sans cesse de « l'infaillibilité allemande ». Toutefois, il embarquerait bientôt les lynx et d'autres animaux à destination de l'Allemagne, *pour prendre soin d'eux*, avait-il dit, *en guise de prêt*, avait-il dit, et elle était forcée d'accepter, de rester cordiale et d'espérer que tout se passerait au mieux.

10

Tel qu'il apparaît à travers ses écrits et ses actions, Lutz Heck était aussi changeant qu'une girouette : charmant si nécessaire, sans pitié si besoin était, attachant ou féroce, en fonction de son objectif. Il n'en demeure pas moins étonnant que le zoologiste Heck ait choisi d'ignorer la théorie admise de la vigueur des hybrides, d'après laquelle les croisements renforcent une lignée. Il devait savoir que les bâtards ont un meilleur système immunitaire et plus d'atouts génétiques en réserve, alors que dans une race pure, quelle qu'en soit la « perfection », une maladie qui tue un animal risque de détruire tous les autres, raison pour laquelle les zoos tiennent avec soin le livre généalogique des animaux menacés (guépards, bisons des forêts…) et s'efforcent de les accoupler avantageusement. En tout cas, dans un lointain passé, bien avant que quiconque fût visiblement aryen, nos ancêtres partageaient le monde avec d'autres catégories d'hominidés ; le fréquent métissage entre voisins donnait des rejetons plus résistants, plus agressifs, qui prospéraient. Tous les humains actuels descendent de ce mélange robuste, loquace, en particulier d'un goulot d'étranglement génétique d'une centaine d'individus seulement. Réalisée en 2006, une étude de l'ADN des mitochondries fait remonter les juifs ashkénazes (environ 92 % des juifs du monde en 1931) à quatre femmes, qui migrèrent du Proche-Orient vers l'Italie aux IIe et IIIe siècles. L'humanité entière peut être attribuée au patrimoine génétique d'un seul être, un homme selon certains, une femme selon d'autres. Il est difficile d'imaginer que notre sort fut à ce point aléatoire, mais nous sommes des prodiges de la nature.

Après des années d'observation des bêtes sauvages, Heck considérait peut-être le nettoyage ethnique comme hygiénique et inévitable, moteur de transformation, remplaçant un héritage génétique par un autre plus approprié encore, ressemblant à un drame qui se déroule partout dans le royaume animal. Le scénario habituel – chez les lions, par exemple – est celui-ci : l'agresseur assaille un groupe voisin, tue le mâle dominant et les jeunes, s'accouple de force avec les femelles, établissant par là sa propre lignée, et prend possession du territoire sur lequel régnait le mâle. Les êtres humains, capables de subterfuge et de déni mais troublés par des scrupules moraux, dissimulent de tels instincts sous des termes comme autodéfense, nécessité, loyauté, bien-être collectif, etc. Ce fut notamment le cas en 1915, lorsque les Turcs massacrèrent les Arméniens durant la Première Guerre mondiale, et au milieu des années 1990, quand les Serbes chrétiens de Bosnie commencèrent à exterminer les musulmans du pays, ainsi qu'au Rwanda, où des centaines de milliers de gens furent abattus, et les femmes violées, au cours de la guerre entre les Hutus et les Tutsis.

La Shoah fut différente, préméditée, sophistiquée, méthodique, mais aussi plus primitive, comme l'explique le biologiste Lecomte du Noüy dans *La Dignité humaine* (1944) : « Le crime de l'Allemagne est le plus grand crime que le monde ait jamais connu, parce qu'il n'est pas à l'échelle de l'Histoire. Il est à l'échelle de l'évolution. » Cela ne veut pas dire que les humains n'ont pas influé sur l'évolution dans le passé. Nous savons que nous avons provoqué l'extinction de nombreux animaux, voire sans doute d'autres branches humaines. Néanmoins, ce qui est instinctif n'est pas inévitable, nous bridons parfois des impulsions rebelles, nous ne respectons pas toujours les règles de la nature. Les impératifs jumeaux d'Hitler, purifier la race et s'emparer d'un territoire, semblaient à coup sûr justifiés aux yeux de gens comme Heck, qui voyait peut-être même là une nécessité diabolique.

Heck était un pragmatique, et les terres polonaises seraient bientôt remaniées par les Allemands, zoos inclus. Donc, lorsqu'il se rendit au zoo de Varsovie bombardé, il avait une sombre intention : ses visites étaient un prétexte pour piller les meilleurs animaux au profit des zoos et réserves d'Allemagne, ainsi que les registres d'espèces inestimables. Avec son frère Heinz, il espérait être utile au nouvel empire allemand et restaurer la vigueur perdue de l'environnement naturel, tout comme Hitler espérait tonifier la race humaine.

À maintes reprises, Heck jura aux Żabiński qu'il n'avait joué aucun rôle dans la fermeture de leur zoo et que sa faible influence sur le haut commandement ne suffisait pas pour ébranler les généraux. Mais Antonina le soupçonnait de mentir, d'exercer un ascendant considérable en très haut lieu, voire d'être personnellement responsable de leur sort. L'avenir de leur zoo condamné tourmentait les Żabiński : s'il était démoli, labouré, recouvert de nouveaux bâtiments, ne disparaîtrait-il pas parmi les victimes de la guerre ? En tout cas, Jan devait rester, quoi que cela puisse entraîner, car le zoo servait à la Résistance. Le quartier de Praga abrita en effet jusqu'à quatre-vingt-dix sections pour un total de six mille soldats, soit le plus vaste réservoir de saboteurs de la ville.

L'Armée de l'intérieur, branche clandestine de l'armée polonaise qui recevait des ordres du gouvernement polonais en exil à Londres, comprenait une puissante hiérarchie avec un réseau de cellules disséminées et de nombreux dépôts d'armes, usines de grenades, écoles, cachettes, messagers et laboratoires pour fabriquer des armes, des explosifs et des récepteurs de radio. Lieutenant de l'Armée de l'intérieur, Jan s'efforça de donner au zoo les apparences d'un endroit que le Troisième Reich pourrait vouloir conserver intact. Les Allemands avaient des troupes à nourrir et aimaient beaucoup la viande de porc, il suggéra donc à Lutz Heck la création d'une immense porcherie dans les locaux délabrés, sachant qu'un élevage de porcs sous un climat rigoureux garantirait un bon entretien des bâtiments et des terrains, et même de petits revenus pour quelques-uns des vieux employés. Selon le témoignage qu'il déposa à l'Institut historique juif de Varsovie, en recourant à la ruse de rassembler des restes pour nourrir les cochons, il espérait « apporter des billets, du lard, du beurre, et transmettre des messages à des amis » dans le ghetto. Antonina écrivit : « Nous savions que [Heck] était un menteur et, avec grande tristesse, nous comprîmes qu'il n'y avait plus d'espoir de sauver notre zoo. Dans ces circonstances, nous décidâmes de parler à Heck de notre projet. Jan voulait créer une grande porcherie dans les bâtiments du zoo [...] Mais nous n'escomptions plus rien pour les animaux sauvages : les garder en vie n'intéressait pas les Allemands. »

Elle avait raison, car si Heck consentit à la porcherie, le bien-être des animaux trop peu « importants » pour ses expériences de reproduction était une autre affaire. D'abord, plusieurs jours durant, ce fut une bruyante succession de camions qui arrivèrent et repartirent, emmenant l'orpheline éléphant Tuzinka à Königsberg ; transférant les chameaux et les lamas à Hanovre ; envoyant les hippopotames à Nuremberg ; expédiant les chevaux de Przewalski à son frère Heinz, à Munich ; acheminant les lynx, les zèbres et les bisons vers le zoo de Berlin. Antonina s'inquiétait que ce bouleversement désoriente les animaux qui, au terme du voyage, se trouveraient face à de nouveaux enclos, de nouveaux employés s'exprimant dans une nouvelle langue, de nouvelles habitudes, de nouveaux microclimats, de nouvelles heures de repas. Il leur faudrait s'accoutumer à tout cela, en particulier à de nouveaux gardiens et compagnons de cage, et à la perte brutale de membres de leur troupeau ou de leur famille. Toute cette agitation, après le traumatisme des récents bombardements et incendies. Écrivant à ce propos, elle ressentait deux fois leur souffrance, en tant qu'amie humaine et victime déconcertée.

Après avoir mis la main sur tous les animaux qu'il voulait pour la reproduction, Heck décida d'accueillir une partie de chasse de la Saint-Sylvestre, vieille coutume d'Europe du Nord fondée sur la croyance païenne que le bruit éloignait les mauvais esprits. Traditionnellement, les jeunes gens allaient de ferme en ferme, tiraient des coups de feu et hurlaient, chassant les démons, jusqu'à ce qu'on les invite à entrer pour boire. Parfois, les garçons formaient des cercles autour des arbres et tiraient avec des fusils, agitaient des cloches ou tambourinaient sur des casseroles et des poêles, participant à un rituel intemporel destiné à réveiller la nature et à couvrir les arbres de fruits, la terre d'une riche récolte.

Pervertissant la tradition, Heck convia ses amis SS à un rare plaisir : une partie de chasse privée au sein du zoo même, fête qui alliait le privilège au pêle-mêle d'animaux exotiques que même un tireur ivre ou novice pouvait toucher. Chez Heck, le chasseur de gros gibier cohabitait avec le naturaliste et, aussi paradoxal que cela puisse paraître, il était un gardien de zoo qui ne voyait pas d'inconvénient à tuer des animaux dans le zoo d'autrui si cela lui permettait de s'attirer les bonnes grâces d'amis puissants. Heck et un petit groupe d'homologues arrivèrent un jour de soleil, imprégnés d'alcool et remplis de joie, exaltés par les succès militaires, riant tandis qu'ils parcouraient les terrains, tirant sur les animaux dans leurs enclos et leurs cages pour se divertir. Il ne manquait que Göring et sa lance médiévale.

«Comme un convalescent est frappé par le retour de la fièvre, écrivit Antonina dans son journal, nous fûmes frappés par le massacre, de sang-froid et délibéré, des animaux du zoo en cette belle journée d'hiver.» Craignant le pire lorsqu'elle vit les amis d'Heck arriver saouls, joviaux et armés, elle décida de garder Ryś à l'intérieur.

«S'il te plaît, laisse-moi aller faire de la luge sur la petite colline dans l'habitat des lamas», la supplia-t-il. Cloîtré toute la journée, irritable, il gémit : «Je m'ennuie, et je n'ai personne avec qui jouer.

— Et si nous nous installions dans ta chambre pour lire *Robinson Crusoé*?», lui proposa Antonina. Sans enthousiasme, il monta l'escalier avec elle, ils se pelotonnèrent sur son lit et elle lui lut l'un de ses livres préférés à la lumière de la lampe. Mais, sentant la tristesse de sa mère, Ryś remuait anxieusement et n'arrivait pas à se concentrer, même dans les passages captivants. Soudain, des coups de feu déchirèrent le silence hivernal, tous suivis par leur écho tandis que les détonations crépitaient à travers les terrains, assez fortes pour être audibles derrière les fenêtres obstruées.

« Maman, qu'est-ce qui se passe ? demanda le garçon effrayé, lui serrant le poignet. Qui tire des coups de fusil ? »

Incapable de parler ou de bouger, mains figées tenant le livre ouvert, Antonina fixa son regard sur la page jusqu'à ce que les lettres commencent à danser devant ses yeux. Aussi anormaux et vertigineux que les mois précédents aient été, elle avait réussi à les endurer, mais ce moment, « extérieur à la politique ou à la guerre, de massacre totalement gratuit », la tortura. Cette sauvagerie ne répondait pas à la faim ou à la nécessité, il ne s'agissait pas d'une manœuvre politique, les bêtes condamnées n'étaient pas abattues parce qu'elles étaient devenues trop abondantes dans la nature. Non seulement les SS ignoraient leur valeur de créatures remarquables à la personnalité unique, mais ils ne leur accordaient même pas des sensations élémentaires de peur ou de souffrance. C'était une obscénité dans laquelle le bref frisson de tuer l'emportait sur les vies animales. « Combien d'humains mourront ainsi dans les prochains mois ? », s'interrogea Antonina. Sentir et voir la boucherie aurait été pire encore, pourtant ce fut un supplice d'entendre les tirs et d'imaginer les animaux terrorisés courir, s'effondrer. Son indignation, la trahison d'Heck, son impuissance l'abasourdirent, et elle resta pétrifiée tandis que son fils continuait de lui serrer le poignet. Si elle ne pouvait protéger les animaux à sa charge, comment pourrait-elle protéger son propre fils ? Ou même lui expliquer ce qui se passait, puisque la vérité le remplirait d'un effroi sans remède ? Les tirs sporadiques se prolongèrent jusqu'à la fin de la soirée, leur irrégularité mettant ses nerfs à rude épreuve car, dans l'impossibilité de se préparer, elle frémissait à chaque déto-nation.

« Un coucher de soleil éclatant, rouge velouté, annon-çait un lendemain venteux, écrivit-elle plus tard. Les allées, les chemins et la cour gelée étaient couverts d'une neige épaisse, qui tombait à gros flocons chaotiques. Dans la lumière du soir d'un bleu glacé, le coucher de soleil sonnait le glas pour nos animaux à peine enterrés. Nous voyions nos deux faucons et un aigle tournoyer au-des-sus du jardin. Lorsque des balles avaient fendu leur cage, ils s'étaient envolés, mais ils ne voulaient pas quitter le seul foyer qu'ils connaissaient. Descendant en vol plané, ils se posèrent dans la galerie et attendirent la viande de cheval qui composait leur repas. Ils ne tardèrent pas à devenir eux-mêmes des trophées, inclus dans la partie de chasse du nouvel an des officiers de la Gestapo. »

La vie du zoo s'engourdit durant des semaines, et le silence enveloppa les cages naguère pleines de grognements et de jacassements familiers. Le cerveau d'Antonina se rebellait **contre** cette triste réalité et, alors qu'un silence funèbre **régnait** partout, elle essayait de se dire que « ce n'était pas le sommeil de la mort mais l'hibernation », la quiétude des chauves-souris et des ours polaires, après laquelle ils se réveilleraient frais et dispos, étireraient leurs membres hirsutes et se mettraient en quête de nourriture et de partenaires. C'était seulement une cure de repos pendant les journées d'hiver glacées, quand la nourriture devenait inaccessible et qu'il valait mieux dormir dans sa tanière, chauffé par une réserve de graisse estivale. La période d'hibernation ne signifiait pas uniquement le sommeil, c'était aussi, en particulier, le moment de naissance des oursons que les mères allaitaient et dorlotaient jusqu'au printemps, période de maturité. Antonina se demandait si les humains pourraient employer la même métaphore et se représenter les jours de guerre comme « un genre d'hibernation de l'esprit, où les idées, les connaissances, la science, l'enthousiasme pour le travail, la compréhension et l'amour s'accumulent tous dans notre for intérieur, [où] personne ne peut nous les voler ».

Bien sûr, la Résistance n'était pas un abri somnolent et réparateur mais une prise de risque, et l'état d'esprit de la Résistance constituait pour Antonina une « réaction de coma dépassé » partagée à laquelle recourait le psychisme. Il n'y avait pas d'autre possibilité. On devait affronter la peur et la tristesse abrutissantes provoquées par les horreurs quotidiennes : bastonnades et arrestations de gens dans les rues, déportations vers l'Allemagne, torture dans les cours de la Gestapo ou à la prison Pawiak, exécutions de masse. Pour Antonina du moins, cette fuite, ce stoïcisme ou cette dissociation (quel que soit le terme utilisé) ne dissipa jamais complètement « la peur, la révolte et l'extrême tristesse sous-jacentes ».

Comme les Allemands se livraient à une reconquête systématique des villes et des rues polonaises, parler polonais en public fut dorénavant interdit ; à Gdańsk c'était même passible de mort. L'objectif nazi consistant à gagner de « l'espace vital » (*Lebensraum*) s'appliquait ostensiblement à la Pologne, où Hitler avait ordonné à ses troupes de « tuer sans pitié ni merci tous les hommes, femmes et enfants d'origine ou de langue polonaise. C'est la seule manière d'obtenir le *Lebensraum* dont nous avons besoin ». Les enfants qui, estimait-on, présentaient les traits (et donc les gènes) nordiques les plus forts furent envoyés en Allemagne pour y être rebaptisés et élevés par des Allemands. Comme les Heck, les biologistes nazis croyaient aux apparences, persuadés de pouvoir faire remonter à un ancêtre pur quiconque ressemblait beaucoup à une espèce cible.

La logique raciale se présentait ainsi : une race aryenne, biologiquement supérieure, s'était répandue à travers le monde et, malgré l'effondrement de divers empires, il demeurait dans la noblesse des traces d'aryens, dont les traits pouvaient être identifiés et recueillis chez certains descendants en Islande, au Tibet, en Amazonie et ailleurs. Se fondant sur cette théorie, le *Reichsführer* Himmler lança en janvier 1939 une expédition allemande au Tibet, afin de retrouver les racines de la race aryenne, mission conduite par le naturaliste, chasseur et explorateur de vingt-six ans Ernst Schäfer.

« Himmler avait au moins une passion commune avec Ernst Schäfer », écrit Christopher Hale dans *Himmler's Crusade* : il était « fasciné par l'Orient et ses religions », allant jusqu'à emporter un cahier « dans lequel il avait réuni des homélies du *Bhagavad-Gītā* (le Chant du Seigneur) hindou. Pour ce petit homme quelconque placé à l'intérieur de la toile d'araignée empoisonnée des SS, Ernst Schäfer était un émissaire venu d'un autre monde, mystérieux et palpitant». Himmler nourrissait aussi une profonde haine du christianisme : une large partie de la Pologne étant ardemment catholique, tous les Polonais furent punis.

Antonina écrivit que son univers lui semblait vidé de l'intérieur, s'écrouler au ralenti, et que pour une *Blitzkrieg*, une guerre éclair, «le conflit comportait beaucoup de phases prolongées». Les tickets de rationnement et la coûteuse nourriture du marché noir entrèrent dans l'existence de la population, même si Antonina pouvait encore, par chance, faire du pain grâce au blé acheté à sa belle-sœur durant l'automne.

À la fin de l'hiver, elle et Jan reçurent les premières truies, et dès mars 1940 l'élevage des porcs commença, nourris essentiellement de restes donnés par des restaurants et des hôpitaux, ainsi que de déchets ramassés par Jan dans le ghetto. Quoique surqualifiés, les vieux gardiens s'occupaient des porcs, qui prospérèrent, donnant plusieurs centaines de porcelets au cours de l'été, ce qui fournit de la viande à la famille et servit l'objectif principal de Jan – utiliser le zoo comme dépôt clandestin.

Un jour de printemps, Jan rapporta à la maison un goret nouveau-né dont la mère venait d'être abattue, pensant qu'il pourrait plaire à Ryś comme animal de compagnie. Selon Antonina, c'était une boule d'énergie hérissée difficile à nourrir au biberon, plus encore quand il prit du poids. Ils l'appelèrent Moryś et, à deux semaines et demie, il ressemblait à «un porcelet de *Winnie l'ourson* [...] très propre, rose et lisse, d'une beauté de pâte d'amandes», écrivit-elle. À Pâques, en Pologne, la coutume était d'offrir aux enfants de petits cochons roses en pâte d'amandes.

Moryś vivait dans la «mansarde» de la villa, en réalité un long placard étroit ayant une terrasse commune avec les chambres de l'étage, et tous les matins Antonina le trouvait immobile devant la porte de la chambre de son fils. Quand elle l'ouvrait, Moryś « se précipitait à l'intérieur, grognant, et se mettait à pousser la main ou le pied de Ryś jusqu'à ce que le garçon se réveille, tende un bras et le gratte. Alors, le cochon arquait son dos en forme de C, comme un chat, et exprimait sa profonde satisfaction », émettant un son doux entre grognement et grincement.

À de rares occasions, Moryś se risquait au rez-de-chaussée dans un mélange de voix et d'odeurs, un étrange labyrinthe de jambes humaines et de pieds de meubles. En général, les tintements du couvert que l'on dressait l'attiraient en haut de l'escalier, où il se plantait, « clignait ses yeux bleus caressants, aux longs cils blancs, et regardait, écoutait ». Si quelqu'un l'appelait, il descendait avec précaution les marches en bois ciré, ses sabots glissant parfois, trottinait dans la salle à manger et tournait autour de la table, espérant quelques bribes.

Chaque soir après le dîner, Moryś et Ryś se rendaient au jardin : pendant que l'enfant ramassait de l'herbe pour les lapins qui vivaient dans l'ancienne maison des faisans, le cochon cherchait des tubercules et des légumes verts. Cette scène brillait dans la mémoire d'Antonina, image du petit garçon et de son cochon jouant dans le crépuscule couleur lavande : « Ryś et Moryś dans un champ de verdure, spectable qui captivait tout le monde. À les regarder, nous parvenions à oublier les événements tragiques durant de longs moments. » Son fils avait perdu une si grande part d'enfance, tant d'animaux familiers, dont un chien, un bébé hyène, un poney, un chimpanzé et un blaireau, qu'Antonina chérissait ces sorties avec Moryś dans le minuscule éden du jardin potager.

Une des difficultés du quotidien à la villa était la suivante : comment garder un esprit affectueux et humoristique dans une société folle, criminelle, imprévisible ? Des tueurs passaient tous les jours près d'eux dans l'enceinte du zoo, la mort projetait son ombre sur les activités familiales autant que clandestines et traquait les gens au hasard dans

90

les rues. L'idée de sécurité s'était réduite à des lambeaux – un moment douillet, puis un autre. Entre-temps, le cerveau jouait des fugues inquiètes et imaginait des théâtres emplis de tragédies et de triomphes parce que, malheureusement, la peur de la mort fait des prodiges pour occuper la pensée, inspirer la créativité, aiguiser les sens. Se fier à ses intuitions n'est considéré comme un pari que si l'on a le loisir de considérer ; dans le cas contraire, le cerveau se met en pilote automatique et délaisse l'art distingué de l'analyse pour les illuminations soudaines surgies de ses expériences du danger et de son vieux réservoir de ruses.

12

« Comment cette barbarie peut-elle donc se produire au XXe siècle ?!!!!!! se demanda Antonina, protestation incrédule accompagnée par six points d'exclamation, pas un de moins. Encore récemment, le monde considérait le Moyen Âge avec mépris à cause de sa brutalité, mais le revoici en force, sadisme sans loi dépourvu de tous les raffinements de la religion et de la civilisation. »

Assise à la table de la cuisine, elle préparait de petits paquets de victuailles pour des amis dans le ghetto, contente que personne n'examine les vêtements ou les seaux de Jan quand il effectuait sa tournée de ramassage des restes destinés aux cochons. Il savourait certainement l'ironie d'apporter dans le ghetto de la nourriture venue de la porcherie, et même si donner du porc – viande tabou – à des juifs semblait un peu douteux, les règles alimentaires n'étaient plus en vigueur et chacun se réjouissait d'avoir des protéines, rareté des deux côtés du mur.

Dans les premiers temps, ni les juifs ni les Polonais ne mesurèrent l'ampleur des lois racistes, ni ne crurent les rumeurs macabres sur les rafles et les massacres de juifs. « Tant que nous n'avions pas assisté à de tels événements, n'en avions pas fait nous-mêmes l'expérience, se rappela plus tard Antonina, nous pouvions les rejeter comme impensables et irréels, les réduire à de cruels ragots, ou peut-être à des plaisanteries de mauvais goût. Même lorsqu'un service de la pureté raciale entreprit le recensement détaillé de la population juive de la ville, il parut toujours possible d'attribuer pareille folie au célèbre sens de la méthode et de l'organisation des Allemands », à un excès de bureaucratie.

Toutefois, les Allemands, les Polonais et les juifs étaient rangés dans trois files séparées quand ils recevaient du pain, et le rationnement était calculé jusqu'à la dernière calorie quotidienne : les Allemands avaient droit à 2 613 calories, les Polonais à 669 et les juifs à 184 seulement. Au cas où quelqu'un n'aurait pas compris, le gouverneur allemand Frank déclara : « Je ne demande rien aux juifs, si ce n'est de disparaître. »

Verboten ! devint une nouvelle injonction familière, hurlée par les soldats ou imprimée en gras avec un point d'exclamation intimidant sur les affiches et dans les journaux antisémites comme *Der Stürmer*. Ignorer ces trois syllabes était passible de mort. Aboyé, le mot passait de la fricative « f » à l'explosive « b », allait du dédain, lèvres pincées, au crachat venimeux.

Alors que les avertissements et les humiliations ne cessaient de se multiplier, les restaurants, les parcs, les toilettes publiques et même les bancs publics furent interdits aux juifs. Obligés de porter un brassard blanc avec une étoile de David bleue, ils furent exclus des trains, des tramways, et publiquement stigmatisés, maltraités, dénigrés, violés et assassinés. Des décrets défendirent aux musiciens juifs de jouer ou de chanter des morceaux de compositeurs non juifs, les avocats juifs furent rayés du barreau, les fonctionnaires juifs congédiés sans préavis ni indemnité, les agents de voyages et professeurs juifs renvoyés. Les mariages ou les relations sexuelles entre aryens et juifs étaient illégaux, les juifs n'avaient plus le droit de créer des œuvres d'art ou d'assister à des manifestations culturelles, les médecins reçurent l'ordre de renoncer à exercer (hormis quelques-uns dans le ghetto). Les rues qui avaient des noms à consonance juive furent rebaptisées ; les juifs dont les prénoms étaient aryens durent les remplacer par « Israël » ou « Sarah ». Les Polonais devaient obtenir un certificat « d'aptitude à se marier » avant publication des bans. Les juifs ne pouvaient pas engager des aryens comme domestiques. Ils n'avaient pas l'autorisation d'élever des pigeons voyageurs, et les vaches ne pouvaient être inséminées par des taureaux dont les propriétaires étaient juifs. Quantité de livres pour enfants, comme *Le Champignon vénéneux*, promouvaient l'idéologie nazie à travers des caricatures antisémites.

Pour s'amuser, des soldats installaient des juifs orthodoxes sur des tonneaux et leur coupaient la barbe, ou raillaient des hommes et femmes âgés, leur sommant parfois de danser sous peine d'être exécutés. De courts films d'archives montrent des étrangers valsant ensemble dans la rue, se tenant avec maladresse, le visage assombri par la peur, pendant que des soldats nazis applaudissent et rient. Tout juif qui omettait de s'incliner et de se découvrir devant un Allemand subissait une volée de coups. Les nazis s'emparaient de l'argent liquide et des économies, volaient meubles, bijoux, pianos, jouets, vêtements, médicaments, postes de radio et tout autre objet de valeur. Plus de 100 000 personnes, arrachées de leur maison, supportaient d'atroces journées de labeur sans salaire et, humiliation supplémentaire, les femmes devaient utiliser leurs sous-vêtements comme serpillières pour nettoyer les sols et les toilettes.

Puis, le 12 octobre 1940, les nazis ordonnèrent à tous les juifs de Varsovie de quitter leur domicile et les conduisirent dans un quartier du nord de la ville, commodément situé entre la gare principale, le jardin de Saxe et le terminus ferroviaire de Gdańsk. En général, les soldats allemands cernaient un immeuble et donnaient une demi-heure aux gens pour quitter leur appartement, les contraignant à tout laisser sauf quelques effets personnels. Si l'on ajoute les juifs transférés de la campagne, ce décret confina 400 000 personnes dans 5 % de la ville, soit une vingtaine de rues, zone grande comme Central Park où le seul vacarme, une «clameur tendue continuelle» pour reprendre la description d'un habitant, menaçait la santé mentale. Cet amas de 27 000 logements, où quinze personnes en moyenne partageaient deux petites pièces et demie, correspondait aux objectifs des nazis de miner le moral, d'affaiblir, d'humilier et de saper la résistance.

Durant l'Histoire, les ghettos juifs s'étaient développés en Europe et, même éloignés ou dédaignés, ils étaient assez dynamiques et perméables, propices à la circulation des voyageurs, des marchands et de la culture. Le ghetto de Varsovie fut extrêmement différent, comme Michael Mazor, un survivant, s'en souvient : « À Varsovie, le ghetto n'était plus qu'une forme organisée de mort – un "petit coffre de mort" (*Todeskätschen*) comme l'une des sentinelles postées à l'entrée l'appela [...] une ville que les Allemands considéraient comme un cimetière. » Seuls les ingénieux et les vigilants survivaient, et personne ne s'aventurait dehors sans vérifier au préalable les signes de danger. Les piétons se renseignaient les uns les autres et « la simple mention d'une menace, le moindre geste pouvaient renvoyer une foule de plusieurs milliers d'individus à l'intérieur, laissant la rue déserte ».

Le fragile tumulte de la vie continuait pourtant à fleurir aux quatre coins du ghetto, de toutes les manières possibles. Norman Davies nous offre cet instantané de l'animation du ghetto dans sa phase initiale : « Pendant deux ou trois années, il grouilla de passants, avec des cyclo-pousse et ses propres trams marqués d'une étoile de David bleue. Il y avait des cafés et des restaurants, une soupe populaire pour les écrivains au n° 40 et des lieux de divertissement. Le Fotoplastikon, au 27 de la rue Leszno, exposait des photos de contrées exotiques telles que l'Égypte, la Chine ou la Californie, ouverture très appréciée sur le monde extérieur. Sur le trottoir, un clown au nez rouge tentait de convaincre les gens d'acheter un ticket pour six groszy. Au 2 de la même rue, le Café des Arts proposait un spectacle de cabaret quotidien et une série de concerts donnés par des chanteurs comme Vera G. ou Marysdha A., "le rossignol du ghetto", et des musiciens tels que Ladislas S. et Arthur G. Au 35, le music-hall Femina organisait des mises en scène plus ambitieuses d'un large répertoire polonais, dont la revue *Princesse des Czardas* et la comédie judicieusement intitulée *L'amour cherche un appartement*. Le tout correspondait à un mode d'évasion désespérée. Comme l'a noté quelqu'un, "l'humour est l'unique moyen de défense du ghetto". » Un grand nombre des plus célèbres rues du ghetto évoquaient des images de paradis, d'abondance et d'aventure : rue du Jardin, rue du Paon, rue Fraîche, rue Sauvage, rue du Nouveau-Tilleul, rue du Dragon, rue du Sel, rue de l'Oie, rue Belle, rue Chaude, rue des Fortifiants, rue Agréable.

Au début, alors que le ghetto restait poreux, les amis juifs des Żabiński crurent qu'il s'agissait d'une colonie de lépreux provisoire, que le régime hitlérien s'effondrerait vite et que la justice triompherait, qu'ils pourraient réchapper du maelström ou que la «solution finale» signifiait chasser d'Allemagne et de Pologne la population juive – mais aucunement la détruire.

Préférant un avenir inconnu à un présent violent, la plupart des juifs déménagèrent comme ils en avaient reçu l'ordre, même si certains, refusant le regroupement, optèrent pour une existence risquée, cachée, du côté aryen de la ville. Antonina écrit qu'un sujet de conversation lugubre parmi ses amis ayant des origines juives, ou dans les couples dont un membre était juif, était les lois racistes de Nuremberg du 15 septembre 1935, précisant quelle quantité de sang juif on pouvait avoir sans être souillé. Le célèbre explorateur de la route de la soie et apologiste du nazisme Sven Hedin, qui se tenait près d'Hitler à la tribune aux jeux Olympiques de 1936, ne fut pas inquiété, quoique son arrière-grand-père eût été rabbin, fait que le cercle restreint d'Hitler connaissait à coup sûr.

S'ils furent peu à pressentir que les lois racistes étaient une question de vie ou de mort, quelques-uns, toutefois, se convertirent en hâte au christianisme ; d'autres achetèrent des documents falsifiés. Craignant que les Allemands ne découvrent l'ascendance en partie juive de Wanda, les amis des Żabiński Adam et Wanda Englert convinrent d'un faux divorce suivi d'un non-événement, «la disparition de

Wanda ». Mais, avant de se volatiliser, elle souhaita donner une fête d'adieu pour sa famille et ses intimes dans la vieille caserne, en ville, et choisit le moment du solstice d'été.

À cette date sacrée, la caserne était certainement décorée de brins d'armoise, grande plante aux tiges violacées, aux feuilles gris-vert et aux petites fleurs jaunes. Cette herbe très ancienne était utilisée pour rompre les maléfices et pour repousser les sorciers et sorcières, en particulier le 23 juin, veille du solstice, jour associé à saint Jean : selon la légende, lorsqu'il fut décapité, sa tête roula dans des armoises. Les paysans polonais superstitieux en accrochaient sous les avant-toits des granges pour empêcher les sorcières de traire les vaches pendant la nuit, les jeunes Varsoviennes en mettaient des guirlandes dans leurs cheveux et les ménagères en attachaient aux embrasures de portes et aux appuis de fenêtres pour anéantir le mal. Sous l'occupation d'ennemis perçus comme diaboliques, une fête organisée la veille du solstice ne pouvait être une coïncidence.

Le jour dit, Jan et Antonina partirent pour la fête, prévoyant de traverser le pont Kierbedź, par beau temps un agréable trajet à pied ou en tramway. Sur les vieilles photos, les poutres métalliques du pont ressemblent à une longue rangée d'agrafes, et son treillis projette sur la route de petits carrés de lumière. Les ponts de ce genre sifflent quand le vent y souffle à vitesse variable, et retentissent d'une musique perceptible, basse vibrante aussi produite par les éléphants, qui émettent et entendent des infrasons, que les gardiens de zoo sentent quand ils se trouvent à proximité de pachydermes en train de communiquer.

D'habitude, Jan et Antonina prenaient un raccourci par le parc Praski, dont l'oasis urbaine s'était étendue jusqu'à trente hectares sur les vieilles fortifications napoléoniennes. En 1927, le nouveau zoo absorba environ la moitié du parc, préservant autant de vieux arbres que possible, si bien que les visiteurs arrivant par le tramway passaient d'abord sous les tonnelles puis découvraient que le jardin zoologique présentait les mêmes essences, féviers, érables sycomores, ginkgos et châtaigniers. Mais, cet après-midi-là, constatant qu'ils n'avaient plus de cigarettes, Jan et Antonina choisirent un trajet plus long, empruntant la rue Lukasiński qui contournait le parc, et entrèrent dans une petite boutique imprégnée de l'odeur suave du tabac fort polonais. À l'instant où ils ressortaient et ouvraient leur paquet, une onde de choc grondante les plaqua contre une clôture et des pierres plurent au milieu d'un nuage de terre sableuse. Aussitôt, l'air s'épaissit et noircit ; une seconde plus tard, ils entendirent un moteur d'avion et virent une mince ligne rose s'étirer dans le ciel. Leurs lèvres remuèrent en silence tandis qu'ils se redressaient, vacillants, assourdis et hébétés par l'explosion. Puis, lorsque les sirènes hurlantes signalèrent la fin de l'alerte, ils conclurent que l'avion ne faisait pas partie d'une vague mais qu'il s'agissait d'un bombardier isolé qui avait essayé de détruire le pont. Celui-ci demeurait intact, comme le parc Praski. En revanche, des volutes de fumée noire montaient d'un tramway frappé par une bombe.

« Si nous avions pris le raccourci, nous aurions pu être dans ce tramway », dit Jan avec colère.

La terreur s'empara d'Antonina lorsqu'elle vit l'heure. « Mais c'est le tramway que Ryś prend quelquefois pour rentrer de l'école ! »

Dévalant la rue, ils se précipitèrent vers le tramway trépidant, jetant des étincelles, qui avait déraillé et gisait devant une église catholique comme un mammouth fumant, son métal mutilé et ses cordons métalliques distendus, une cinquantaine de corps flasques éparpillés à l'intérieur et autour. « Les yeux ruisselants de larmes, j'examinai les visages des morts, à la recherche de Ryś », se souvint Antonina. Ne trouvant pas leur fils parmi les débris brûlants et la fumée, ils coururent jusqu'à l'école, mais les élèves étaient déjà partis. Ils s'empressèrent de rebrousser chemin, laissant derrière eux le tramway et l'attroupement qui se formait, traversèrent le parc Praski, filèrent entre les cages en direction de la villa, gravirent les marches quatre à quatre, déboulèrent dans la cuisine et fouillèrent la maison, appelant Ryś.

«Il n'est pas là», déclara Jan, se laissant tomber sur une chaise. Au bout d'un moment, ils l'entendirent dans l'escalier de derrière.

«Assieds-toi, dit Jan d'un ton sec mais calme, conduisant Ryś vers un siège. Où es-tu allé, vilain garçon? As-tu oublié que rentrer immédiatement de l'école est ta responsabilité principale?»

Ryś expliqua que la classe venait de se terminer quand la bombe était tombée, puis qu'un inconnu inquiet avait emmené les élèves dans sa maison en attendant le signal de fin d'alerte.

Il va sans dire qu'Antonina et Jan ne participèrent pas à la fête de Wanda, mais ils ne furent pas privés de sa compagnie, car, peu de temps après, comme prévu, elle «disparut», au zoo, dans le rôle de la préceptrice non juive de Ryś.

13

Jan et Antonina trouvaient le racisme nazi à la fois inexplicable et démoniaque, répugnant pour l'âme, et même s'ils assistaient déjà des amis à l'intérieur du ghetto, ils se promirent, en dépit des risques, d'aider davantage de juifs, lesquels tenaient une grande place dans les souvenirs d'enfance et les relations de Jan.

« J'avais une dette morale envers les juifs, déclara-t-il un jour à un reporter. Mon père, athée convaincu, m'inscrivit en 1905 à l'école Kretshmort, qui était à cette époque le seul établissement de Varsovie où l'étude de la religion chrétienne n'était pas requise, ce malgré l'opposition de ma mère, fervente catholique. Quatre-vingts pour cent des élèves étaient juifs, et j'ai noué là des liens d'amitié avec des personnes qui se sont distinguées par la suite dans les sciences et l'art. Après l'obtention de mon diplôme, j'ai commencé à enseigner à l'école Roziker », majoritairement juive elle aussi. Par conséquent, il eut des amis très proches parmi l'intelligentsia juive, et beaucoup de ses anciens camarades d'école vivaient derrière les murs du ghetto. Jan fit peu de révélations sur son père, il confia néanmoins à un journaliste avoir choisi la zoologie « pour contrarier [son] père : il n'aimait pas les animaux, ne les appréciait pas à leur juste valeur et n'en voulait pas dans la maison – excepté les papillons et les mouches, qui entraient sans sa permission ! ».

Ils se ressemblaient davantage quand il s'agissait de la fidélité aux amis juifs : « Mon père et moi avons tous deux grandi dans un quartier juif. Il était avocat, et même s'il s'allia à une famille richissime en épousant la fille d'un propriétaire terrien, il accéda par lui-même au statut de bourgeois. C'est un pur hasard que nous ayons grandi dans ce quartier pauvre de Varsovie. Très jeune, mon père jouait dans la rue avec des enfants juifs, et il considéra toujours les juifs comme ses égaux. Il m'a influencé. »

Le zoo n'était en rien idéal pour cacher des réfugiés. La villa se dressait près de la rue Ratuszowa, à découvert comme un phare, entourée seulement par les cages et les habitats. Un groupe de maisons destinées aux employés et les bâtiments administratifs se trouvaient au milieu du zoo, à cinq cents mètres de distance ; l'espace intermédiaire consistait surtout en un parc avec de petits carrés de jardin ; les voies ferrées passaient au sud, le long de la Vistule, juste derrière la clôture du zoo ; une zone militaire s'étendait au nord, petites constructions en bois étroitement surveillées par des soldats allemands. Après la reddition de Varsovie, en plein cœur du zoo, sur l'île des lions, les Allemands avaient construit un entrepôt pour les armes confisquées à l'armée polonaise. D'autres soldats allemands venaient souvent au zoo profiter de la verdure et du calme, et personne ne pouvait prévoir combien ils seraient, ni quand ils se présenteraient, car ils ne semblaient pas préférer un moment précis de la journée. Néanmoins, ils n'étaient alors pas de service, en patrouille ; en outre, le parc Praski, moins bombardé, offrait des promenades plus attirantes.

Fait étonnant, Antonina ne perça jamais l'un des secrets de Jan : grâce à lui, l'Armée de l'intérieur avait un arsenal au zoo, enterré près du fossé dans l'enclos des éléphants. (Une petite salle lambrissée y fut découverte après la guerre.) Il connaissait le danger, voire l'imprudence, d'enfouir des fusils au centre même du zoo, à proximité d'un entrepôt militaire allemand, mais comment le révéler à Antonina ? Il craignait que, terrifiée, elle insiste pour faire passer en premier la sécurité de la famille. Par bonheur, comme l'escomptait Jan, il ne vint jamais à l'esprit des Allemands qu'un Polonais aurait ce cran, parce qu'ils tenaient les Slaves

101

pour une race pusillanime et stupide, capable seulement de travaux physiques.

«Étant donné la mentalité allemande, estima-t-il, les occupants ne soupçonneraient jamais une activité clandestine dans un cadre aussi exposé aux regards.»

Jan refusa toujours les éloges et minimisa sa bravoure, disant par exemple: «Je ne comprends pas qu'on en fasse toute une histoire. Si une créature, humaine ou animale, est en danger, on la sauve.» D'après les entretiens, ses propres écrits et les récits d'Antonina, il semble avoir été d'un naturel secret et pourtant sociable, très méthodique, strict avec lui-même et avec les siens, le genre d'homme que nous qualifions parfois de «culotté», sachant dissimuler ses actions et taire ses sentiments, quelqu'un qui avait une immense *hart ducha* – force de volonté ou de caractère. Dans la Résistance polonaise, où des actes d'une hardiesse inouïe se produisaient au quotidien, Jan avait pour nom de code «Franciszek», comme François d'Assise, saint patron des animaux, et il était célèbre pour son audace, son sang-froid et ses prises de risques. Son choix de cacher des armes et des juifs à la vue de tous, en plein campement nazi, se révéla d'une grande justesse psychologique, mais je pense que c'était aussi un art de faire mieux que les autres dont il se délectait, une plaisanterie confidentielle. Il n'en reste pas moins que la découverte de ses actes aurait entraîné une mort immédiate, impitoyable, pour lui, sa famille et on ne sait combien d'autres personnes. Créant un relais, «une halte pour ceux qui fuyaient le ghetto, en attendant que leur sort se décide et qu'ils partent vers une nouvelle cache», Jan découvrit que l'athéisme ne le privait pas d'un sens aigu du *fatum* et de son destin personnel.

14

Durant l'été 1940, un appel téléphonique, un billet ou un chuchotement pouvaient signaler aux Żabiński que des «Hôtes» secrets, placés par la Résistance, allaient arriver. Juifs cachés et en transit, nomades, de passage, ils s'arrêtaient brièvement pour se reposer et se restaurer en route vers des destinations non précisées. Les juifs d'apparence aryenne qui maîtrisaient l'allemand recevaient de faux papiers d'identité et s'en allaient, tandis que les autres restaient plusieurs années au zoo, certains dans la villa et jusqu'à cinquante à la fois dans les cages vides. Beaucoup d'Hôtes, dont Wanda Englert, étaient des amis ou des connaissances de longue date, et Antonina les considérait comme une grande famille amphibie. Les cacher posait des problèmes, mais quels meilleurs experts en camouflage que des gardiens de zoo?

Dans la nature, les animaux héritent de stratagèmes pour se confondre avec leur environnement: par exemple, les manchots sont noirs dessus et blancs dessous afin que les labbes en vol croient à une agitation de l'océan et que les léopards de mer les prennent pour des nuages. Chez les humains, une foule humaine constitue un camouflage inégalable; les Żabiński invitaient donc une suite continuelle de visiteurs légaux – oncles, tantes, cousins, amis – pour des durées variables, et créaient une imprévisibilité permanente, visages, physiques et accents changeant sans cesse, avec la mère de Jan comme fréquente invitée.

«Tout le monde adorait la mère de Jan, nota Antonina dans ses mémoires. D'une nature aimable et raffinée, elle brillait par son intelligence, avait l'esprit vif et une excellente mémoire, était très polie et sensible. Elle avait un rire généreux qui résonnait dans tout son corps et un grand sens de l'humour.» Mais Antonina s'inquiétait à son sujet, parce qu'elle ressemblait à «une délicate fleur de serre, et notre devoir était de la protéger de toute peur ou souffrance susceptible d'altérer son entrain ou de provoquer une dépression».

Jan laissait ces impondérables à Antonina, qui avait toujours su s'y prendre avec les «animaux difficiles» et pour qui l'occasion d'amuser, d'impressionner et, en définitive, de secourir un parent plaisait sûrement de manière profonde. Jan préférait le rôle de général, d'espion et de tacticien, surtout si cela signifiait tromper ou humilier l'ennemi.

Contrairement à d'autres pays occupés, où cacher des juifs pouvait conduire en prison, en Pologne, abriter un juif était passible d'une mort immédiate pour le sauveur ainsi que pour sa famille et ses voisins, dans une folie meurtrière appelée «responsabilité collective». Néanmoins, beaucoup d'employés d'hôpitaux déguisèrent des juifs adultes en infirmières, donnèrent des somnifères à de petits enfants avant de les faire sortir en secret dans des havresacs et dissimulèrent des gens sous un tas de cadavres dans des charrettes funéraires. De nombreux Polonais chrétiens cachèrent des amis juifs pendant toute la durée de la guerre, même s'ils devaient dès lors partager leurs rations, exercer une vigilance et déployer une ingéniosité constantes. Toute nourriture supplémentaire entrant dans la maison, des silhouettes inhabituelles ou des murmures s'échappant d'une cave ou d'un placard pouvaient inciter un voisin en visite à prévenir la police ou les maîtres chanteurs de la ville. Les fugitifs passaient souvent des années dans le noir, sans possibilité de remuer, et lorsqu'ils finissaient par sortir, étirant leurs membres, leurs muscles affaiblis flanchaient et il fallait les porter comme des marionnettes.

Le zoo n'était pas toujours le premier arrêt pour les Hôtes, surtout ceux qui fuyaient le ghetto : ils passaient souvent une nuit ou deux en ville chez Ewa Brzuska, une petite femme trapue, rougeaude, d'une soixantaine d'années, que les gens appelaient « Babcia » (Mamie). Elle était propriétaire, rue Sędziowske, d'une épicerie minuscule (un mètre sur cinq) qui débordait sur le trottoir : elle disposait là des barils de choucroute et de légumes en saumure, à côté de corbeilles de tomates et de légumes verts. Les voisins s'y pressaient pour acheter et se rencontrer, malgré l'atelier de réparation automobile allemand juste en face. Tous les jours, un groupe de juifs escortés hors du ghetto venaient y travailler, et Mamie postait des lettres en secret ou montait la garde pendant qu'ils parlaient avec des membres de leur famille. De hauts sacs de pommes de terre permettaient de masquer si nécessaire de jeunes passeurs du ghetto. En 1942, les pièces à l'arrière de sa maison devinrent le bureau d'une cellule de la Résistance. Elle stockait des cartes d'identité, des certificats de naissance supplémentaires, de l'argent et des coupons pour le pain sous les barils de choucroute et de concombres au vinaigre, dissimulait des publications subversives dans la réserve et, donc, cachait fréquemment des juifs en fuite.

En général, Antonina ne savait ni quand attendre des Hôtes ni d'où ils venaient ; c'était Jan qui, en liaison avec la Résistance, s'occupait des complots ; par conséquent, aucun des habitants de la villa ne soupçonnait l'ampleur véritable de ses activités clandestines. Ils ignoraient ainsi ce que contenaient les boîtes Nestlé ou Ovomaltine qui apparaissaient de temps en temps sur l'étagère au-dessus du radiateur de la cuisine.

Antonina rapporte qu'un jour, Jan dit d'un ton dégagé : « J'ai mis dans cette boîte de petits ressorts pour mes instruments de recherche. S'il vous plaît, n'y touchez pas. Je peux en avoir besoin à tout moment. »

Personne ne tiqua. Jan avait toujours collectionné les petites pièces métalliques – vis, écrous, rondelles – même s'il les rangeait plutôt dans son atelier. Ceux qui le connaissaient trouvaient ce passe-temps original, une passion de quincaillier. Pas même Antonina ne comprit qu'il accumulait des détonateurs pour fabriquer des bombes.

Lorsqu'un jeune chercheur de l'Institut zoologique apporta un gros tonneau d'engrais, Jan le mit dans le local vétérinaire près de la villa, et occasionnellement il mentionnait que tel ou tel passerait prendre de l'engrais pour son jardin. Après la guerre seulement, Antonina apprit que le tonneau contenait en réalité du C13F, un explosif soluble dans l'eau, et que Jan était à la tête d'une cellule de la Résistance spécialisée dans le sabotage des trains : ils bourraient d'explosifs les paliers des roues, de sorte qu'au démarrage la poudre prenait feu. (En 1943, ils firent dérailler dix-sept trains et endommagèrent cent locomotives en l'espace d'un mois.) Elle ne savait pas que, durant la guerre, il infectait aussi certains cochons, les abattait, puis transformait la viande empoisonnée en boulettes qu'il introduisait, avec l'aide d'un adolescent qui travaillait dans une cantine militaire allemande, dans les sandwichs des soldats.

Il participait aussi à la construction de bunkers, abris clandestins vitaux. Dans la Pologne en guerre, le bunker consistait en un réduit souterrain humide, équipé de cheminées et de conduits d'aération camouflés, situé en bordure d'un jardin ou d'un parc. Le bunker d'Emanuel Ringelblum, au 81 rue Grójecka sous la serre d'un maraîcher, faisait vingt-huit mètres carrés ; trente-huit personnes s'y entassaient sur quatorze lits. L'une de ses habitantes, Orna Jagur, qui, contrairement à Ringelblum, quitta le bunker avant sa découverte en 1944, se rappelle l'instant où elle respira pour la première fois l'atmosphère du bunker : « Une bouffée d'air chaud et confiné me frappa. En dessous se dégageait une puanteur de moisi, de sueur, d'habits douteux, de nourriture laissée à traîner [...] Certains étaient étendus sur les couchettes, plongés dans l'obscurité, les autres étaient assis autour des tables. À cause de la chaleur, les hommes étaient torse nu, ne portant que le pantalon de leur pyjama. Leurs visages étaient pâles, fatigués. Il y avait de la peur et du malaise dans leurs yeux, leurs voix étaient nerveuses et crispées.» Pourtant, ce lieu était considéré comme un bunker bien construit, tenu par une famille attentionnée qui fournissait une nourriture correcte, une cache exceptionnellement bonne.

Par comparaison, la vie au zoo semblait spacieuse et bucolique, quoique farfelue, et les résistants la désignaient par un cryptonyme, «la maison sous une folle étoile», davantage un gigantesque cabinet de curiosités qu'une villa, où les chanceux se fondaient parmi un méli-mélo de bêtes et de gens excentriques. La villa futuriste plaisait beaucoup aux visiteurs citadins, environnée par son vaste parc qui offrait une vingtaine d'hectares verdoyants et leur permettait d'oublier la guerre, de se croire en vacances à la campagne. Puisque le paradis n'existe que par comparaison, les Hôtes fuyant le ghetto voyaient l'existence à la villa comme un petit éden, avec son jardin, ses animaux et sa cuisinière maternelle.

Après la tombée de la nuit, selon la consigne officielle, les Żabiński couvraient les fenêtres de papier noir, mais pendant la journée la villa à deux niveaux, censée loger une même famille, bourdonnait comme une ruche derrière les vitres. Avec tous les pensionnaires légaux – intendante, nounou, préceptrice, belle-famille, amis, animaux de compagnie –, les silhouettes variées et les bruits étranges paraissaient normaux. D'une visibilité saisissante, la villa aux grandes baies caractéristiques brillait comme une vitrine, entourée de quelques arbustes et de rares arbres adultes. Jan organisait sciemment les choses ainsi, à la vue de tous et dans un flot d'allées et venues, suivant l'axiome «plus c'est public, moins c'est suspect».

Pourquoi tant de verre? L'architecture de la villa correspondait au style international, qui ne tenait pas compte de l'histoire, de la culture, de la géologie ou du climat autour d'une maison. Saluant l'ère de la machine et le futurisme, il visait une simplicité radicale, sans ornements, dans des bâtiments aux lignes pures qui associaient le verre, le métal et le béton. Ses chefs de file – Walter Gropius, Ludwig Mies van der Rohe, Marcel Breuer, Le Corbusier et Philip Johnson – espéraient refléter l'honnêteté, la franchise et l'intégrité en créant des bâtiments ouverts n'ayant rien à cacher. Les slogans du mouvement étaient révélateurs : « L'ornement est un crime », « La forme suit la fonction », « Des machines à vivre ». À l'opposé de l'esthétique des nazis, qui vouaient un culte à l'architecture classique, élever et habiter une villa moderniste constituait en soi un affront au national-socialisme, et Jan et Antonina tiraient le meilleur parti de tout ce que le style suggérait : transparence, probité, simplicité.

Dans ce flux, les gens apparaissaient et disparaissaient, anonymes et inattendus, si bien qu'il se révélait difficile de distinguer les Hôtes et plus difficile encore de savoir qui n'était pas là, et quand. Néanmoins, ces circonstances signifiaient marcher sur le fil du rasoir et commenter en silence chaque bruit, épier chaque ombre. Tel son s'intégrait-il à l'accord toujours changeant du quotidien de la villa ? Nécessairement, une paranoïa fondamentale y régnait, seule réaction sensée au danger perpétuel ; les habitants maîtrisaient les arts martiaux de la discrétion : se déplacer sur la pointe des pieds, se figer, se camoufler, faire diversion, mimer. Certains Hôtes se cachaient pendant que d'autres hésitaient, ne sortant qu'à la nuit tombée pour parcourir la maison en liberté.

Une pareille multitude de gens signifiait aussi plus de travail pour Antonina, qui avait une grande famille à superviser, du bétail, des volailles et des lapins à soigner, un jardin planté de tomates et de haricots à munir de rames, du pain à faire tous les jours, des légumes au vinaigre, des compotes et des confitures à mettre en pots.

Les Polonais commençaient à s'habituer aux frayeurs liées à l'Occupation, sentant leur pouls s'affoler en une fraction de seconde alors que la guerre modifiait leur métabolisme, en particulier le degré d'attention moyen. Chaque matin, ils se réveillaient dans l'obscurité, sans savoir ce que la journée leur réservait, peut-être de la tristesse, peut-être une arrestation. Antonina se demandait si elle serait l'une de ces personnes qui mourraient parce qu'elles se trouvaient dans un tramway ou une église que les Allemands choisissaient au hasard, dont ils bloquaient les issues et où ils tuaient tout le monde en représailles à une insulte réelle ou imaginaire.

Quoique banales et répétitives, les tâches ménagères berçaient par leurs gestes familiers, inoffensifs et machinaux. La vigilance constante était devenue épuisante, les sens demeuraient toujours un peu aux aguets, les gardiens du cerveau patrouillaient sans cesse les quais du possible, scrutant les ombres, tendant l'oreille, au point que l'esprit finissait prisonnier de lui-même. Dans un pays menacé de mort, où les volets masquaient la lumière matinale et la course des constellations, le temps changeait de forme, perdait de son élasticité : Antonina écrivit que ses journées devenaient encore plus éphémères et « fragiles, comme des bulles de savon qui éclataient ».

La Finlande et la Roumanie se rangèrent bientôt du côté de l'Allemagne, la Yougoslavie et la Grèce capitulèrent. L'attaque de l'Allemagne contre l'Union soviétique, son ancienne alliée, engendra une série de rumeurs et de pronostics, et la bataille de Leningrad déprima Antonina, car elle avait eu l'espoir que le conflit, au lieu de s'aggraver, arrive à son terme. Parfois elle entendait dire que Berlin avait été bombardé, qu'une brigade des Carpates avait vaincu les Allemands, que l'armée allemande s'était rendue, mais en général elle et Jan suivaient l'actualité des combats dans les quotidiens, hebdomadaires et bulletins imprimés en secret durant toute la guerre pour informer les partisans. Les rédacteurs envoyaient aussi des exemplaires au quartier général de la Gestapo « simplement pour faciliter vos recherches, [et] pour vous aviser de ce que nous pensons de vous… ».

Les soldats allemands venaient souvent tirer sur les volées de corbeaux qui emplissaient le ciel comme de la cendre avant de se poser dans les arbres. Quand ils repartaient, Antonina sortait en catimini et ramassait les cadavres, les nettoyait et les faisait cuire, préparant un pâté que les convives prenaient pour du faisan, mets délicat polonais. Un jour que des dames louaient la variété des conserves, Antonina rit sous cape : « Pourquoi leur couper l'appétit avec de purs détails de taxinomie zoologique ? »

L'ambiance de la villa passait d'un extrême à l'autre, grande détente suivie par une folle anxiété alors que les habitants jonglaient avec les aimables propos champêtres d'un moment et les nouvelles accablantes du moment d'après. Quand les airs de piano et les conversations pétillaient, Antonina échappait pour un temps à la guerre et ressentait même de la joie, notamment les matins de brouillard où le centre-ville s'évanouissait, la laissant libre de s'imaginer dans un autre pays ou à une autre époque. De cela, confiat-elle à son journal, elle était heureuse, car l'existence dans la boutique d'abat-jour rue Kapucyńska avait contenu une perpétuelle bruine de tristesse.

Des membres de la Résistance passaient fréquemment, quelquefois des garçons ou des filles scouts de douze à dix-sept ans. Importantes avant guerre, les associations de jeunesse furent proscrites durant l'occupation nazie, mais, sous l'égide de l'Armée de l'intérieur, elles prêtèrent mainforte à la Résistance dans des tâches de soldats, coursiers, travailleurs sociaux, pompiers, conducteurs d'ambulance et saboteurs. Les plus jeunes effectuaient de petits sabotages comme griffonner sur les murs « La Pologne vaincra ! » ou « Hitler est un employé de la fourrière ! » (jeu de mots sur son nom), injure passible de mort, et devenaient porteurs de lettres secrètes, tandis que les plus âgés allaient jusqu'à assassiner des responsables nazis et sauver des prisonniers de la Gestapo. Tous aidaient dans la villa : ils fendaient du bois, traînaient les sacs de charbon et entretenaient le feu dans le fourneau. Certains livraient les pommes de terre du jardin et d'autres plantes potagères aux cachettes de la Résistance, utilisant des cyclo-pousse, véhicule très répandu pendant l'Occupation alors que les taxis avaient disparu et que toutes les voitures appartenaient aux Allemands.

Inévitablement, Ryś entendit des scouts chuchoter de séduisants secrets et fut contrarié de ne pouvoir participer quand tous les autres devaient accomplir des missions clandestines exaltantes. Depuis sa naissance, il était exercé aux dangers environnants et conscient qu'ils relevaient de la réalité, non pas de la plaisanterie ou de l'imaginaire. Instruit de ne rien révéler des Hôtes à qui que ce soit, jamais, il savait que s'il avait la langue trop longue, lui, ses parents et tous les gens de la maison seraient tués. Quel lourd fardeau pour un petit garçon! Bien que son monde soit devenu conspirateur et excitant, avec une foule de gens excentriques et de vives émotions, il n'osait en souffler mot à personne. Il n'est donc pas étonnant que son inquiétude et son angoisse aient augmenté de jour en jour, fatalité qu'Antonina déplora dans ses mémoires, mais comment pouvait-elle y remédier quand tous les adultes étaient inquiets et angoissés eux aussi? Inéluctablement, Ryś devint pour lui-même son pire cauchemar. Si, pendant un jeu, il révélait le nom d'un Hôte ou un secret de la Résistance, son père et sa mère seraient exécutés, et à supposer qu'il survive, il serait tout seul et ce serait sa propre faute. Comme il ne pouvait se faire confiance, éviter les étrangers, surtout les autres enfants, constituait la solution la plus sage. Antonina nota qu'il n'essayait même pas de se faire des amis à l'école, mais se hâtait de rentrer à la maison pour s'amuser avec le cochon Moryś, à qui il pouvait parler autant qu'il le voulait et qui ne le trahirait jamais.

Moryś aimait jouer à ce qu'ils appelaient son «jeu du froussard», dans lequel il faisait semblant d'être effarouché par un petit bruit – Ryś refermant un livre ou déplaçant un objet sur une table – et filait à toutes pattes, ses sabots glissant sur le parquet. Quelques secondes plus tard, il grognait gaiement près de la chaise de Ryś, prêt à une nouvelle fausse frayeur suivie d'une fuite.

Antonina avait beau souhaiter une enfance aussi normale que possible pour Ryś, les événements avaient déjà ruiné cette possibilité et la vie quotidienne ne cessait de se dégrader. Un soir, des soldats allemands remarquèrent Ryś et Moryś qui s'amusaient dans le jardin et vinrent examiner la scène de plus près ; ne craignant pas les humains, Moryś trotta droit vers eux et grogna pour réclamer des caresses. Alors, sous les yeux horrifiés de Ryś, ils entraînèrent Moryś glapissant et le saignèrent. Bouleversé, inconsolable, Ryś pleura pendant des jours et, durant plusieurs mois, il refusa d'entrer dans le jardin, même pour ramasser des légumes à donner aux lapins, aux poulets et aux dindons. Lorsqu'il accepta de s'y risquer à nouveau, ce ne fut plus jamais avec sa radieuse nonchalance passée.

15

La porcherie se maintint seulement jusqu'au milieu de l'hiver, car même dans les bâtiments du zoo, équipés du chauffage central, qui avaient abrité des éléphants et des hippopotames, les animaux avaient toujours besoin d'une litière. Paradoxalement sembla-t-il, le « directeur des abattoirs », qui finançait le zoo, eut un entretien affable avec Jan et écouta ses appels, mais lui refusa l'argent nécessaire pour acheter de la paille.

« Ça n'a pas de sens, dit Jan à Antonina. Quelle idiotie incroyable ! » Antonina était surprise : vu la rareté de la nourriture, les cochons valaient de l'or, et que coûtait la paille ?

« J'ai tout essayé pour le faire changer d'avis, lui expliqua Jan. Je ne comprends pas. Il a toujours été notre ami. »

Antonina déclara : « C'est un imbécile paresseux et obstiné ! »

Comme les nuits devenaient glaciales et que le givre recouvrait les carreaux, le vent s'introduisit dans les bâtiments en bois et provoqua la mort des gorets. Puis une épidémie de dysenterie tua la plupart des cochons restants, et le directeur des abattoirs ferma la porcherie. Exaspérante sur le principe, privant par ailleurs la maisonnée de viande, cette décision contrecarrait aussi les visites de Jan dans le ghetto pour la prétendue collecte de restes. Des mois s'écoulèrent avant qu'il n'apprenne la vérité : de connivence avec un autre responsable subalterne, le directeur des abattoirs avait comploté pour louer le zoo à une firme allemande de plantes médicinales.

Un jour de mars, une équipe d'ouvriers armés de scies et de haches arriva et commença d'abattre les arbres, de détruire les plates-bandes, de mettre en pièces les buissons d'ornement et les précieux rosiers vers la grille d'entrée. Les Żabiński tentèrent en vain de hurler, de supplier, de soudoyer, de menacer. Apparemment, les ordres nazis étaient de déraciner toute la végétation du zoo, aussi bien les fleurs que les mauvaises herbes, car au fond ce n'étaient que des plantes slaves, plus utiles comme engrais pour les robustes jardins botaniques allemands. Certes, quand ils s'établissent, les immigrants essaient souvent de recréer des aspects de leur pays d'origine, la cuisine en particulier ; néanmoins, comprit Antonina, cet « espace vital » ne s'appliquait pas seulement aux individus, mais aussi aux animaux et plantes allemands, et par l'eugénisme les nazis comptaient éliminer de la planète les gènes de la Pologne, arracher ses racines, écraser ses fruits et ses tubercules, remplacer ses graines par les leurs – précisément ce qu'avait redouté Antonina un an plus tôt après la reddition de Varsovie. Ils estimaient peut-être que des soldats supérieurs avaient besoin d'une nourriture supérieure, laquelle ne pouvait venir que de graines « pures » selon la biologie nazie. Si le nazisme voulait une mythologie distincte, ses propres botanique et biologie, dans lesquelles la faune et la flore présentaient une longue généalogie exempte d'éléments asiatiques ou moyen-orientaux, il fallait partir sur des bases saines, remplacer les milliers de paysans polonais, les cultures et le cheptel « juifs » ou « polonais » par leurs équivalents allemands.

À la fin de cette semaine-là, par un heureux hasard, le président allemand de Varsovie et passionné de zoos Danglu Leist arriva avec sa femme et sa fille ; il demanda à l'ancien directeur une visite guidée des lieux qui leur permette d'imaginer le zoo d'avant-guerre. Se promenant avec eux, Jan compara les microclimats de son jardin zoologique avec ceux des zoos de Berlin, Monaheim, Hambourg, Hagenbeck et d'autres villes, au grand plaisir de Leist. Puis Jan conduisit ses invités jusqu'à la roseraie dévastée près de la grille principale, où les magnifiques arbustes déterrés sans soin gisaient en tas, tiges brisées, comme des victimes de guerre. La femme et la fille de Leist condamnèrent le gâchis de cette beauté, ce qui aviva la fureur du président.

« Quel est ce saccage ? s'écria-t-il.

— Je n'y suis pour rien », répondit Jan d'une voix calme, où se mêlaient avec justesse désarroi et indignation. Il leur raconta la fermeture de la porcherie et la future installation dans le zoo de la firme allemande manigancée par le directeur des abattoirs.

« Comment avez-vous pu laisser ce désastre se produire ? reprocha Leist à Jan.

— Quel préjudice irréparable, déplora sa femme. J'aime tellement les roses !

— Personne ne m'a demandé mon avis », s'excusa Jan auprès d'elle d'un ton posé, suggérant que, comme ce n'était pas sa faute à lui, ce devait être l'incompétence de son mari.

Elle lança un regard dur à Leist, qui protesta avec colère : « Je n'en savais rien ! »

Avant de quitter le zoo, il ordonna à Jan de se présenter dans son bureau le lendemain matin à 10 heures pour une entrevue avec le vice-président polonais de Varsovie, Julian Kulski, qui serait forcé d'expliquer le scandale. Lorsque les trois hommes se réunirent le lendemain, il apparut que Kulski ne savait rien de ce complot, et le président Leist annula sur-le-champ l'accord de location du zoo par la firme allemande, promit de punir les coupables et demanda conseil à Kulski sur la meilleure manière d'utiliser le zoo sans l'endommager. Contrairement à Leist, Jan connaissait les liens de Kulski avec la Résistance, et lorsque ce dernier proposa un jardin potager public avec des lopins individuels, Jan sourit, impressionné par un projet qui avait ce double avantage : nourrir les habitants à moindres frais et donner des nazis l'image de dirigeants compatissants. De petites parcelles ne détruiraient pas le cœur du zoo, mais augmenteraient l'influence de Kulski. Leist approuva, et

Jan changea encore de profession : ancien directeur de zoo puis administrateur d'une porcherie, il devint magistrat des carrés potagers. Ce travail le rattachait au service des parcs et jardins de Varsovie, et à ce titre il bénéficia d'un nouveau laissez-passer dans le ghetto, cette fois pour en inspecter la flore et les jardins. En vérité, une très rare végétation poussait dans le ghetto, juste quelques arbres près de l'église de la rue Leszno, et il n'y avait assurément ni parc ni jardin, mais Jan saisissait n'importe quel prétexte pour aller voir des amis « afin de les soutenir et de leur apporter en secret nourriture et informations ».

Précédemment, Antonina avait parfois accompagné Jan dans ses visites au célèbre docteur en entomologie Szymon Tenenbaum, à son épouse dentiste Lonia et à leur fille Irena. Enfants, Jan et Szymon avaient fréquenté la même école et sympathisé ; ils adoraient ramper tous deux dans les fossés et scruter sous les roches, car Szymon était déjà un fanatique des insectes. Le scarabée devint son dieu soleil, sa spécialité, sa passion. Adulte, il s'était mis à parcourir le monde et à collectionner durant son temps libre. Grâce à la publication d'une étude en cinq volumes sur les coléoptères des Baléares, il avait rejoint les rangs des plus éminents entomologistes. Durant l'année scolaire, il était proviseur dans un lycée juif, mais l'été, à la période où les coléoptères pullulaient et où n'importe quelle bûche creuse pouvait receler un minuscule Pompéi, il recueillait une multitude de spécimens rares à Białowieża. Jan aimait les insectes, lui aussi, et mena un jour sa propre vaste étude consacrée aux blattes.

Même dans le ghetto, Szymon continua d'écrire des articles et de collectionner des insectes, épinglant ses trouvailles dans des boîtes en bois marron avec une face vitrée. Mais, au moment de l'installation forcée des juifs à l'intérieur du ghetto, Szymon s'était inquiété pour sa grande et précieuse collection et avait demandé à Jan s'il voulait bien la cacher dans la villa. Par chance, lorsqu'en 1939 les SS bombardèrent le zoo et volèrent plus de deux cents ouvrages de valeur, presque tous les microscopes ainsi que d'autres appareils, ils ne prêtèrent pas attention à la collection de Szymon Tenenbaum, riche d'un demi-million de spécimens.

Les Żabiński et les Tenenbaum devinrent des intimes durant la guerre, car le désastre de la vie quotidienne les rapprocha encore. Comme Antonina le souligna dans ses mémoires, la guerre ne faisait pas que séparer les gens, elle pouvait aussi intensifier les amitiés et susciter des histoires d'amour ; chaque poignée de main ouvrait une porte ou orientait le sort. Il se trouva qu'en raison de leur amitié avec les Tenenbaum ils rencontrèrent un homme qui, sans le savoir, contribua à renforcer le lien de Jan avec le ghetto.

Un dimanche matin au cours de l'été 1941, Antonina vit une limousine s'arrêter devant la villa et un civil allemand charpenté en sortir. Avant qu'il ne sonne à la porte, elle courut jusqu'au piano du séjour et se mit à jouer très fort l'air sautillant « Pars, pars, pars pour la Crète ! », tiré de *La Belle Hélène* de Jacques Offenbach, signal que les Hôtes devaient se glisser dans leurs cachettes et observer le silence. Le choix de ce compositeur en dit long sur la personnalité d'Antonina et sur l'atmosphère qui régnait dans la villa.

Juif franco-allemand, Jacques Hoffmann était le septième enfant du chantre Isaac Juda Eberst qui, pour une raison inconnue, décida un jour de prendre le nom de sa ville natale, Offenbach-sur-le-Main. Isaac avait six filles et deux fils, et la musique animait la vie de toute la famille ; Jacques devint un violoncelliste virtuose et compositeur qui jouait dans les cafés et les salons à la mode. Facétieux et satirique, il ne résistait pas à faire des farces, personnelles ou musicales, et taquiner l'autorité était son passe-temps préféré – il était si souvent mis à l'amende pour des espiègleries au très sérieux conservatoire de Paris que, certaines semaines, il ne recevait aucun salaire. Il adorait composer des danses populaires, parmi lesquelles une valse basée sur une mélodie de synagogue, au scandale de son père. En

1855, il ouvrit son propre théâtre « en raison de l'impossibilité continuelle de persuader autrui de monter mes œuvres », expliqua-t-il désabusé, ajoutant que « l'idée d'une musique vraiment gaie, joyeuse, spirituelle – bref, l'idée d'une musique pleine de vie – était peu à peu oubliée ».

Il écrivit des bouffonneries, des satires et des opérettes qui eurent un immense succès, captivèrent l'élite et furent chantées dans les rues de Paris, une musique audacieuse et délirante qui raillait la prétention, l'autorité et l'idéalisation de l'Antiquité. Il était lui-même un personnage pittoresque, avec son pince-nez, ses favoris et ses tenues éclatantes. Une des raisons pour lesquelles sa musique plaisait à tant de gens est qu'elle arrivait, comme le relève le critique musical Milton Cross, à « une période de répression politique, de censure et d'atteinte aux libertés personnelles ». Tandis que « la police secrète pénétrait dans la vie privée des citoyens […] le théâtre affectionnait la gaieté, la légèreté, la moquerie pince-sans-rire ».

Pétillant de burlesque et de merveilleuses mélodies, *La Belle Hélène* est un opéra-bouffe vif et spirituel qui raconte l'histoire de la plus belle des femmes, dont l'ennuyeux époux Ménélas mène la guerre contre les Troyens pour venger son enlèvement. L'œuvre caricature les dirigeants assoiffés de guerre, questionne la morale et célèbre l'amour d'Hélène et de Pâris, qui veulent à tout prix s'enfuir dans un monde meilleur. Le premier acte se termine par l'oracle de la Pythie disant à Ménélas qu'il doit aller en Grèce, puis le chœur, Hélène, Pâris et la majorité de la distribution le chassent dans un « Pars, pars, pars pour la Crète ! » impulsif, galopant. Subversif, son message ridiculise les souverains et glorifie la paix et l'amour – parfait signal pour les Hélène et Pâris de la villa. Mieux, c'était l'œuvre d'un compositeur juif à une époque où jouer de la musique juive était une infraction punissable.

Jan alla ouvrir.

« L'ex-directeur du zoo habite-t-il ici ? » demanda l'inconnu.

Quelques instants plus tard, l'homme entra dans la maison.

«Je m'appelle Ziegler», dit-il, avant de se présenter comme le directeur du bureau du travail du ghetto de Varsovie. C'était le service qui, en principe, trouvait un emploi aux chômeurs à l'intérieur et hors du ghetto mais, en pratique, organisait les convois de travailleurs, déportait les plus habiles dans les usines d'armement, comme les aciéries Krupps à Essen, et ne faisait pas grand-chose pour la vaste main-d'œuvre à temps partiel, affamée, souvent malade, générée par le régime nazi.

«J'espère voir la remarquable collection d'insectes du zoo, donnée par le docteur en entomologie Szymon Tenenbaum», déclara Ziegler. Entendant le piano allègre d'Antonina, il eut un large sourire et ajouta : «Quelle atmosphère joyeuse ! »

Jan le conduisit dans le séjour. «Oui, la musique est très présente dans notre maison, répondit Jan. Nous aimons énormément Offenbach. »

Avec mauvaise grâce, sembla-t-il, Ziegler concéda : «Oh, disons qu'Offenbach était un compositeur superficiel. Mais il faut reconnaître que, dans l'ensemble, les juifs sont un peuple talentueux. »

Jan et Antonina échangèrent un coup d'œil anxieux. Comment Ziegler savait-il pour la collection d'insectes ? Plus tard, Jan se souvint avoir pensé : «Bon, je crois que ce coup-ci, c'est la fin. »

Voyant leur embarras, Ziegler dit : «Vous êtes étonnés. Laissez-moi vous expliquer. Szymon Tenenbaum lui-même m'a autorisé à examiner sa collection d'insectes, que vous gardez dans votre maison, paraît-il. »

Jan et Antonina écoutèrent avec prudence. Déceler le danger était devenu un art, comme désamorcer les bombes – un tremblement dans la voix, une erreur de jugement, et le monde exploserait. Que projetait Ziegler ? S'il voulait, il emporterait la collection, personne ne pourrait l'en empêcher, il était donc inutile de prétendre que Szymon ne la leur avait pas confiée. Ils savaient qu'ils devaient répondre vite pour ne pas éveiller les soupçons.

« Oh, oui, dit Jan en prenant un ton dégagé, Szymon Tenenbaum nous a laissé sa collection avant de s'installer dans le ghetto. Notre bâtiment est sec, voyez-vous, nous avons le chauffage central, alors que sa collection pourrait facilement s'abîmer dans une pièce humide et froide. »

Ziegler hocha la tête d'un air entendu : « Oui, je suis d'accord », dit-il, précisant qu'il était entomologiste lui aussi, amateur, et que les insectes ne cessaient de le fasciner. C'était ainsi qu'il avait connu le docteur en entomologie ; mais il se trouvait par ailleurs que Lonia Tenenbaum était sa dentiste.

« Je vois souvent Szymon Tenenbaum, continua-t-il avec plaisir. Parfois, nous prenons ma voiture pour aller à la périphérie de Varsovie, où il découvre des insectes dans les caniveaux et les fossés. C'est un excellent scientifique. »

Ils emmenèrent Ziegler dans la cave du bâtiment administratif où des boîtes rectangulaires peu profondes étaient posées à la verticale sur les étagères comme une série de livres anciens, toutes en bois brun verni avec des assemblages à queue d'aronde, une face vitrée, un petit loquet métallique et un simple numéro sur la tranche au lieu d'un titre.

Ziegler sortit les boîtes l'une après l'autre et les tendit vers la lumière, où elles offrirent un panorama des coléoptères de la planète : spécimens verts irisés comme des gemmes capturés en Palestine ; cicindèles bleu métallique aux pattes épineuses ; *Neptunides* rouges et verts d'Ouganda jetant des reflets comme un ruban de satin ; minces coléoptères tachetés de Hongrie ; *Pyrophorus noctilucus*, petit coléoptère marron plus lumineux qu'une luciole, si brillant que les indigènes d'Amérique du Sud en enferment plusieurs dans une lanterne pour éclairer une hutte ou en nouent quelques-uns à leurs chevilles pour voir leur chemin la nuit ; *Ptiliidae*, les plus petits coléoptères connus, dont les ailes sont de simples tiges bordées de poils minuscules ; dynastes hercules mâles vert olive, longs de vingt centimètres, venus d'Amazonie (où les indigènes les portent en colliers), arborant chacun des armes de joute médiévale telles qu'une corne géante en forme d'épée qui s'incurve vers l'avant et une corne plus petite avec des encoches qui s'incurve vers le haut pour la rejoindre; dynastes hercules femelles, géantes aussi, mais sans corne, aux élytres couverts de poils rouges; bousiers égyptiens comme ceux gravés dans les pierres des chambres mortuaires; lucanes aux mandibules énormes; coléoptères dont les longues antennes recourbées ressemblent à des câbles de tramways ou à des lassos; *Hemisphaerota cyanea* à carapace piquetée, bleue, dont les soixante mille courts poils jaunes huilés sous les pattes permettent de s'accrocher extrêmement fort à des feuilles lisses; larves d'*Hemisphaerota cyanea* portant des chapeaux de paille tressés avec leurs propres excréments, tirés brin après brin de leur anus; *Lycidae* de l'Arizona aux élytres brun orangé à extrémité noire, dont les veines des ailes forment un réseau d'arêtes remplies d'hémolymphe toxique servant à éloigner les prédateurs; gyrins ovales, difficiles à attraper, qui se tiennent près des rives à la surface des ruisseaux et émettent un liquide blanc désagréable; méloés d'un noir luisant, aux propriétés vésicantes, débordants de cantharidine, une toxine qui, à faible dose, provoque l'érection et, à une dose légèrement plus forte, tue (Lucrèce en serait mort); coccinelles mexicaines des haricots, de couleur brune, dont les articulations des pattes suintent d'une hémolymphe riche en alcaloïdes répulsifs; coléoptères avec des antennes terminées par de petits peignes, pommeaux, brosses, sabots, franges ou spatules; coléoptères aux faces semblables à des citrouilles d'Halloween dentées; coléoptères fluorescents ayant le bleu des miniatures de Delft.

Les gros spécimens avaient une tige pour eux seuls tandis que les petits étaient fixés les uns au-dessus des autres, trois par épingle quelquefois. À la base de chacune, une étiquette blanche à l'encre bleue précisait la classification, majuscules courbes, F et D élancés, d'une écriture fine mais très lisible, régulière et soignée. De toute évidence, ramasser les insectes ne constituait qu'un volet de la passion de Tenenbaum :

il aimait aussi manipuler des heures durant microscope, stylo, étiquettes, spécimens, pinces et boîtes conçues pour les tiroirs de musées ou les murs de salons, comme celles de son contemporain, l'artiste surréaliste Joseph Cornell. Combien de temps Tenenbaum avait-il consacré à la tâche minutieuse de disposer les pattes, les antennes et les mandibules de ses trouvailles pour les mettre en valeur ? De même que Lutz Heck, Szymon Tenenbaum faisait des safaris dont il rapportait des coléoptères fixés sous verre comme des têtes de cervidés, mais les parois de ses pièces miniatures pouvaient contenir plus de trophées que n'importe quel pavillon de chasse ou musée zoologique. Le temps nécessaire pour les cataloguer, les asphyxier, les préparer et les épingler est une leçon d'humilité.

Dans un aérodrome vitré s'alignaient des rangées de bombardiers, capables de détruire un assaillant grâce à un jet de substances chimiques brûlantes propulsé par une tourelle à l'extrémité de leur abdomen. Inoffensives séparément, ces substances hypergoliques se combinent à l'intérieur d'une glande spéciale pour constituer un mélange aussi volatil qu'un gaz neurotoxique. Maître de la défense et de l'attaque, le bombardier fait pivoter sa tourelle, la braque droit sur l'ennemi et tire ses irritants cuisants à une vitesse de quarante kilomètres à l'heure – non pas sous forme d'un jet continu, mais de minuscules explosions. Grâce à la mésaventure de Charles Darwin, qui eut l'imprudence d'en placer un entre ses dents pendant qu'il capturait deux autres bestioles, Tenenbaum savait que le bombardier projette un liquide brûlant. Mais son laboratoire chimique secret ne fut découvert que longtemps après la guerre, par Thomas Eisner, né d'un père chimiste (à qui Hitler avait ordonné d'extraire l'or de l'eau de mer) et d'une mère juive qui peignait des toiles expressionnistes. La famille s'enfuit en Espagne, puis en Uruguay et enfin aux États-Unis, où Thomas devint entomologiste et constata que le jet émis par le bombardier ressemblait singulièrement au système de propulsion que Wernher von Braun et Walter Dornberger créèrent pour 29 000 bombes V1 allemandes à Peenemünde. Si les tirs de l'insecte sont peu bruyants, les pulsoréacteurs des V1 volant à environ 10 000 mètres d'altitude vrombissaient assez fort pour terroriser les populations quand ils fonçaient au-dessus d'elles à 500 kilomètres à l'heure. Mais l'arrêt du vrombissement révélateur annonçait la mort : quand une fusée atteignait sa cible, le moteur stoppait net et, dans le terrible silence qui suivait, elle piquait vers le sol avec une ogive de 900 kilos. Les Britanniques surnommaient les V1 «doodlebugs», référence directe au monde des insectes.

L'émerveillement sur le visage de Ziegler pendant qu'il scrutait l'une après l'autre les extraordinaires boîtes effaça les doutes d'Antonina sur ses motivations, car «lorsqu'il vit les magnifiques coléoptères et papillons, il oublia complètement le monde alentour». Passant de rangée en rangée, caressant du regard chaque spécimen, examinant ces légions armées et caparaçonnées, il demeurait là, fasciné.

«*Wunderbar! Wunderbar!* ne cessait-il de chuchoter pour lui-même. Quelle collection! Que de travail!»

Il revint enfin au présent, aux Żabiński, à ses affaires réelles. Il rougit et parut mal à l'aise alors qu'il expliquait : «Euh… Szymon Tenenbaum demande que vous lui rendiez visite. Je pourrais peut-être apporter mon aide, mais…»

Il y eut un silence à la fois incertain et engageant. Même si Ziegler ne prit pas le risque de terminer sa phrase, Antonina et Jan savaient tous deux ce qu'il sous-entendait, proposition trop délicate à formuler. Jan se hâta de répondre qu'il serait extrêmement commode pour lui d'aller en voiture avec Ziegler dans le ghetto et de voir Szymon Tenenbaum.

«Il faut que je le consulte sans plus tarder, assura-t-il d'un ton professionnel, afin qu'il m'indique le meilleur moyen de protéger ses boîtes de la moisissure.»

Puis, pour dissiper tout soupçon, Jan montra son laissez-passer officiel dans le ghetto, suggérant que le service demandé était un simple trajet dans la limousine de Ziegler, rien d'illégal. Encore sous le charme de l'éblouissante collection qu'il avait examinée et décidé à la sauver pour la postérité, Ziegler accepta, et ils se mirent en route.

Antonina savait que Jan voulait monter dans la voiture de Ziegler parce que les portes du ghetto étaient très surveillées, tant par les sentinelles allemandes à l'extérieur que par la police juive à l'intérieur. De temps en temps, elles s'ouvraient pour permettre à une personne en mission officielle d'entrer, mais les laissez-passer étaient prisés et difficiles à obtenir – des relations et des pots-de-vin étaient en général nécessaires. Par chance, l'immeuble à l'angle des rues Leszno et Żelazna, qui abritait le bureau du travail où exerçait Ziegler, constituait une partie de l'ignoble mur du ghetto.

Surmonté d'éclats de verre ou de barbelés, construit par une main-d'œuvre juive non rémunérée, le mur haut de trois mètres zigzaguait sur dix-huit kilomètres, barrant certaines rues, en coupant d'autres dans le sens de la longueur, tombant parfois sur des impasses. «La création, l'existence et la destruction du ghetto impliquèrent un urbanisme envahissant, écrit Philip Boehm dans *Words to Outlive Us: Eyewitness Accounts from the Warsaw Ghetto*, alors que les plans d'annihilation se superposaient à un monde réel d'écoles et de cours de récréation, d'églises et de synagogues, d'hôpitaux, de restaurants, d'hôtels, de théâtres, de cafés, d'arrêts de bus. Ces sites de la vie citadine [...] les rues résidentielles se changèrent en lieux d'exécution; les hôpitaux devinrent des endroits où l'on administrait la mort; les cimetières se révélèrent être d'indispensables poumons [...] Sous l'occupation allemande, chaque habitant de Varsovie se fit topographe. Les juifs surtout – au sein du ghetto comme en dehors – avaient besoin de savoir quels quartiers étaient "tranquilles", où se déroulait une rafle, quel itinéraire suivre dans le réseau d'égout pour atteindre le côté aryen.»

Des fentes dans le mur permettaient d'apercevoir le monde extérieur, où des enfants jouaient et des ménagères

124

revenaient tranquillement les bras chargés de provisions. Regarder comme par un trou de serrure la vie prospérer au-delà du ghetto devint un supplice, et dans un renversement très juste, le musée de l'Insurrection de Varsovie (ouvert en 2005) présente un mur en briques qui intervertit les points de vue : les visiteurs découvrent par des trous la vie quotidienne à *l'intérieur* du ghetto, grâce à des films d'archives.

Il y eut d'abord vingt-deux portes, puis treize, et enfin seulement quatre – toutes dans le style des parcs à bestiaux, menaçantes, tranchant avec les portails en fer forgé délicatement ouvragés de Varsovie. Des ponts franchissaient non pas les eaux d'une rivière mais les rues aryennes. Des soldats de sinistre réputation surveillaient le pourtour du ghetto, traquant les enfants qui osaient percer des trous dans la maçonnerie pour aller mendier ou acheter de la nourriture du côté aryen. Parce qu'eux seuls étaient assez petits pour passer, les enfants devinrent d'audacieux contrebandiers et commerçants qui risquaient leur vie tous les jours comme soutiens de famille.

Jack Klajman, un robuste enfant du ghetto qui survécut grâce à sa débrouillardise et aux trafics, se souvient d'un horrible commandant allemand que les enfants surnommaient Frankenstein : « Frankenstein était un homme effrayant, trapu, aux jambes arquées. Il adorait la chasse, mais je suppose qu'il avait dû se lasser du gibier et trouver que prendre pour cible les enfants juifs était une occupation plus divertissante. Plus les enfants étaient jeunes, plus il aimait leur tirer dessus. Il surveillait la zone dans une jeep équipée d'une mitrailleuse. Lorsque des enfants escaladaient le mur, Frankenstein et un assistant allemand surgissaient de nulle part dans leur machine à tuer. C'était toujours l'autre homme qui conduisait, de sorte que Frankenstein pouvait accéder très vite à sa mitrailleuse. Souvent, si personne ne tentait de grimper, il appelait des gamins du ghetto qui se trouvaient par hasard dans son champ de vision – loin du mur et sans intention d'aller où que ce soit… C'en était

125

fini de vous… Il pointait son arme et vous tirait une balle dans la nuque. »

Les trous que les enfants creusaient dans le mur étaient rebouchés très vite, puis de nouveaux apparaissaient. Il arrivait qu'un petit contrebandier s'échappe par l'une des portes en se dissimulant au milieu d'une équipe de travailleurs ou sous les vêtements d'un prêtre. Curé de Tous les Saints, église située entre les murs du ghetto, le père Godlewski ne se contentait pas de transmettre à la Résistance les certificats de naissance authentiques de paroissiens décédés, mais faisait parfois sortir un enfant caché sous sa longue soutane.

Des voies d'évasion existaient pour les courageux ayant des amis de l'autre côté et de l'argent pour le logement et les pots-de-vin, mais un protecteur extérieur comme les Żabiński était essentiel, parce qu'on avait besoin d'une cachette, de nourriture, d'une quantité de faux papiers et, selon qu'on vivait « en surface » ou « sous la surface », de différentes histoires concertées. Si on vivait en surface et qu'on était arrêté par la police, même muni de faux papiers on pouvait être sommé de fournir les noms de voisins, de parents, d'amis, qui étaient ensuite contactés par téléphone et interrogés.

Cinq lignes de tramways traversaient le ghetto : les rames faisaient halte à une porte de chaque côté, mais quand elles ralentissaient dans les courbes prononcées, il était possible d'en sauter ou de jeter des sacs à des passagers. Il fallait soudoyer le conducteur et le policier à bord (le tarif était de deux zlotys) et espérer que les passagers polonais ne souffleraient pas mot. Des contrebandiers escaladaient la clôture au fond du cimetière juif et accédaient à l'un des deux cimetières chrétiens contigus. Des volontaires intégraient les équipes de travailleurs forcés qui effectuaient leur journée hors du ghetto, puis payaient un portier pour qu'il se trompe dans le compte des effectifs. Beaucoup de policiers allemands et polonais coopératifs gardaient les portes du ghetto, avides de pots-de-vin, tandis que d'autres rendaient service sans contrepartie, par pure bonté.

Sous le ghetto existait un véritable réseau souterrain – des abris et des couloirs, certains équipés de toilettes et d'électricité – où les gens avaient conçu des voies transversales entre les immeubles et au-dessous. D'autres possibilités d'évasion s'offraient là : se glisser par un trou perforé dans le mur de briques, patauger dans les égouts dont le labyrinthe finissait par mener à des bouches du côté aryen (même si les conduites ne faisaient qu'un mètre de haut et produisaient des émanations toxiques). Certains s'enfuyaient en s'accrochant sous les charrettes qui venaient ramasser les ordures dans le ghetto et dont les cochers introduisaient souvent de la nourriture ou laissaient derrière eux un vieux cheval. Ceux qui avaient assez d'argent pouvaient disparaître en ambulance privée ou dans un corbillard transportant de prétendus convertis jusqu'aux cimetières chrétiens, à condition que les portiers aient accepté de ne pas fouiller les véhicules. Un évadé avait besoin d'une demi-douzaine de papiers au moins et changeait sept fois et demie de maison en moyenne ; il n'est donc pas étonnant que la Résistance ait fabriqué cinquante mille documents au cours des années 1942 et 1943.

À cause des méandres du mur, la façade de l'immeuble de Ziegler était accessible par le côté aryen de la ville tandis que sa porte de derrière, rarement utilisée, donnait sur le ghetto. Dans l'immeuble voisin, des victimes du typhus étaient mises en quarantaine ; en face, une école en briques sombres haute de trois étages servait d'hôpital pour enfants. Contrairement aux autres portes, celle-ci n'était surveillée ni par la Wehrmacht ni par la Gestapo, ni même par la police polonaise, seul un concierge était chargé d'ouvrir aux employés : pour Jan, c'était la promesse d'une rare voie d'entrée et de sortie peu contrôlée. Néanmoins, il ne s'agissait pas du seul bâtiment qui ouvrait à la fois sur le côté aryen et sur le ghetto. Un carrefour commode pour les rendez-vous entre juifs et Polonais était notamment le palais de justice rue Leszno, dont la porte du fond, par l'intermédiaire d'un couloir étroit, débouchait sur la place

Mirowski côté aryen. Les gens se mêlaient et chuchotaient dans ses corridors, troquaient des bijoux, retrouvaient des amis, faisaient passer de la nourriture et relayaient des messages, tout en feignant d'assister aux procès. Des gardes et des policiers soudoyés fermaient les yeux pendant que des juifs s'échappaient, en particulier des enfants. Mais en août 1942, le nouveau zonage déclara le palais de justice hors des limites du ghetto.

Il y avait aussi une pharmacie rue Długa avec des entrées des deux côtés du mur, où un aimable « pharmacien laissait traverser quiconque avait une raison valable », et plusieurs bâtiments municipaux où, pour quelques zlotys, des gardiens autorisaient parfois les gens à s'enfuir.

Lorsque leur limousine arriva au bureau du travail, 80 rue Leszno, le chauffeur klaxonna, un concierge ouvrit le portail, la voiture pénétra dans la cour et ils descendirent. Cet immeuble banal renfermait un bureau salvateur : en effet, seuls les juifs titulaires d'une carte leur permettant de travailler dans les usines de la Wehrmacht au sein du ghetto n'étaient pas déportés.

S'attardant près de la porte d'entrée, Jan remercia méticuleusement Ziegler d'une voix forte et, quoique surpris par cette solennité soudaine, Ziegler attendit poliment qu'il termine tandis que le concierge les observait avec attention. Jan prolongea la scène, s'exprimant en allemand parsemé de mots polonais, puis finit par demander à Ziegler, qui s'impatientait, s'il pourrait emprunter cette entrée à l'avenir au cas où il aurait des problèmes avec la collection d'insectes et devrait prendre conseil à ce propos. Ziegler dit au gardien de laisser Jan entrer chaque fois qu'il le voudrait. Alors, les deux hommes franchirent le seuil, Ziegler montra à Jan le chemin jusqu'à son bureau à l'étage et, pendant qu'il lui faisait visiter l'immeuble, lui indiqua un autre escalier qui menait à la porte du ghetto. Au lieu de se diriger sur-le-champ vers le ghetto pour rendre visite à Szymon Tenenbaum, Jan jugea qu'il valait mieux passer un peu de temps à bavarder dans les salles poussiéreuses et les couloirs étroits du bureau du travail, où il eut soin de saluer le plus de gens possible. Puis il regagna le rez-de-chaussée et, d'une voix autoritaire, demanda au concierge d'ouvrir la porte d'entrée. Se distinguer comme un personnage officiel tonitruant, pompeux et vaniteux, raisonna-t-il, causerait une vive impression, or il voulait que le gardien se souvienne de lui.

Deux jours plus tard, Jan revint et prit la même voix impérieuse pour exiger l'ouverture de la porte ; le concierge lui adressa un signe accueillant. Cette fois, Jan se dirigea vers l'escalier du fond, quitta le bâtiment par la porte du ghetto et alla voir plusieurs amis, dont Szymon Tenenbaum, auquel il raconta les curieux événements relatifs à Ziegler.

Szymon expliqua que Ziegler avait des problèmes dentaires épouvantables et qu'il était le patient continuel de Lonia : non seulement il avait trouvé en elle une dentiste remarquable, mais tous ses soins coûteux et complexes étaient gratuits. (Soit elle n'avait pas eu le choix en la matière, soit elle lui faisait ce cadeau pour gagner sa bienveillance.) Ils convinrent d'exploiter la passion de Ziegler pour l'entomologie aussi longtemps que possible et parlèrent de sujets relatifs à la Résistance. Szymon était désormais proviseur du lycée juif clandestin ; Jan proposa de le faire s'évader en secret, mais il refusa, convaincu que lui et sa famille avaient plus de chances de survivre à l'intérieur du ghetto.

Jan sympathisa donc avec Ziegler, lui rendit visite à son bureau et l'accompagna quelquefois dans le ghetto pour voir Szymon Tenenbaum et parler des insectes. Au bout d'un temps, il apparut comme un proche de Ziegler, quelqu'un qui était en bons termes avec le chef du bureau du travail, ce qui lui facilitait l'entrée dans le ghetto, et il revint souvent seul pour apporter de la nourriture en cachette à divers amis. Il donnait occasionnellement des pourboires au concierge, mais en quantité raisonnable, pour ne pas éveiller sa méfiance.

Enfin le moment sembla venu d'utiliser la porte pour ce que Jan avait en tête depuis le début : cette fois, un homme bien préparé, à la mise élégante, était à son côté. Comme d'habitude, Jan demanda au concierge d'ouvrir la porte, et lui et son « collègue » marchèrent vers la liberté.

Enhardi par ce succès, Jan aida cinq autres juifs à s'échapper avant que le concierge manifeste des soupçons. D'après le récit d'Antonina, il dit à Jan : « Vous, je vous connais, mais qui est cet autre homme ? »

Jan feignit de se sentir insulté et, « de la fureur dans le regard », hurla : « Je vous ai dit que cet homme était avec moi ! »

Le concierge intimidé réussit seulement à bredouiller : « Je sais que vous pouvez aller et venir quand bon vous semble, mais je ne connais pas cette personne-ci. »

Le danger rôdait autour de la moindre nuance. Un signe de culpabilité, un mot fâcheux, trop de rudesse, et le concierge devinerait qu'il ne s'agissait pas d'une simple affaire d'ego, fermant un précieux canal entre le ghetto et la ville aryenne. Jan s'empressa de plonger la main dans sa poche et de dire : « Oh, ça ! Cet homme a une autorisation, bien sûr. »

Sur quoi il exhiba son propre laissez-passer du service des parcs, un sauf-conduit jaune réservé aux citoyens allemands, aux personnes d'origine allemande et aux Polonais non juifs. Comme la bonne foi de Jan n'était pas en cause, il n'avait pas besoin de présenter deux cartes. Le concierge étonné garda un silence embarrassé. Alors, Jan lui serra la main avec gentillesse, sourit et dit d'un ton solennel : « Ne vous inquiétez pas, je n'enfreins jamais la loi. »

À compter de ce jour, Jan n'eut aucun problème pour escorter des juifs d'apparence aryenne vers la liberté ; malheureusement le concierge n'était pas la seule menace. N'importe quel employé du bureau du travail pouvait croiser Jan et un prétendu collègue à l'instant crucial. Le transit des fugitifs non loin des troupes allemandes cantonnées sur les terrains du zoo constituait une autre difficulté, mais les Żabiński imaginèrent deux solutions qui fonctionnèrent durant toute la guerre : cacher les Hôtes soit dans les espaces creux de la villa, soit dans les anciens enclos, hangars et cages des animaux.

Se confondant avec les boiseries laquées blanches de la cuisine, une porte pourvue d'un bec-de-cane donnait accès à un long sous-sol équipé de pièces rudimentaires. Au fond de l'une d'elles, Jan avait créé, en 1939, une sortie de secours, galerie de trois mètres qui menait droit à la maison des faisans (une volière avec un petit bâtiment central) jouxtant le jardin potager : elle devint une entrée pour les personnes se cachant dans la villa et un itinéraire commode pour apporter les repas. Dans le sous-sol, Jan installa l'eau courante et des toilettes ; en outre, la tuyauterie du fourneau du rez-de-chaussée maintenait une certaine chaleur. Les sons traversaient facilement les planchers, donc même s'ils entendaient des voix au-dessus de leurs têtes, les Hôtes devaient chuchoter.

Une autre galerie, si basse qu'il fallait y ramper et cerclée de nervures en fer rouillé, conduisait à la maison des lions, et certains Hôtes logeaient dans le hangar attenant, malgré sa proximité avec l'entrepôt de matériel militaire allemand. Semblable à un squelette de baleine tronqué, la galerie protégeait jadis les dresseurs escortant les félins dans et depuis leurs cages.

Ziegler vint plusieurs fois au zoo pour admirer le remarquable musée des insectes et s'entretenir avec les Żabiński. Il alla jusqu'à amener Szymon Tenenbaum, sous prétexte que la collection avait occasionnellement besoin du contrôle direct de son propriétaire, et Szymon passa des heures dans son paradis à lui, agenouillé dans le jardin, ramassant d'autres insectes encore.

Un jour, Ziegler se présenta au zoo avec le teckel blond des Tenenbaum, la chienne Żarka, sous le bras.

« Pauvre bête, dit-il. Elle aurait une vie bien meilleure ici.

— Elle peut rester, bien sûr », proposa Antonina.

Fouillant dans sa poche, Ziegler en sortit de petits morceaux de saucisse pour Żarka, puis il la déposa et repartit. La chienne lui courut après, gratta à la porte et finit par se coucher là, dans l'odeur laissée par le dernier être humain qu'elle connaissait.

Les jours qui suivirent, Antonina la trouva souvent à cet endroit, dans l'attente que sa famille réapparaisse et la rende à un monde d'odeurs et de silhouettes familières. Pour Żarka, se dit-elle, cette villa pleine d'animation avait trop de pièces, de recoins sombres, de marches, de labyrinthes ; en dépit de ses courtes pattes arquées, la chienne allait et venait sans cesse, incapable de s'apaiser, furetant au milieu d'une forêt de meubles et d'inconnus. Au bout de quelque temps, elle s'habitua, mais continua de sursauter pour un rien. Si des bruits de pas ou un claquement de porte rompaient le silence, des frissons nerveux parcouraient tout son corps mince, comme si sa peau brillante elle-même cherchait à fuir.

Lorsque l'hiver donna l'assaut, avec des montagnes de neige et moins d'odeurs à lire comme du papier journal pour les chiens, Ziegler leur rendit visite. Toujours rondelet et les joues roses, portant les mêmes vieilles lunettes, il salua affectueusement Żarka et elle se souvint aussitôt de lui, bondissant sur ses genoux et flairant ses poches en quête de jambon ou de saucisse. Cette fois Ziegler n'avait pas de gâterie pour la chienne, et il ne joua pas non plus avec elle, s'en tenant à la caresser distraitement.

« Szymon Tenenbaum est mort, annonça-t-il d'une voix triste. Figurez-vous que je lui ai encore parlé il y a deux jours. Il m'a raconté tellement d'histoires passionnantes… Hier, il a eu une hémorragie interne… et ç'a été fini. Un ulcère à l'estomac… Vous saviez qu'il était malade ? »

Ils l'ignoraient. Il n'y avait plus grand-chose à dire après cette nouvelle bouleversante et le chagrin qu'ils partageaient. Submergé par l'émotion, Ziegler se leva si vite que Żarka tomba de ses genoux, et il s'en alla précipitamment.

Après la mort de Szymon, la villa porta longuement le deuil, et Antonina se demanda si sa femme pourrait survivre encore longtemps dans le ghetto. Jan élabora un plan d'évasion, mais où la cacheraient-ils ? Malgré leur souhait intense que leur maison traverse la guerre sans encombre avec sa cargaison humaine, la villa ne pouvait offrir qu'un abri provisoire à la plupart des gens, y compris l'épouse d'un ami d'enfance.

16

Le monde animal est riche en stratagèmes et en artifices, depuis les caméléons et les rascasses qui se fondent dans leur environnement jusqu'aux incroyables tromperies des mammifères. Un singe rhésus qui décide de dissimuler à ses compagnons le melon qu'il vient de trouver n'a pas besoin d'une « théorie de l'esprit » pour les abuser, mais de la simple expérience que ce mensonge lui a été bénéfique. Si ses compagnons le découvrent, il reçoit une volée de coups, et cette leçon est susceptible de modifier son attitude égoïste. Cependant, de nombreux animaux n'ont guère le choix quant au partage de la nourriture et appellent les autres par instinct. Il y a au moins douze millions d'années que les primates conçoivent des feintes habiles, mentent à dessein, parfois sur le seul plan athlétique (comme entraînement ou sport). Les chercheurs aguerris savent discerner des indices tels qu'une voix plus aiguë, des pupilles élargies, un regard fuyant, un excès de plainte, et apprennent aussi ce qu'essayer de dissimuler « raconte ».

Dans le cadre de sa profession, Jan avait passé des années à étudier les menus détails du comportement animal, toutes les parures de la période nuptiale, le bluff, la menace, les gestes d'apaisement, les manifestations de supériorité, les langages de l'amour, de la fidélité, de l'affection. Extrapoler à partir d'eux était naturel chez un zoologiste aussi appliqué, en particulier concernant les stratégies de duperie. Il pouvait ainsi devenir très vite un nouveau personnage, talent utile dans sa vie clandestine au sein de l'armée de Résistance et en accord avec son caractère et sa formation.

Non seulement les Żabiński mais les Hôtes et les visiteurs devaient cultiver la paranoïa et obéir aux règles strictes de leur petit territoire, ce qui signifiait que Ryś et tout autre enfant dans la maison s'imprégnaient de diverses vérités. Outre les langues, ils assimilaient les leçons de la loyauté tribale, du sacrifice de soi, de la construction d'une façade, du mensonge convaincant, de la supercherie ingénieuse. Comment compose-t-on une normalité apparente ? Il fallait que tout semble ordinaire dans la maison, même si cela nécessitait des habitudes complètement fictives. Feindre la normalité… Du point de vue de qui ? Les habitudes d'avant-guerre de la famille d'un directeur de zoo polonais sembleraient-elles normales à un soldat allemand en patrouille ? Les Allemands avaient des Polonais l'image d'un peuple très sociable, plusieurs générations vivant sous un même toit, sans oublier les parents et amis de passage. Un certain remue-ménage était justifié, mais trop de pensionnaires risquaient d'éveiller les soupçons.

L'actuel directeur du zoo de Varsovie, Jan Maciej Rembiszewski, qui fit du bénévolat au zoo de Jan dans sa jeunesse (il lui révéla d'ailleurs son ambition de devenir lui-même gardien de zoo), se remémore un patron sévère, perfectionniste, et Antonina le décrit comme un père de famille exigeant, qui ne supportait ni le travail bâclé ni l'approximation. Grâce à elle, nous savons que la philosophie de Jan était la suivante : « Une bonne stratégie doit dicter les actions adéquates. Toute action doit être non pas impulsive mais analysée avec la totalité de ses conséquences possibles. Un projet solide comprend toujours maintes solutions de rechange. »

Après la mort de Szymon, Jan apporta à son épouse Lonia un plan d'évasion détaillé et lui annonça que des amis résistants préparaient le terrain afin que, son bref séjour au zoo terminé, elle trouve un refuge plus sûr à la campagne, voire retravaille comme dentiste. Pour lui faire franchir la porte du ghetto, il comptait employer sa ruse coutumière : dire qu'elle était une collègue aryenne qui l'avait accompagné dans sa visite à Ziegler, puisque le concierge avait maintenant l'habitude de ses allées et venues, seul ou avec des confrères. Mais, alors qu'ils arrivaient près de la porte de l'immeuble et qu'il s'apprêtait à escorter Lonia dehors, il s'arrêta, consterné de voir, à la place du concierge, une femme – l'épouse de celui-ci, se révéla-t-il. Les bureaux à l'étage grouillaient d'Allemands qu'un simple cri pourrait alerter. La femme eut l'air de reconnaître Jan, soit parce qu'elle avait l'habitude d'observer depuis la fenêtre d'un appartement voisin, soit parce que son époux lui avait décrit ce personnage aux manières arrogantes ; en revanche, la présence de Lonia la troubla et la nervosité l'envahit. N'étant pas prête à faire des exceptions, elle refusa d'ouvrir la porte.

« Nous avons rendu visite à M. Ziegler, expliqua Jan d'un ton ferme.

— Très bien, répondit-elle, je vous ouvrirai si M. Ziegler descend et autorise lui-même votre départ. »

Son mari avait bien réagi à l'intimidation, mais Jan se demandait quel effet aurait la brusquerie verbale sur cette femme. Continuant néanmoins de jouer le vaniteux tonitruant que son époux connaissait, il insista : « Qu'est-ce que vous fabriquez ? Je viens ici tous les jours, votre mari me connaît bien. Et voilà que vous m'ordonnez de remonter et d'importuner M. Ziegler ! Il vous en cuira !... »

Hésitant un peu, encore irrésolue, elle regarda le visage de Jan devenir rouge de fureur tandis qu'il fulminait comme un homme capable de représailles, et elle finit par ouvrir la porte en silence pour les laisser sortir. Ce qui se passa ensuite ébranla autant Lonia que Jan : juste en face, deux policiers allemands fumaient et discutaient, le regard braqué dans leur direction.

Selon Antonina, Lonia décrivit plus tard la scène dans des mots pleins « de terreur et de pensées précipitées » : « Je voulais dire à Jan : "Filons !" Je voulais m'enfuir de là. J'espérais qu'ils ne nous arrêteraient pas ! Mais Jan ne savait pas ce que j'éprouvais et, au lieu de se mettre à courir, il s'est baissé et a ramassé un mégot, peut-être jeté sur le trottoir par l'un de ces policiers. Puis, très lentement, il a glissé sa main sous mon bras et nous nous sommes dirigés vers la rue Wolska. Ce moment m'a semblé durer un siècle!»

Ce soir-là, passant devant la chambre à l'étage, Antonina aperçut Lonia qui pleurait sans bruit sur son oreiller, la truffe humide de Żarka appuyée avec compassion contre sa joue. Lonia avait vu Szymon mourir, sa fille avait été assassinée à Cracovie par la Gestapo; la chienne était la seule famille qui lui restait.

Au bout de quelques semaines, la Résistance lui trouva un hébergement plus sûr à la campagne, et comme Lonia prenait congé, Żarka se précipita vers elle, tenant une laisse dans sa gueule. «Il faut que tu restes ici; nous n'avons pas encore de maison à nous», lui dit Lonia.

Dans ses mémoires, Antonina nota que cette scène lui avait paru d'une tristesse poignante, et que Lonia survécut à la guerre, contrairement à Żarka. Un jour qu'elle furetait autour de l'entrepôt allemand, la chienne mangea de la mort-aux-rats et, ayant regagné la villa à grand-peine, mourut sur les genoux d'Antonina.

Trois semaines avant l'insurrection du ghetto de Varsovie, Jan mit la collection d'insectes de Szymon en sûreté au Muséum d'histoire naturelle, et après la guerre Lonia en fit don au Musée zoologique polonais, dans une annexe duquel demeurent aujourd'hui deux cent cinquante mille spécimens.

Pour voir la collection, il faut se rendre dans un village à une heure de voiture au nord de la capitale. On tourne sur une étroite route goudronnée, laisse derrière soi une pension pour animaux (nouveau concept emprunté aux États-Unis), une pépinière plantée de jolies rangées d'épicéas, et on arrive dans une impasse boisée occupée par deux bâtiments de plain-pied dont l'Académie des sciences polonaise est propriétaire. Le plus petit contient des bureaux, l'autre abrite divers surplus du Musée zoologique.

Lorsqu'on pénètre dans cette immense construction à l'allure de grenier, on découvre un merveilleux fouillis de millions de spécimens, où de nombreuses curiosités réclament l'attention : jaguars, lynx et oiseaux indigènes empaillés, bocaux remplis de grenouilles, de serpents et autres reptiles. De longs cabinets et tiroirs en bois délimitent d'étroites allées recelant des stocks de trésors. Les boîtes d'insectes de Szymon Tenenbaum occupent deux armoires : vingt boîtes par étagère, posées verticalement comme des livres, à raison de cinq étagères par armoire. Elles représentent à peu près la moitié de la collection complète, qui comprenait quatre cents boîtes selon la déclaration de Jan à un journaliste, et qui dans le souvenir d'Antonina s'élevait à huit cents. Les archives du musée indiquent : « L'épouse de Szymon Tenenbaum donna [...] environ deux cent cinquante mille spécimens après la guerre. » Pour l'heure, les boîtes restent intactes, mais le projet d'archivage est de sortir les insectes et de les classer avec une multitude d'autres en fonction de leur ordre, sous-ordre, famille, genre et espèce – tous les bombardiers dans telle armoire, tous les *Ptiliidae* dans telle autre. Quel triste démantèlement ce serait. Bien sûr, l'étude des insectes s'en trouverait facilitée, mais seraient sacrifiés les incomparables vision et talent artistique des collectionneurs, lesquels appartiennent à un sous-ordre exotique d'*Homo sapiens sapiens* (l'animal qui sait et sait qu'il sait).

Une collection d'insectes est une oasis de silence dans la clameur du monde, isolant les phénomènes afin qu'on puisse les contempler en toute quiétude. Elle témoigne de l'intense attention portée par le collectionneur. C'est là une rareté, comme si une galerie s'étendait dans notre esprit et perpétuait l'émerveillement au cœur d'un tourbillon de distractions sociales et personnelles. La collection invite le visiteur à être attentif pendant un temps. Chaque boîte vitrée contient un échantillon de l'œil attentif d'un collectionneur unique, et c'est notamment pour cela que les gens aiment autant les examiner, même s'ils connaissent par cœur les moindres segments des insectes.

L'endroit où sont conservées les boîtes n'a donc pas une importance cruciale, mais Szymon aurait apprécié ce lieu isolé, entouré de champs et de feuillages denses fourmillant d'insectes, où sa petite chienne Żarka aurait pu chasser les oiseaux et les taupes, apanage des teckels. On ne repère souvent qu'avec du recul une coïncidence ou un fait improbable qui a changé le cours des événements. Qui aurait imaginé que le voyage de coléoptères épinglés par un fervent entomologiste ouvrirait le chemin de la liberté pour de si nombreux habitants du ghetto ?

17

La passion que Ziegler nourrissait pour les insectes était à mille lieues de la doctrine nazie. Obsédé par le contrôle des animaux nuisibles, le Troisième Reich finança, avant et pendant la guerre, de nombreux projets de recherche relatifs aux insecticides, à la mort-aux-rats, à la lutte contre les coléoptères phytophages, les mites, les termites et autres fléaux. Himmler avait étudié l'agronomie à Munich et appuyait des entomologistes tels que Karl Friederichs, qui voulait trouver des moyens d'arrêter le sirex de l'épicéa et des bestioles comparables, tout en justifiant l'idéologie raciste nazie comme une forme d'écologie, une « doctrine du sang et de la terre ». Sous cet angle, tuer les habitants des pays occupés puis les remplacer par des Allemands répondait à des objectifs non seulement politiques mais écologiques, surtout si l'on plantait d'abord des forêts pour changer le climat, comme le suggéra le biologiste nazi Eugene Fischer.

Vu au microscope électronique (inventé en Allemagne en 1939), un pou ressemble à un diable dodu à longues cornes et aux yeux globuleux, doté de six bras préhensiles. Calamité chez les soldats en 1812, le parasite vainquit la Grande Armée de Napoléon en route pour Moscou, hypothèse récemment validée par des scientifiques. « Nous croyons que les maladies engendrées par les poux ont occasionné la majorité des décès dans l'armée napoléonienne », écrivit Didier Raoult, de l'université de la Méditerranée à Marseille, dans le numéro de janvier 2005 du *Journal of Infectious Diseases*, après une analyse de la pulpe dentaire de cadavres découverts en 2001 en Lituanie par des ouvriers du bâtiment, dans un charnier près de Vilnius. Tandis que les poux de corps transmettaient les agents de la fièvre récurrente, de la fièvre des tranchées et du typhus épidémique, la Grande Armée se réduisit de 500 000 à 3 000 soldats, essentiellement à cause des infections. Dans son ouvrage publié en 1916 sous le titre *Epidemics Resulting from Wars*, Friedrich Prinzing raconte la même histoire ; il souligne aussi que, pendant la guerre de Sécession, les maladies liées aux poux provoquèrent plus de pertes que les combats eux-mêmes. En 1944, les Allemands disposaient de médicaments pour réduire la gravité du typhus, mais n'avaient pas de vaccin fiable. L'armée américaine n'en possédait pas non plus : elle ne pouvait offrir à ses troupes que des inoculations répétées, dont l'efficacité disparaissait au bout de quelques mois.

À l'intérieur du ghetto, les immeubles surpeuplés devinrent vite des taudis ravagés par la tuberculose, la dysenterie et la famine, alors que le typhus entraînait de fortes fièvres, des frissons, de la faiblesse, des douleurs, des maux de tête et des hallucinations. Le typhus, nom fourre-tout donné à des maladies comparables causées par les rickettsies, vient du grec *typhos*, « fumée » ou « vapeur », décrivant la torpeur mentale du malade, lequel présente, après quelques jours, des taches rouges qui lui couvrent peu à peu la totalité du corps. Comme le pou véhiculait la maladie, entasser des gens dans un ghetto rendait l'épidémie inévitable et, avec le temps, le typhus prospéra tellement que, dans la rue, les gens gardaient leurs distances de crainte que des poux ne sautent sur eux. Les rares médecins, prodiguant soutien et attention en l'absence de médicaments et de nourriture, savaient que la guérison dépendait uniquement de l'âge et de l'état de santé général.

Il s'ensuivit naturellement l'image de juifs contagieux et infestés de poux. « Il en va de l'antisémitisme comme de l'épouillage, déclara Himmler à ses officiers SS le 24 avril 1943. Éliminer les poux ne relève pas d'une conception du monde. C'est une affaire de propreté [...] Nous n'aurons bientôt plus de poux. Il n'en reste que 20 000 et, ensuite, toute l'Allemagne en sera débarrassée. »

Dès janvier 1941, le gouverneur allemand de Varsovie, Ludwig Fischer, annonça qu'il avait choisi le slogan « Juifs – Poux – Typhus » à inscrire sur 3 000 grandes affiches, 7 000 petites et 500 000 brochures, ajoutant que « la presse polonaise [sous patronage allemand] et la radio ont participé à la diffusion de cette information. En outre, les enfants des écoles polonaises ont été quotidiennement instruits du danger. »

Une fois que les nazis eurent ravalé juifs, tziganes et Slaves au rang des espèces non humaines, ils se représentèrent aussitôt en chasseurs et, dans des manoirs à la campagne et des stations de montagne, des sorties préparèrent l'élite nazie, par ce loisir sanguinaire, à la chasse la plus prestigieuse. Ils avaient bien sûr d'autres modèles dont s'inspirer, y compris les chevaliers et les médecins, mais le chasseur offrait les métaphores viriles de la traque, de la poursuite, de l'appât, du piégeage, de l'étripage.

À l'évidence, le spectre de la contagion troublait les nazis. Les affiches montraient souvent des caricatures de juifs à têtes de rats (les puces des rats étant les principaux vecteurs de la peste), imagerie qui s'insinua jusque dans l'esprit de certains juifs, comme Marek Eldman, un des dirigeants de l'insurrection du ghetto de Varsovie : se rendant à une réunion clandestine, il fut « saisi par le désir de ne plus avoir de visage », de peur que quelqu'un ne le reconnaisse et ne le dénonce comme juif. Qui plus est, il se voyait avec un « visage répugnant, sinistre. Le visage de l'affiche "Juifs – Poux – Typhus". Alors que tous les autres gens [...] avaient des visages gracieux. Ils étaient beaux, détendus. Ils pouvaient être détendus parce qu'ils étaient conscients de leur grâce et de leur splendeur ».

Dans la société sous cloche du ghetto, où les inégalités sévissaient, les criminels et les collaborateurs prospéraient pendant que d'autres mouraient de faim ; un monde de corruption et de racket se constitua. Les soldats allemands commettaient des violences régulières, volaient des biens, contraignaient les gens à des travaux éreintants et humiliants ; puis, comme l'écrivit un habitant du ghetto, « lorsque les trois cavaliers de l'Apocalypse convoqués par l'envahisseur – la peste, la famine et le froid – se révélèrent impuissants à vaincre les juifs du ghetto de Varsovie, les chevaliers de la SS furent appelés pour accomplir la tâche ». Selon les chiffres allemands, ils envoyèrent 316 822 personnes de Varsovie dans les camps de concentration entre le début de l'année 1942 et janvier 1943. Mais ils assassinèrent aussi beaucoup de gens à l'intérieur du ghetto ; le nombre réel des victimes fut donc bien plus élevé.

Aidés par des amis du côté aryen, des dizaines de milliers de juifs réussirent à fuir le ghetto avant la fin de la guerre, mais d'autres sont connus pour être restés, dont Kalonymus Kalman Shapira, le rabbin hassidique du ghetto. Le journal et les sermons cachés de Shapira, retrouvés après la guerre, montrent une lutte féroce avec la foi, un homme pris entre ses enseignements religieux et l'Histoire. Comment concilier le supplice de la Shoah avec le hassidisme, religion qui préconise l'amour, la joie, la danse et la fête ? Pourtant, l'un de ses devoirs religieux était de guérir les souffrances de sa communauté, tâche difficile vu leur intensité et l'interdiction de tous les signes extérieurs de la piété. Certains érudits se réunissaient dans une boutique de cordonnerie et discutaient des textes sacrés tout en coupant du cuir et en enfonçant des clous, et *Kiddush ha-Shem*, le principe du culte à Dieu, acquit une nouvelle définition au sein du ghetto : il devint « le combat pour préserver la vie face à la destruction ». Un mot comparable apparut en allemand, *überleben*, qui signifiait « l'emporter et demeurer vivant », acte de défi mis en valeur par l'intransitivité du verbe.

Le hassidisme de Shapira incluait la méditation transcendantale : exercer l'imagination et canaliser les émotions pour atteindre des visions mystiques. La méthode idéale, enseignait Shapira, consistait à « remarquer ses propres pensées afin de corriger les habitudes négatives et certains traits de caractère ». Une pensée observée perdait de sa force, en particulier les pensées négatives, qu'il conseillait aux étudiants de ne pas embrasser mais d'examiner avec calme. S'ils s'asseyaient sur la berge pour regarder le flot de leurs pensées s'écouler, sans se laisser entraîner, ils parviendraient à une forme de méditation nommée *hashkatah*, réduction au silence de l'esprit conscient. Il prêchait aussi la « sensibilisation à la sainteté », méthode de découverte de la sainteté au-dedans de soi-même. La tradition hassidique comprenait une grande attention à la vie quotidienne, comme l'enseigna au XVIIIe siècle le professeur Alexander Susskind : « Quand vous mangez et buvez, la nourriture et la boisson vous procurent plaisir et contentement. Stimulez-vous à chaque instant pour vous demander, émerveillé : "Quels sont ce plaisir et ce contentement ? Que suis-je en train de savourer ?" »

Le plus éloquent des rabbins et auteurs du mysticisme hassidique, Abraham Joshua Heschel, quitta Varsovie en 1939 pour devenir un important professeur au Séminaire théologique juif de New York (et, dans les années 1960, un fervent partisan de l'intégration). Dans une prose pleine de paradoxes, d'épigrammes et de parallèles à la manière koan zen (courtes phrases absurdes et souvent mystérieuses : « L'homme est un messager qui a oublié le message », « Les païens exaltent les choses sacrées, les prophètes louent les actions sacrées », « La quête de la raison se termine sur le rivage du monde connu », « La pierre est brisée, mais les mots sont vivants », « Être humain, c'est être un problème, et le problème s'exprime à travers l'angoisse »), il se sentait « fidèle à la présence de l'ultime dans le banal » et estimait que c'est « en réalisant des actes finis » que nous pouvons « percevoir l'infini ». Il écrivit : « Je possède un talent ; il s'agit de la capacité à être immensément surpris, surpris par la vie, par les idées. C'est pour moi l'impératif hassidique suprême : ne soyez pas vieux, ne soyez pas blasé. »

La plupart des gens savent que 30 à 40 % des juifs de la terre furent tués pendant la Seconde Guerre mondiale, mais ignorent que 80 à 90 % de la communauté orthodoxe périt, dont beaucoup de personnes ayant entretenu la tradition ancestrale du mysticisme et de la méditation, qui remontait au monde des prophètes de l'Ancien Testament. «Dans ma jeunesse, grandissant dans un milieu juif, écrivit Heschel à propos de son enfance varsovienne, il y avait une chose que nous n'avions pas à chercher: l'exaltation. Chaque moment est formidable, nous enseignait-on, chaque moment est unique. »

L'étymologie du mot hébreu qui signifie prophète, *navi*, associe trois processus: *navach* (s'écrier), *nava* (jaillir ou couler) et *navuv* (être creux). Le but de cette méditation était «d'ouvrir le cœur, de désobstruer le canal entre l'infini et les mortels» et d'arriver à un état d'extase appelé *mochin gadlut*, «le grand esprit». Le professeur hassidique Avram Davis écrit ainsi: «Il n'existe qu'un Dieu, par quoi nous entendons l'Unicité qui subsume toutes les catégories. Nous pouvons appeler cette Unicité l'océan de la réalité et tout ce qui y baigne [dans le respect du] premier enseignement des Dix Commandements. Il n'y a qu'une *zot*, eccéité. Zot est un démonstratif féminin. Le mot zot est lui-même un des noms de Dieu – l'eccéité de ce qui est. »

Faibles, malades, épuisés, affamés, torturés, fous, tous venaient chercher auprès du rabbin Shapira une nourriture spirituelle qu'il joignait à la direction politique et aux soupes populaires. Comment parvenait-il à témoigner autant de compassion tout en demeurant sensé et créatif? En apaisant l'esprit et en communiant avec la nature: «On entend la voix [qui enseigne] dans l'ensemble du monde, dans le gazouillis des oiseaux, le meuglement des vaches, dans les voix et le tumulte des êtres humains; dans tout cela on entend la voix de Dieu... »

Chacun de nos sens nourrit le cerveau, or si ses principaux aliments sont la cruauté et la souffrance, comment peut-il rester en bonne santé? Changer cette alimentation à dessein, travailler à recentrer l'esprit, c'est nourrir son cerveau. Le message transmis par le rabbin Shapira était que,

145

même dans le ghetto, les gens ordinaires (et pas seulement les moines, les ascètes ou les rabbins) pouvaient atténuer leurs souffrances de cette façon. C'est vraiment poignant qu'il ait choisi pour la pratique méditative la beauté de la nature: en effet, chez la plupart des habitants du ghetto, la nature ne demeurait vivante qu'en souvenir – ni parc, ni oiseau, ni verdure n'existaient à l'intérieur de ces murs –, et ils subissaient cette perte comme la douleur d'un membre fantôme, amputation qui brouillait les rythmes corporels, altérait les sens et rendait les notions fondamentales sur le monde impossibles à saisir pour les enfants. Comme l'écrivit un habitant: «Dans le ghetto, une mère essaie d'expliquer le concept de distance à son enfant. La distance, dit-elle, c'est plus loin que la rue Leszno. C'est un champ dégagé, et un champ est une vaste étendue où il pousse de l'herbe, ou des épis de blé, et quand on se tient au milieu, on n'en voit ni le début ni la fin. La distance est si vaste, vide et dégagée que le ciel et la terre s'y rejoignent… La distance est un voyage qui dure des heures et des heures, parfois des jours et des nuits, en train ou en voiture, et peut-être en avion… Le train souffle et fume et avale beaucoup de charbon, comme dans les dessins de ton livre, mais il est réel, et la mer est un bain immense, réel, où les vagues montent et descendent inlassablement. Et ces forêts sont des arbres, des arbres comme ceux des rues Karmelicka et Nowolipie, tellement d'arbres qu'on ne peut pas les compter. Ils sont robustes et droits, couronnés de feuilles vertes, et la forêt est pleine de tels arbres, des arbres à perte de vue et une profusion de feuilles, de buissons et de chants d'oiseaux.»

Avant l'annihilation, il y a un exil de la nature, et, enseigna le rabbin du ghetto, seuls l'émerveillement et la transcendance subsistent alors pour combattre la désagrégation psychique de la vie quotidienne.

18

Comme l'été faisait place à l'automne, des vols de bou-vreuils, de jaseurs et de becs-croisés des sapins affluèrent de Sibérie et d'Europe du Nord, escadrons en forme de V suivant des couloirs aériens plus anciens que la route de la soie. La Pologne se trouvant au carrefour de plusieurs grandes voies de migration (vers le sud depuis la Sibérie, vers le nord depuis l'Afrique, vers l'ouest depuis la Chine), une broderie d'oiseaux chanteurs et des chevrons d'oies cacardantes ornait le ciel automnal. Des espèces insecti-vores volaient vers les profondeurs de l'Afrique, le gobe-mouche gris, par exemple, qui effectuait plusieurs milliers de kilomètres et volait sans s'arrêter pendant une soixan-taine d'heures au-dessus du Sahara. N'ayant pas besoin d'aller aussi loin, les grands hérons et d'autres échassiers s'installaient sur les rivages de la Méditerranée, de l'Atlan-tique, de la Caspienne ou les berges du Nil. Les oiseaux migrateurs ne sont pas attachés à un itinéraire strict : pen-dant la guerre, certains viraient vers l'est ou l'ouest, afin d'éviter totalement Varsovie bombardée, même si une large partie de l'Europe se révélait aussi inhospitalière.

Dans la villa, les Hôtes et les visiteurs migrèrent à la fin de l'automne vers des pièces plus chaudes ou des cachettes plus durables. Les Żabiński s'apprêtaient à passer leur troi-sième hiver de guerre avec un stock de charbon si maigre qu'ils ne pouvaient chauffer que la salle à manger, à condi-tion de vidanger d'abord les radiateurs et de condamner l'escalier et l'étage. L'opération divisait la maison en trois climats : sous-sol froid et humide, rez-de-chaussée équato-rial, chambres polaires. Un vieux poêle à bois américain venu de la maison des lions dégageait une fumée irritante, mais ils se blottissaient quand même autour, regardant par la petite porte vitrée les flammes rouges et bleues qui léchaient les morceaux de charbon et les embrasaient régulièrement. Pendant que la cheminée jouait son hymne, ils savouraient la magie muette de créer de la chaleur au-dedans les jours de froid. Enveloppés dans des peaux de mouton et de la flanelle, Jan et Ryś dormaient sous des couches supplémen-taires d'édredons et de couvertures, puis bondissaient de leur lit et réussissaient tout juste à s'habiller pour le travail ou l'école sans frissonner. La cuisine évoquait une armoire frigorifique, le givre formait une dentelle sur les vitres à l'intérieur comme à l'extérieur, et préparer les repas, faire la vaisselle ou, pire encore, la lessive – tâches qui nécessitaient toutes de plonger les mains dans l'eau – était une torture pour Antonina, dont la peau se gerçait au point de saigner. «Les humains, avec leur peau lisse, ne sont pas adaptés à un froid vif», médita-t-elle, sauf à se montrer ingénieux, revêtir le cuir des animaux, emprisonner des feux.

Tous les jours après le départ de Jan et Ryś, elle attelait un traîneau et transportait un tonneau de déchets de l'abat-toir jusqu'au hangar des poulets, puis donnait aux lapins du foin et des carottes du jardin. Tandis que Ryś fréquentait l'école clandestine à quelques rues du zoo, Jan travaillait en ville dans un petit laboratoire chargé d'inspecter et de désinfecter les immeubles, emploi subalterne qui lui pro-curait des à-côtés bien utiles : des bons de nourriture, une ration quotidienne de viande et de soupe, un permis de tra-vail, une petite paie, ainsi qu'un avantage inestimable pour la Résistance – un accès légal à tous les quartiers de la ville.

La pénurie de combustible les obligea finalement à envoyer les Hôtes dans d'autres cachettes hivernales, soit à Varsovie même, soit en banlieue. La Résistance cachait certains juifs dans des domaines campagnards qui n'étaient pas confisqués mais restaient à leurs propriétaires pour fournir des vivres aux troupes allemandes. Là, une femme en situation irrégulière pouvait occuper un poste de gouvernante, de bonne, de nourrice, de cuisinière ou de couturière, et un homme travailler dans les champs ou au moulin. D'autres trouvaient parfois asile chez des paysans ou enseignaient dans les écoles communales. Un tel domaine, situé à seulement sept kilomètres de Varsovie, en direction de l'ouest, appartenait à Maurycy Herling-Grudziński ; il abrita jusqu'à cinq cents réfugiés.

Malgré l'absence d'Hôtes et de parents, la villa hivernale logeait deux pensionnaires excentriques et, selon Antonina, le premier qui arriva, Wicek (Vincent), avait une ascendance impeccable. « Sa mère était membre d'une célèbre famille de lapins argentés » appelés lièvres arctiques, race dans laquelle les petits ont un pelage noir lustré puis pâlissent en grandissant. Les tempêtes humides d'octobre faisaient trembler Wicek dans un clapier du jardin, Antonina l'installa donc à l'intérieur, dans la tiédeur de la salle à manger le jour et le lit délicieusement chaud de Ryś la nuit. Tous les matins, pendant que le garçon s'habillait pour l'école, Wicek se glissait hors des couvertures, avançait à grands bonds dans le couloir jusqu'à l'escalier, dont il descendait les marches étroites avec précaution, poussait du museau la cloison de bois et se précipitait dans la salle à manger, où il se pelotonnait près de la porte vitrée du poêle. Là, il rabattait ses longues oreilles sur son dos pour avoir plus chaud et étirait une de ses pattes postérieures tout en repliant soigneusement les trois autres sous lui. Doté par la nature d'yeux ambre bordés de noir comme des hiéroglyphes égyptiens, de trois épaisseurs de fourrure, de pattes aux doigts écartés et d'incisives extrêmement longues pour ronger mousses et lichens, il acquit bientôt des mœurs et des goûts inconnus dans sa culture d'origine et développa une étrange personnalité de griffon.

Au début, chaque fois que Ryś s'attablait pour dîner, Wicek s'enroulait autour de son pied comme une pantoufle de fourrure noire, se tapissant d'instinct à la manière des lièvres exposés aux vents arctiques. Puis, à mesure qu'il grossit et se muscla, il se mit à sauter dans toute la maison comme une balle en caoutchouc, et aux heures des repas il se propulsait sur les genoux de Ryś, posait ses pattes antérieures sur la table et engloutissait la nourriture du garçon. Naturellement végétariens, les lièvres arctiques peuvent manger des écorces et des pommes de pin, mais Wicek préférait voler une côtelette de cheval ou une tranche de bœuf, qu'il allait dévorer dans un coin sombre. D'après Antonina, il se ruait dans la cuisine dès qu'il entendait le bruit mat de son attendrisseur, bondissait sur un tabouret, passait sur la table et s'emparait d'une tranche de viande crue, puis filait avec son trophée et se régalait comme une petite panthère.

Pendant les vacances, lorsqu'un ami envoya de la *kiełbasa* aux Żabiński, Wicek devint une peste aux dents tranchantes qui mendiait des restes et agressait tous ceux qu'il surprenait en train de manger une saucisse. Avec le temps, il découvrit aussi des viandes froides cachées sur le piano dans le bureau de Jan contigu à la cuisine. En principe, les pieds glissants de l'instrument dissuadaient les souris affamées, mais ils n'arrêtaient pas les lièvres voraces. Avec tous ses pillages, Wicek fut bientôt un voyou gros et gras et, à chacune de leurs sorties, ils l'enfermaient derrière un placard d'angle, parce qu'il avait pris l'habitude de grignoter leurs vêtements. Un jour, il mâchonna le col de la veste de Jan, posée sur une chaise dans la chambre; une autre fois, il festonna un chapeau de feutre et ourla le manteau d'un visiteur. Ils plaisantaient à propos de ce lapin d'attaque, mais sur une note plus sombre, Antonina écrivit que, partout où elle se tournait dans le monde humain et animal, elle assistait à des «comportements choquants et imprévisibles».

Lorsqu'un poussin maladif rejoignit la maison, Antonina le soigna jusqu'à ce qu'il recouvre la santé et Ryś trouva en lui un nouvel animal familier, qu'il baptisa Kuba (Jacob). Avant la guerre, la villa avait hébergé des animaux plus exotiques, dont deux sémillants bébés loutres, mais les Żabiński perpétuaient leur tradition de cohabitation d'humains et de bêtes, accueillant sans cesse des animaux errants chez eux, au sein d'une maisonnée déjà agitée. Gardiens de zoo par tempérament, non par une décision du hasard, ils éprouvaient le besoin de rester au milieu des animaux, en dépit du conflit et du manque de nourriture, pour que la vie leur semble réelle et que Jan poursuive ses recherches sur la psychologie animale. À l'en croire, «la personnalité des animaux se développe en fonction de la manière dont on les élève, les dresse, les éduque; on ne peut énoncer des généralités. Les maîtres de chiens et de chats vous le diront, il n'en existe pas deux semblables. Qui aurait pensé qu'un lapin saurait donner des baisers à un humain, ouvrir une porte, nous rappeler que c'était l'heure du repas?».

La personnalité de Wicek intriguait aussi Antonina, qui le jugeait «insolent», rusé à l'extrême, voire effrayant. Un lapin carnivore, prédateur, prodigue de baisers: c'était la matière des contes et un bon sujet pour l'un de ses livres destinés aux enfants. Elle surveillait ses escapades, le regardait se ramasser, à l'affût, oreilles aussi alertes que des antennes paraboliques, suivant le moindre bruit, s'efforçant de déchiffrer les sons.

Le zoo d'intérieur créait un cirque divertissant de rituels, d'effluves et de bruits, avec le jeu et le rire en prime, un tonifiant pour tous, en particulier Ryś. Les animaux contribuaient à le détourner de la guerre, estimait Antonina; donc, à plumes ou à quatre pattes, à griffes ou à sabots, empestant le musc de blaireau ou inodores comme un faon nouveau-né, tous finirent par entrer dans la ménagerie incluse dans l'ancien zoo de Varsovie: des zoos gigognes.

À l'intérieur de la villa, certains protégés d'Antonina arrosaient les pieds de table et les chaises, d'autres déchiquetaient, rongeaient ou exploraient les meubles, mais elle voyait en eux des enfants ou des pupilles bénéficiant d'un régime d'exception. Les règles de la maison stipulaient que Ryś s'occupe des animaux familiers, tel un gardien de zoo miniature chargé d'administrer un petit fief de gnomes encore plus dans le besoin que lui. Ainsi, Ryś était absorbé par des tâches importantes, qu'il pouvait maîtriser, à une période où tout son entourage semblait avoir des secrets et des responsabilités d'adultes.

Un enfant aussi jeune ne pouvait absolument pas comprendre les relations sociales, le troc, le marché noir, les pots-de-vin, les petites malhonnêtetés, le prix du silence, l'altruisme mutuel et le pur idéalisme qui caractérisaient Varsovie en guerre. Une «maison sous une folle étoile» aidait chacun à oublier le monde, plus fou encore, durant quelques minutes, quelques heures parfois, en offrant le moindre moment comme un flot de sensations, des impulsions joueuses, des tâches précises, un carillon de voix. Prendre un instant après l'autre est une manière de vivre qui surgit spontanément quand l'incertitude et le danger règnent, mais c'est aussi un rythme consolateur qu'Antonina cultivait pour elle-même et sa famille. L'un de ses traits les plus remarquables était sa détermination à inclure le jeu, les animaux, la curiosité, l'émerveillement et de grands élans d'innocence dans une maison où tous esquivaient les périls, les horreurs et les incertitudes ambiantes. Cette attitude requiert un courage particulier rarement apprécié en temps de guerre.

Tandis que le rabbin Shapira préconisait de méditer sur la beauté, la sainteté et la nature pour dépasser la souffrance et rester sain d'esprit, Antonina introduisait dans la villa les distractions candides du rat musqué, du coq, du lièvre, des chiens, de l'aigle, du hamster, des chats et des renardeaux, qui entraînaient les humains dans un monde naturel intemporel, à la fois familier et original. Prêtant attention à l'écosystème et aux coutumes uniques de la villa, ils pouvaient goûter un peu de repos tandis que les besoins et les rythmes des diverses espèces se mêlaient. Il y avait toujours des arbres, des oiseaux et un jardin dans le paysage du zoo ; les fleurs suaves des tilleuls continuaient de pendre tels des sachets aromatiques ; et, la nuit venue, la musique du piano couronnait la journée.

Ce mélange sensoriel se fit plus indispensable encore lorsque des dizaines d'Hôtes arrivèrent avec d'épouvantables récits de la brutalité nazie, et les Żabiński leur ouvrirent les bras, obtenant du soutien des «groupes et contacts clandestins, très étranges en effet pour certains», comme le nota Irena Sendler (nom de code «Jolanta»). Fille d'un médecin chrétien qui avait beaucoup d'amis juifs, elle réorganisa son travail à l'assistance sociale, recruta dix personnes qui partageaient ses opinions et se mit à produire de faux documents avec des signatures falsifiées. Elle se procura aussi un laissez-passer légal dans le ghetto via une «antenne épidémiologique et sanitaire», sous prétexte de traiter les maladies infectieuses. En réalité, les travailleurs sociaux «introduisaient secrètement de la nourriture, des médicaments, des vêtements, de l'argent, et préparaient la fuite du plus grand nombre de gens possible, en priorité des enfants». Elle devait d'abord convaincre les parents de lui confier leurs bambins, puis trouver un moyen de faire sortir les petits (dans des housses mortuaires, des caisses, des cercueils, par le vieux palais de justice ou l'église de Tous les Saints) et enfin les placer dans des familles catholiques ou des orphelinats. Un pot qu'elle avait enterré dans un jardin contenait la liste des véritables noms des enfants, de sorte qu'ils puissent réintégrer leurs familles après la guerre. Souvent, des religieuses cachaient des enfants dans des établissements de Varsovie ou des environs ; les garçons dont la physionomie sémitique marquée pouvait constituer un obstacle avaient la tête et le visage bandés comme s'ils souffraient de blessures.

Les Żabiński étaient avertis par téléphone ou par messager qu'un Hôte allait se présenter pour un bref séjour, et Irena venait souvent elle-même apporter des nouvelles, ou juste bavarder, ou se cacher quand son bureau était mis sous surveillance. Plus tard, capturée par la Gestapo et sauvagement torturée à la prison Pawiak, elle s'évada avec l'aide de la Résistance et devint l'une des Hôtes préférées du zoo.

Le gouvernement polonais en exil, installé à Londres, pourvoyait en personnel une station de radio et planifiait des missions, empruntant des avions, des agents et des ressources britanniques. Introduisant de l'argent liquide par l'intermédiaire de parachutistes dont les ceintures-porte-feuilles contenaient jusqu'à 100 000 dollars et les adresses codées des destinataires, les agents polonais surnommés *cichociemni*, « les sombres et silencieux », empaquetaient aussi des armes, des kits et des plans. D'après le témoignage de l'un d'eux, pour éviter au maximum la dispersion, son groupe sauta d'une centaine de mètres et visa « une croix constituée de fleurs rouges et blanches audacieusement illuminées dans une vaste clairière ». Glissant entre les pins, il toucha le sol, les pieds les premiers, et fut accueilli par un homme casqué qui prononça le mot de passe et lui serra la main. Puis de jeunes ruraux arrivèrent pour récupérer les boîtes et ramasser les parachutes, que les femmes transformeraient en blouses et en linge de corps. Ayant transmis un message crypté du généralissime au commandant de l'Armée de l'intérieur, il avala la dose réglementaire d'Excedrin arrosée de caféine pour rester vigilant et rangea une pilule de cyanure dans une poche spéciale de son pantalon, puis se laissa conduire jusqu'à une école où une directrice dodue lui prépara une omelette au lard et à la tomate et, à l'aube, le renvoya. Certains parachutistes rejoignirent des unités locales et ils furent nombreux à combattre pendant l'insurrection de Varsovie de 1944. Sur 365 messagers, 11 moururent ; 73 avions furent abattus ; seulement la moitié des 858 parachutages réussirent. Mais ils approvisionnèrent une Résistance inlassable, décrite tant par les Alliés que par l'ennemi comme la mieux organisée d'Europe ; il le fallait, car le Troisième Reich avait destiné les Polonais à un châtiment particulier.

Jan participait de plus en plus aux activités de la Résistance et enseignait désormais la biologie générale et la parasitologie à la faculté de pharmacie et de médecine dentaire de « l'université volante » de Varsovie. Les classes étaient réduites et les salles itinérantes, pour éviter d'être découvertes, passant d'un bout à l'autre de la ville par des appartements privés, des écoles techniques, des églises, des commerces, des monastères, à l'intérieur et à l'extérieur du ghetto. L'université délivrait des diplômes de premier, deuxième et troisième cycles en médecine et dans d'autres branches, malgré le manque de bibliothèques, de laboratoires et de salles de cours. Une triste ironie (ou peut-être l'optimisme) poussait les médecins du ghetto, qui ne pouvaient que réconforter des patients mourants auxquels une bouchée de nourriture et une poignée de médicaments auraient permis de guérir, à enseigner une médecine de pointe à une future génération de praticiens. Au début de la guerre, pensant décapiter le pays, les nazis avaient rassemblé et tué une grande partie de l'intelligentsia polonaise, puis interdit l'enseignement et la presse, stratégie qui se retourna contre eux : subversif, l'apprentissage devint très attirant ; qui plus est, les intellectuels survivants concentrèrent leurs capacités sur des prouesses de résistance et de sabotage. Des journaux clandestins très lus circulaient au sein du ghetto et en dehors, où ils étaient parfois entassés dans les toilettes pour les juifs – que les Allemands avaient soin de ne pas utiliser. À cette époque de privation flagrante, les bibliothèques, les académies, le théâtre et les concerts prospéraient, et même un championnat de football secret cent pour cent varsovien.

Au cours du printemps 1942, les Hôtes se remirent à affluer au zoo, trouvant refuge dans les cages, les resserres et les placards, où ils essayaient de prendre des habitudes quotidiennes tout en vivant dans une terreur contenue. Informés de l'agencement de la maison, ils riaient sans doute de la lourdeur des pas d'un tel, de la course des enfants, des trottinements de pattes ou de sabots, des claquements de portes, des sonneries du téléphone et des cris de putois d'animaux querelleurs. Du moins, en cette ère radiophonique, s'étaient-ils accoutumés à recueillir des nouvelles par l'ouïe et à leur ajouter des images mentales.

Antonina s'inquiétait pour son amie sculptrice Magdalena Gross, dont la vie et l'art périclitaient depuis le bombardement du zoo. Celui-ci n'était pas seulement son atelier de plein air mais sa boussole, royaume imaginaire pour son travail et direction pour son existence. Antonina décrivit dans son journal la fascination de Magdalena, la manière dont les animaux l'envoûtaient au point qu'elle se perdait en eux durant des heures et oubliait les visiteurs qui regardaient en silence. Depuis toujours amateur d'arts plastiques, Jan avait lui aussi une immense admiration pour son travail.

Spécialiste des petites sculptures, elle avait saisi deux à trois dizaines d'animaux, plus vrais que nature et spirituels, prêts à un mouvement familier ou très anthropomorphiques. Un chameau, la tête contre l'une de ses bosses, les pattes écartées, s'étirait. Un jeune lama aux oreilles dressées apercevait quelque chose de comestible. Une oie japonaise méfiante pointait son bec tranchant vers le ciel tout en observant le spectateur, telle une «femme superbe mais idiote», avait expliqué Magdalena. Un flamant rose, le pied droit levé, marchait à la façon de Charlot. Un faisan machiste plastronnait devant son harem. Une poule exotique fonçait tête baissée, «comme une acheteuse obnubilée par l'idée de trouver des harengs». Un cerf étirait le cou en arrière, effarouché par un bruit. Un héron aux yeux brillants, au long bec robuste, les épaules incurvées, avait le menton plongé dans une large poitrine ébouriffée – Magdalena se reconnaissait en lui. Un grand marabout rentrait la tête dans les épaules. Un élan humait l'air, en quête d'une partenaire. Un coq agressif, disposé à se battre, roulait un œil farouche.

Magdalena cherchait les indices corporels uniques de chacun : équilibrage des hanches et des épaules, menaces adressées aux rivaux, signes d'émotion. Elle aimait les flexions minuscules, pliait ses propres bras et jambes pour comprendre les attaches des muscles et des os de ses modèles. Jan, qui lui servait de conseiller, était captivé par la morphologie des animaux, leur centre de gravité, leur géométrie : ainsi, deux pattes fines comme des brindilles suffisent à soutenir un corps d'oiseau lisse et bas, tandis que les formes et les textures plus riches des mammifères nécessitent quatre pattes robustes. Avec ses études universitaires en agronomie, en zoologie et en art, il subit peut-être l'influence du charmant classique de D'Arcy Wentworth Thompson *Forme et croissance* (1917), ouvrage de biologie qui examine des motifs tels que l'architecture de la colonne vertébrale ou l'évolution du pelvis en ailes osseuses pour soulager le torse. Magdalena passait des mois à concevoir une sculpture. Choisir, parmi un répertoire de mouvements, une pose qui pourrait figurer l'animal prenait du temps et demandait une passion, une extase imaginative qu'elle adorait. La joie est visible dans ses œuvres.

Antonina fit souvent l'éloge de son talent et considérait qu'elle s'inscrivait dans la longue histoire de la représentation artistique des animaux, qui remontait au paléolithique, quand, à la lumière des torches, des humains dessinaient des bisons, des chevaux, des rennes, des antilopes et des mammouths sur les parois des grottes. Il ne s'agissait pas exactement de «dessins»; les pigments pouvaient être soufflés sur les murs (la parfaite reproduction au laser de Lascaux fut réalisée grâce à cette technique). Les fétiches animaux sculptés dans des ramures ou de la pierre rejoignirent le reliquaire, soit pour le culte, soit à l'usage des chasseurs lors des cérémonies sacrées dans les grottes. Se détachant des contours naturels du calcaire, les animaux galopaient durant les rites initiatiques, dans une pénombre dansante où il était facile de confondre battements de cœur et martèlements de sabots.

Au début du XXe siècle, puis dans l'entre-deux-guerres à l'apogée du dadaïsme et du surréalisme (qui reflétaient surtout une idée du rôle de l'art dans la vie et une conception de la vie comme art), la sculpture animalière prospéra dans l'art polonais, et se poursuivit pendant et après la Seconde Guerre mondiale. Aux yeux d'Antonina, Magdalena se rattachait à la tradition harmonieuse des animaux magiques figurés dans la Babylone antique, en Assyrie, en Égypte, en Extrême-Orient, au Mexique, au Pérou, en Inde... et en Pologne.

Magdalena modelait dans l'argile avant de fixer une forme dans le bronze et, durant cette phase souple, clémente, elle demandait souvent à Jan de critiquer les détails anatomiques de son travail, même si elle se trompait peu, rapportait-il à Antonina. Il lui fallait beaucoup de temps pour réaliser une sculpture, et elle ne créait en moyenne qu'un bronze par an, parce qu'elle étudiait les moindres fibres de son modèle, corrigeait sans cesse les lignes et avait du mal à ne plus toucher au mannequin d'argile. Un jour que quelqu'un voulait savoir si son œuvre terminée lui plaisait, elle dit: «Je vous répondrai dans trois ans.» Elle ne sculpta que deux spécimens en voie de disparition, l'élan d'Europe et le bison, consacrant deux années au second, cadeau exceptionnel pour Jan. Bien sûr, les animaux du zoo refusaient de poser, ils s'envolaient souvent, s'éloignaient ou se soustrayaient à sa vue – dans la nature, les échanges de regards sont réservés aux situations houleuses, accouplements, combats, repas. Leur accorder une attention soutenue la calmait, ce qui les calmait à leur tour, et avec le temps ils acceptaient qu'elle les scrute pendant des moments plus longs.

Malgré sa célébrité (ses *Bison* et *Guêpier* remportèrent la médaille d'or à l'Exposition internationale de Paris de 1937), elle restait d'une modestie étonnante, était d'un optimisme touchant et avait une vraie passion pour les animaux et l'art. Antonina écrivit combien Magdalena charmait ses modèles, leurs protecteurs et les gardiens: «Chacun était ravi de voir cette petite "Mme Madzia" rayonnante, aux yeux noirs souriants, qui modelait l'argile avec délicatesse et enthousiasme.»

Lorsque les juifs avaient reçu l'ordre de s'installer dans le ghetto, Magdalena Gross avait refusé, d'où une existence périlleuse: ceux qui vivaient à la surface devaient se faire passer pour des aryens et ne jamais quitter ce masque, cultiver le polonais argotique et un accent crédible. Les

158

estimations varient, mais la plus fiable, donnée par Adolf Berman (qui leur vint en aide et conserva une bonne documentation), est de 15 000 à 20 000 personnes continuant de se cacher à une date aussi tardive que 1944, et il supposait que leur nombre avait été beaucoup plus élevé. Dans *Secret City*, une étude sur les juifs qui vécurent du côté aryen à un moment ou à un autre, Gunnar Paulsson avance une estimation plus proche de 28 000. Comme il le dit à juste titre, avec des chiffres aussi considérables, Varsovie renfermait une véritable ville de réfugiés, ayant ses propres criminels (des dizaines de maîtres chanteurs, d'extorqueurs, de voleurs, de policiers corrompus et de propriétaires cupides), ses travailleurs sociaux, sa vie culturelle, ses publications, ses cafés en vogue, sa langue. Un juif qui se cachait était appelé un « chat », son abri un *melina* (mot polonais signifiant « repaire »), et si un *melina* était découvert, on disait qu'il était « brûlé ». « Composée de 28 000 juifs, de 70 000 à 90 000 personnes peut-être qui les aidaient, de 3 000 à 4 000 *szmalcownicy* (maîtres chanteurs, dérivé du mot polonais « saindoux ») et autres individus malfaisants, écrit Paulsson, [cette] population dépassait les 100 000, sans doute plus nombreuse que la Résistance polonaise de Varsovie, forte en 1944 de 70 000 combattants. »

La plus infime erreur pouvait trahir un « chat » : ne pas connaître le prix d'un ticket de tram, par exemple, ou sembler trop distant, ne pas recevoir assez de lettres ou de visites, rester à l'écart de la vie sociale typique d'un immeuble, comme celui décrit par Alicja Kaczyńska : « Les locataires se fréquentaient [...] partageaient des nouvelles de la situation politique, jouaient souvent au bridge [...] Quand je rentrais chez moi le soir [...] je m'arrêtais près du petit autel dans l'entrée de notre immeuble. Tout Varsovie avait ce genre d'autels dans les entrées, et tout Varsovie chantait "Écoute, Jésus, ton peuple qui implore / Écoute, écoute, et intercède". Les locataires de notre immeuble se réunissaient pour ces prières. »

Paulsson évoque « la fille d'Helena Szereszewka, Marysia, qui s'estimait totalement intégrée et se déplaçait en toute liberté » et qui « vit un jour des citrons (presque impossibles à obtenir en temps de guerre) sur un étal de marché. Par curiosité, elle en demanda le prix, et lorsque le marchand lui indiqua la somme astronomique, elle s'exclama "Jezu, Maria !" comme l'aurait fait une catholique polonaise. Le marchand répliqua, narquois : "Vous les connaissez de si fraîche date, mademoiselle, et vous les appelez déjà par leur prénom !" ».

Logeant chez une vieille femme, Magdalena Gross livrait des tartes et des gâteaux pour plusieurs boulangeries, en échange d'une paie qui lui permettait juste de survivre, et elle prenait le risque de quitter l'appartement pour retrouver des amis dans un café bienveillant à l'égard des « chats ». Les juifs clandestins se réunissaient parfois dans un établissement 24 rue Miodowa, ou rue Sewerynów, où ils pouvaient dîner « au centre de la communauté catholique de St Joseph, qui avait un restaurant bien approvisionné. La petite rue tranquille et le service très agréable assuré par les nonnes attiraient beaucoup de juifs […] Connu de la majorité des juifs cachés dans Varsovie, il offrait une halte hors des cruautés extérieures ».

Dès que Magdalena sortait, elle pouvait à tout instant être reconnue et dénoncée ; mais, dans une atmosphère d'exécutions de rues et de perquisitions quotidiennes, Antonina s'alarma quand la rumeur courut que les nazis avaient entrepris de ratisser les maisons du quartier de la sculptrice, à des heures indues, fouillant les caves et les greniers pour y débusquer les juifs.

19

Antonina pétrissait de la pâte à pain dans la cuisine, rituel quotidien, lorsqu'elle entendit la voix excitée de Ryś près de la porte du fond: «Dépêche-toi! Étourneau! Viens ici!»

Son fils avait un nouvel ami oiseau, semblait-il, et elle approuvait son choix. Les étourneaux l'avaient toujours charmée, avec «leurs longs becs sombres, leurs petits bonds souples et leurs piaillements joyeux»; elle aimait les regarder sautiller et creuser à la recherche de vers, queue et tête remuant avec vivacité. Le spectacle des étourneaux annonçait immanquablement la fin de la saison hivernale et «le dégel printanier du ventre de la terre». Les nuées d'étourneaux prennent des formes merveilleuses quand ils tournoient dans le ciel: rênes d'une troïka, haricots rouges, coquillages coniques. Virant de concert, ils disparaissent en un clin d'œil et resurgissent un instant plus tard comme une traînée d'argent. Quand ils voletaient et s'agitaient sur le sol, ils évoquaient à Antonina des «bouffons à plumes», écrivit-elle dans ses mémoires, et elle était ravie de penser que Ryś en avait attrapé un et l'avait apprivoisé. Debout près de l'évier, les mains pleines de pâte collante, elle lança par-dessus son épaule qu'elle était trop occupée pour saluer le nouveau trésor de son fils, mais qu'elle le ferait plus tard. La porte de la cuisine s'ouvrit alors brusquement et Antonina comprit tout à coup la signification réelle des paroles de Ryś: Magdalena Gross se tenait là, une vieille veste d'été sur les épaules, des chaussures usées aux pieds.

Tous les Hôtes et amis qui se cachaient avaient des noms d'animaux secrets, et celui de Magdalena était «Étourneau», notamment à cause de l'affection d'Antonina envers ces oiseaux, mais aussi parce qu'elle se la représentait «volant de nid en nid» pour éviter la capture, à mesure que les repaires étaient découverts. Les visiteurs ne devaient pas s'étonner d'entendre mentionner des animaux au sein du zoo, et l'on devine que ces surnoms sonnaient juste, en outre, pour Jan et Antonina, que prononcer les noms d'animaux ordinaires les aidait à rétablir un peu de normalité dans leur existence.

Dans le monde sens dessus dessous de la Pologne occupée, la célébrité dont Magdalena jouissait avant la guerre la mettait en danger. Qu'arriverait-il si quelqu'un de son passé la reconnaissait et, pour de bonnes ou de mauvaises raisons, révélait son refuge ? La rumeur a de grandes oreilles et, comme le dit un vieux proverbe tzigane, la peur a de grands yeux. Magdalena étant désormais au nombre des pensionnaires, il fallait que les autres Hôtes redoublent de précautions, et la sculptrice n'osait pas montrer son visage, si familier dans certains milieux polonais. «Les yeux d'habitude pétillants de bonheur de Madzia s'assombrirent un peu», écrivit Antonina dans son journal. Elle et Jan l'appelaient ainsi parfois, de cet affectueux surnom qui est une forme adoucie de Magda et suggère des émotions plus tendres, comme le «g» dur et solennel laisse place à un «j» caressant. «Elle souffrait d'être privée de la liberté et de la vie exaltante qu'elle avait connues avant la guerre», parmi un vaste cercle d'amis artistes. En 1934, par exemple, Magdalena avait aidé Bruno Schulz, peintre comparable à Chagall et auteur de fantasmagories en prose, à trouver un éditeur pour son premier livre, *Sklepy Cynamonowe* (traduit en français sous le titre *Les Boutiques de cannelle*), recueil de nouvelles sur sa famille excentrique. Elle confia le manuscrit de Schulz à une autre amie, la romancière Zofia Nałwoska, qui le déclara novateur et brillant, et l'accompagna jusqu'à la publication.

Tapie à l'intérieur durant la journée, Magdalena ne pouvait parcourir le zoo en quête de modèles ; elle décida donc de sculpter Ryś.

«Ce petit garçon est un lynx, plaisanta-t-elle. Je devrais parvenir à mes fins!»

Un jour qu'Antonina pétrissait la pâte à pain, Magdalena affirma: «Maintenant, je peux t'aider. J'ai appris à préparer de délicieux croissants. Je ne suis peut-être plus en mesure de sculpter l'argile ces temps-ci, mais je peux encore sculpter la farine!» Sur ces mots, elle plongea la main dans une grande jatte, projetant un petit nuage blanc.

«C'est terrible qu'une artiste aussi douée soit réduite à travailler en cuisine! déplora Antonina.

— Il s'agit d'une situation provisoire, lui assura Magdalena, l'écartant avec délicatesse et se mettant à pétrir la pâte de ses mains puissantes. Certains diraient qu'une femme aussi petite que moi ne peut pas être une bonne boulangère. Erreur! Les sculpteurs acquièrent une force immense!»

Modeler l'argile lui avait donné de robustes épaules et des mains expérimentées. Dans son milieu, qui incluait entre autres Rachel Auerbach et la poète yiddish Deborah Vogel, la «consistance mystique unique» de la matière – pour citer Bruno Schulz – importait vraiment, de même que les mains qui la manipulaient. C'était un sujet dont ils débattaient souvent dans des lettres, longues et sérieuses, de grande qualité littéraire, conçues en partie comme une expression artistique. Peu ont survécu mais, par chance, Schulz en a utilisé une quantité des siennes dans ses nouvelles.

Avant la guerre, à Paris, Magdalena aurait certainement étudié les vigoureuses sculptures de mains de Rodin au musée qui abrite ses œuvres, petit écrin entouré de rosiers et de sculptures musclées. Elle s'enorgueillissait, à juste titre, de la manière dont des mains souples et fortes bercent des nouveau-nés, bâtissent des villes, plantent des légumes, caressent les êtres aimés, enseignent à nos yeux la forme des choses (galbes de l'arrondi, grains de sable), rapprochent des cœurs solitaires, nous relient au monde, tracent la différence entre soi et autrui, s'accrochent à la beauté, jurent fidélité, tirent du blé de délicieux mets, et bien plus encore.

Magdalena offrait à la villa « des rayons de soleil, de l'énergie et un grand entrain, qu'elle garda toujours même pendant les crises terribles, et elle en affronta d'épouvantables durant son existence. Personne ne la vit jamais démoralisée. » Antonina se demandait quelquefois comment ils avaient bien pu faire sans elle jusqu'alors, car elle était devenue un pilier de leur clan : elle partageait leur vie, leurs soucis quotidiens, leurs angoisses et leurs difficultés, aidait aux tâches ménagères, et dès qu'ils avaient trop d'Hôtes, elle cédait son lit et dormait sur un gros coffre pour la farine, ou deux fauteuils placés l'un contre l'autre. « Comme son surnom, Étourneau, elle sifflotait dans l'épreuve, quand la plupart auraient, dans la même situation, succombé au désespoir », se souvint Antonina dans ses mémoires. Quand la maison attendait un étranger, Magdalena se cachait, et si le visiteur semblait dangereux ou voulait monter à l'étage pour telle ou telle raison, Antonina la prévenait en jouant l'alarme habituelle au piano ou, si ce n'était pas possible, en entonnant soudain une chanson. Elle considérait Magdalena comme « un peu friponne » et un refrain entraînant d'Offenbach comme la mélodie de fuite parfaite pour quelqu'un d'aussi vif et farceur.

Aussitôt qu'elle entendait cette musique, Magdalena se précipitait dans une cachette qui, selon son humeur, pouvait être le grenier, des toilettes ou l'un des profonds placards. Comme elle le confia à Antonina, elle riait souvent alors, *in petto*, de l'absurdité de la situation.

« Je me demande, plaisantait-elle parfois, ce que j'éprouverai pour cette musique après la guerre ! Imaginons qu'elle passe à la radio… M'élancerai-je vers un abri ? Arriverai-je même à supporter ce chant de Ménélas partant pour la Crète ? »

Les notes guillerettes avaient été jadis un de ses airs préférés, mais la guerre sème le chaos dans la mémoire sensorielle : la pure intensité de chaque instant, l'adrénaline troublante et le pouls rapide gravent les souvenirs plus en profondeur, inscrivent chaque petit détail et rendent les événements inoubliables. Ce processus peut renforcer l'amitié ou l'amour, mais aussi corrompre des trésors sensoriels tels que la musique. Du moment qu'on associe un air au danger, on ne l'entend plus jamais sans un coup au cœur lorsque le souvenir revient à la conscience, accompagné d'un frisson de peur. Magdalena avait raison de s'interroger. Comme elle le disait, «c'est une manière atroce de gâcher une musique formidable».

20

L'automne neigeux de 1942 frappa le zoo avec une violence particulière : les vents fouettèrent les bâtiments de bois au point de les faire gémir et montèrent les congères en soufflés scintillants. Les bombardements du début de la guerre avaient saccagé les terrains, brouillé les repères, puis la neige tomba en abondance et dissimula une multitude d'ornières récentes, de clôtures abattues, de macadam déformé, de pointes d'acier déchiquetées. Sous le manteau de neige d'une douceur trompeuse, des lézards métalliques rôdaient partout ; il fallait se limiter au réseau d'allées dégagées et aux prés bien foulés.

Le champ d'Antonina se réduisit d'autant plus qu'elle souffrait, semble-t-il, d'une phlébite (elle donne peu de précisions), en tout cas d'une douloureuse infection des veines qui faisait de la marche un supplice et l'obligea à s'aliter de l'automne 1942 au printemps 1943. Jeune femme de trente-quatre ans extrêmement active, elle avait horreur d'être confinée dans sa chambre, emmitouflée dans d'épais vêtements, sous des strates de couvertures et d'édredons (« Je me sens si embarrassée et inutile », se plaignit-elle par écrit), alors qu'il y avait une grande maisonnée à administrer. Elle était la plus grosse matriochka, au fond, et pas seulement de manière symbolique, puisqu'elle était aussi enceinte. Il est difficile de savoir si des caillots de sang se formèrent vraiment dans ses jambes – à cause de la grossesse, du tabagisme, de varices, de l'hérédité ? Certainement pas pour des raisons d'immobilité ou d'obésité. Mais la phlébite peut être dangereuse : sous sa forme la plus grave, la thrombose, un caillot de sang se déplace jusqu'au cœur ou aux poumons et provoque la mort. Même une phlébite bénigne, ou une arthrite rhumatoïde (inflammation des articulations), est synonyme de jambes rouges, enflées, et contraint à rester allongé. N'ayant pas le choix, Antonina tenait salon dans sa chambre, famille, amis et membres du personnel lui rendant visite.

En juin 1942, la Résistance polonaise reçut une lettre en langage codé qui révélait l'existence d'un camp d'extermination à Treblinka, ville située non loin de Varsovie. Voici un extrait de l'avertissement lancé : « L'oncle prévoit – Dieu nous protège – d'organiser une noce pour ses enfants chez vous, qui plus est – Dieu l'interdise [...] Il a loué pour lui-même un lieu près de vous, extrêmement près, et vous n'en savez sans doute rien, c'est pourquoi je vous écris et j'envoie un messager spécial avec cette lettre, afin que vous soyez informés. C'est la vérité et vous devez louer d'autres endroits hors de la ville pour vous et pour tous nos frères et fils d'Israël [...] Nous avons la certitude que l'oncle a presque fini de vous préparer ce lieu. Il faut que vous le sachiez, que vous parveniez à fuir [...] L'oncle prévoit de faire cette noce le plus vite possible [...] Cachez-vous [...] Rappelez-vous que nous sommes des offrandes sacrées, et "s'il en reste quelque chose le matin"... »

L'historien Emanuel Ringelblum (qui écrivit un livre sur les relations judéo-polonaises durant la guerre, alors qu'il était caché dans un bunker à Varsovie) et d'autres membres de la Résistance savaient précisément ce que signifiait la lettre. La dernière phrase énigmatique renvoie aux instructions de la Pâque dans l'Exode (12-10) : tout reste éventuel de l'agneau sacrificiel devait être brûlé. Des nouvelles arrivèrent bientôt de Chełmno au sujet de juifs gazés dans des camions, et des réfugiés de Wilno parlèrent de massacres dans d'autres villes. De pareilles atrocités semblèrent impossibles à croire, jusqu'au jour où un homme qui s'était échappé de la chambre à gaz et caché dans un véhicule de fret à destination de Varsovie raconta à des habitants du ghetto ce dont il avait été le témoin. La Résistance diffusa ensuite les informations relatives à Treblinka, mais certains soutinrent que les nazis n'infligeraient pas la même barbarie à une ville aussi importante que Varsovie.

Le 22 juillet 1942, la liquidation du ghetto commença rue Stawki : 7 000 personnes furent conduites à la gare ferroviaire, embarquées dans des wagons à bestiaux rouges chlorurés et gazées dès leur arrivée à Majdanek. Pour cette prétendue « réinstallation à l'Est », elles étaient autorisées à prendre de la nourriture pour trois jours, tous leurs objets précieux et seize kilos de bagages personnels. Entre juillet et septembre 1942, les nazis déportèrent 265 000 juifs de Varsovie à Treblinka, n'en laissant que 55 000 dans le ghetto, où l'Organisation juive de combat (OJC, ou Żydowska Organizacja Bojowa) se constitua en vue de la lutte armée. Pour tranquilliser les condamnés aussi longtemps que possible, la gare de Treblinka affichait des horaires de départ et d'arrivée, même si jamais aucun prisonnier n'en repartit. « Avec une grande précision, ils commencèrent à réaliser leur objectif insensé, écrivit Antonina. Ce qui semblait d'abord être l'instinct sanguinaire d'un individu ne tarda pas à devenir une méthode calculée pour détruire des nations entières. »

Un autre de leurs voisins qui, comme Szymon Tenenbaum et le rabbin Shapira, choisit de rester dans le ghetto lorsque la possibilité de s'évader se présenta, était le pédiatre Henryk Goldszmit. Sous le nom de plume Janusz Korczak, il écrivit des romans autobiographiques et des ouvrages destinés aux parents et aux professeurs, par exemple *Comment aimer un enfant* et *Le Droit de l'enfant au respect*. À la surprise de ses amis, admirateurs et disciples, Korczak abandonna sa carrière littéraire et sa carrière médicale en 1912 pour fonder un orphelinat novateur, accueillant des filles et des garçons de sept à quatorze ans, au 92 rue Krochmalna.

Quand, en 1940, les juifs durent rejoindre le ghetto, l'orphelinat fut transféré dans un ancien club d'hommes d'affaires au sein du « quartier des condamnés », comme il le décrivit dans un journal qu'il rédigeait sur du papier de riz bleu et emplissait de récits du quotidien à l'orphelinat, d'incursions imaginatives, de méditations philosophiques et d'examens de conscience. C'est le reliquaire d'une situation terrible, qui révèle les efforts d'un homme imprégné d'éthique et de spiritualité pour protéger des enfants innocents des atrocités du monde adulte à une des périodes les plus sombres de l'Histoire. Timide et gauche avec les adultes, dit-on, il créa une démocratie idéale avec les orphelins, qui l'appelaient « le Vieux Docteur ».

Là, déployant esprit, imagination et humour à l'égard de lui-même, il se consacra à une « république des enfants » dotée d'un parlement, d'un journal et d'un tribunal propres. Au lieu d'échanger des coups de poing, les enfants apprenaient à crier : « Je vais porter plainte contre toi ! » Et le samedi matin, les affaires étaient jugées par cinq enfants qui n'étaient concernés par aucune plainte cette semaine-là. Toutes les décisions reposaient sur le Code de Korczak, dont les cent premiers articles traitaient du pardon. Il confia un jour à un ami : « Je suis médecin de formation, pédagogue par hasard, écrivain par passion et psychologue par nécessité. »

La nuit, couché sur son lit d'infirmerie, des restes de vodka et de pain noir dissimulés dessous, il s'envolait pour sa planète secrète, Ro, où un ami astronaute imaginaire, Zi, avait réussi à mettre au point une machine qui convertissait la lumière rayonnante du soleil en force morale. Zi l'utilisait pour diffuser la paix partout dans l'univers, mais se plaignait qu'elle ne fonctionnait pas sur « cette étincelle agitée, la Terre » ; ils se demandaient alors si Zi devait détruire la Terre sanglante, belliciste, et le Vieux Docteur implorait la pitié étant donné la jeunesse de la planète.

Ses pages bleues entremêlent sensations, fantaisies et idées vagabondes, mais il ne relate pas les événements sinistres du ghetto, par exemple les déportations vers les camps qui commencèrent le 22 juillet, jour de ses soixante-quatre ans. Au lieu de tout le vacarme et le chaos, il se contente d'évoquer « une énorme lune merveilleuse » brillant au-dessus des indigents dans « ce malheureux quartier aliéné ».

À cette date, les photos le montrent, sa moustache et sa barbiche grisonnaient, des poches s'étaient formées sous ses yeux noirs intenses et, même s'il déplorait souvent des «douleurs, adhérences, hernies, cicatrices», il refusait de quitter le ghetto, d'abandonner les enfants, en dépit des nombreuses propositions d'aide de disciples du côté aryen. Il s'indignait d'entendre les enfants affamés et souffrants comparer leurs maux «comme des vieux dans un sanatorium», écrivit-il dans son journal. Ils avaient besoin de moyens pour dépasser les tourments, il préconisait donc des prières comme celle-ci : «Merci, Dieu miséricordieux, d'avoir veillé à ce que les fleurs répandent du parfum, à ce que les vers luisants émettent leur lueur et à ce que les étoiles scintillent dans le ciel.» Il leur enseignait par exemple le baume psychique des tâches soigneuses, comme le lent ramassage attentif des bols, des cuillers et des assiettes après un repas : «Quand je rassemble moi-même la vaisselle, je vois les assiettes fêlées, les cuillers tordues, les rayures sur les bols […] Je vois comment les dîneurs négligents éparpillent, de façon moitié grossière moitié aristocratique, les cuillers, les couteaux, les salières et les tasses […] Parfois, je regarde la manière dont les suppléments sont distribués et qui est assis près de qui. Et des idées me viennent. Car, si je fais quelque chose, je ne le fais jamais inconsidérément.»

Inventant à la fois de petits jeux idiots et les remparts d'un jeu plus profond, il décida un jour de monter un drame lié à son goût pour la religion orientale, *Amal ou la lettre du roi*, de l'auteur indien Rabindranath Tagore. Cette mise en scène acquiert la puissance du symbole, car la première eut lieu le 18 juillet, tout juste trois semaines avant la déportation des enfants à Treblinka. Dans la pièce, un garçon cloué au lit, Amal, souffre entre les quatre murs d'une chambre oppressante et rêve de voler jusqu'à un pays où le médecin d'un roi pourrait le soigner. Vers la fin de la pièce, le médecin royal apparaît, le guérit, ouvre grand les portes et fenêtres, et Amal aperçoit une myriade d'étoiles. Korczak dit qu'il avait choisi cette œuvre pour aider les enfants pris au piège, terrifiés, à accepter plus sereinement la mort.

Anticipant leur malheur et leur épouvante quand le jour fatidique arriva (le 6 août 1942), il monta avec eux dans le train à destination de Treblinka, car, expliqua-t-il, il savait que sa présence les calmerait – «On ne laisse pas un enfant malade la nuit, et on ne laisse pas des enfants à un moment comme celui-ci. » Une photo prise à l'Umschlag-platz (point de rassemblement) le montre marchant, nu-tête, bottes militaires aux pieds, main dans la main avec plusieurs orphelins, tandis que 192 autres enfants et 10 membres du personnel suivent, 4 de front, escortés par des soldats allemands. Korczak et les enfants grimpèrent dans des wagons de marchandises rouges pas beaucoup plus grands que des cages à poules, en général remplis de 75 adultes debout ; tous les enfants tenaient donc sans difficulté. Dans son témoignage, Joshua Perle décrit la scène : «Un miracle se produisit, deux cents âmes pures, condamnées à mort, ne pleurèrent pas. Pas un seul d'entre eux ne s'enfuit. Aucun n'essaya de se cacher. Comme des hirondelles blessées, ils s'accrochaient à leur professeur et mentor, à leur père et frère, Janusz Korczak. »

En 1971, les Russes donnèrent son nom à un astéroïde qui venait d'être découvert, «(2163) Korczak», mais ils auraient peut-être dû l'appeler «Ro», cette planète dont il rêvait. Les Polonais considèrent Korczak comme un martyr et les Israéliens le vénèrent comme l'un des trente-six Justes, dont les âmes pures rendent possible le salut du monde. Selon la légende juive, ces quelques hommes, grâce à leurs cœurs bons et à leurs bonnes actions, empêchent la destruction du monde mauvais. Par égard pour eux seuls, l'humanité entière est épargnée. La légende dit que ce sont des gens ordinaires, ni parfaits ni prodigieux, et que la majorité d'entre eux restent inconnus leur vie durant, pendant qu'ils choisissent de perpétuer la bonté, même en pleine tourmente.

21

Après la vague de déportations de juillet 1942, la nature et la forme du ghetto changèrent : la ville congestionnée aux rues toujours fourmillantes devint un camp de travail plein d'ateliers allemands surveillés par les SS. Dans sa vaste partie sud très dépeuplée, surnommée « le ghetto sauvage », un corps spécial, le *Werterfassung*, s'appliquait à sauver ce qu'il pouvait parmi les biens abandonnés et remodelait les domiciles désertés à l'usage des Allemands, tandis que les quelque 35 000 juifs restants étaient relogés dans des immeubles près des boutiques et allaient travailler sous l'escorte de gardes. En réalité, 20 000 à 30 000 juifs supplémentaires vivaient cachés dans le ghetto, ne se montrant jamais, se déplaçant dans un réseau de passages souterrains qui reliaient les bâtiments et s'en sortant grâce à une économie labyrinthique.

L'automne 1942 vit aussi naître un nouveau mouvement de résistance que les Żabiński trouvèrent très précieux : Zegota, cryptonyme du Conseil d'aide aux juifs, cellule fondée par Zofia Kossak et Wanda Krahelska-Filipowicz, destinée à prêter assistance aux juifs cachés dans des foyers polonais. Sa dénomination officielle était la commission Konrad Zegota, mais en fait personne ne s'appelait ainsi. Zofia Kossak (nom de code Weronika), auteur célèbre et nationaliste conservatrice, fréquentait la haute société, notamment l'aristocratie terrienne, et avait des amis intimes dans le clergé catholique. Par contraste, Wanda Krahelska-Filipowicz, directrice du magazine d'art *Arkady*, était une activiste socialiste, proche de chefs politiques et militaires de la Résistance et épouse d'un ancien ambassadeur aux

États-Unis. À elles deux, elles connaissaient des quantités de gens, et ceux qu'elles recrutaient avaient aussi de nombreuses relations professionnelles, politiques ou mondaines. C'était là l'objectif, créer un dispositif rassemblant toutes les catégories sociales. Aleksander Kamiński, par exemple, figurait avant la guerre dans la populaire Association des scouts polonais, Henryk Wolinski appartenait à l'Association du barreau polonais, alors que le psychologue Adolf Berman, membre du Parti sioniste de gauche, dirigeait Centos, un organisme social pour l'enfance basé dans le ghetto. L'Union des écrivains, l'Association des journalistes résistants, la Commission des médecins démocrates et des syndicats de cheminots, de traminots et d'éboueurs aidaient tous Zegota. Comme Irene Tomaszewski et Tecia Werbowski le soulignent dans *Zegota : The Rescue of Jews in Wartime Poland*, « les membres de Zegota n'étaient pas de simples idéalistes mais des activistes, et des activistes sont, par nature, des gens qui connaissent d'autres gens ».

Consortium de groupes catholiques et politiques, Zegota avait pour seule mission l'assistance, non pas le sabotage ou la lutte, et, à cet égard, ce fut l'unique organisation de ce genre dans l'Europe occupée. Selon les historiens, elle sauva 28 000 juifs à Varsovie. Son quartier général, 24 rue Zurawia, tenu par Eugenia Wąsowska (relieuse et typographe) et l'avocate Janina Raabe, ouvrait deux fois par semaine aux heures de bureau et offrait aussi un abri provisoire aux fugitifs. Complice de la Résistance, elle procurait à la villa des Żabiński de l'argent et de faux papiers, et cherchait dans des villes éloignées des maisons où les Hôtes du zoo pourraient demeurer jusqu'à la fin de la guerre. Garder une personne en vie signifiait souvent mettre en danger l'existence de beaucoup d'autres, et c'était une épreuve continuelle, car il ne fallait céder ni à la propagande, ni aux menaces de mort. Pourtant, 70 000 à 90 000 Varsoviens et banlieusards, soit environ un douzième des habitants, risquèrent leur vie pour aider des voisins à s'enfuir. Outre les sauveurs et les aides de la Résistance, il y eut des bonnes, des postiers, des laitiers qui ne posèrent pas de questions sur les nouveaux visages ou les bouches supplémentaires à nourrir.

Lorsqu'il arriva au zoo avec de faux documents fournis par la Résistance et «d'importantes missions clandestines à accomplir», Marceli Lemi-Łebkowski, avocat et activiste bien connu, prétendit être un réfugié de l'Est qui voulait louer deux chambres, l'une pour son épouse malade, l'autre pour leurs deux filles, Nunia et Ewa. Marceli habiterait dans un autre refuge et leur rendrait visite de temps en temps, parce que la présence d'un homme de plus pourrait être difficile à expliquer – celle d'une femme malade et de ses filles le serait moins. Le loyer versé permit d'acheter du coke pour chauffer les chambres du haut, davantage de gens purent donc loger dans la villa, parmi lesquels Marek et Dziuś, deux garçons qui appartenaient au groupe de jeunes saboteurs de l'armée de la Résistance. Ils avaient déposé des fleurs commémoratives dans des lieux où les Allemands multipliaient les assassinats de Polonais, et griffonné sur des murs et palissades des phrases telles que «Hitler va perdre la guerre! L'Allemagne mourra!», infractions passibles de mort.

Cet hiver-là, des locataires légaux, dignes de confiance, payèrent un loyer, mais les Żabiński accueillaient surtout des gens perdus entre des mondes et fuyant la Gestapo. Au fil des mois, ils eurent comme Hôtes Irena Mayzel, Kasio et Ludwinia Kramsztyk, le Dr Ludwig Hirszfeld (spécialiste des maladies contagieuses), le Dr Roza Anzelówna de l'Institut national d'hygiène, la famille Lemi-Łebkowski, Mme Poznańska, le Dr Lonia Tenenbaum, Mme Weiss (épouse d'un avocat), la famille Keller, Marysia Aszer, la journaliste Maria Aszerówna, Rachela Auerbach, la famille Kenigswein, les docteurs Anzelm et Kinszerbaum, Eugenia «Genia» Sylkes, Magdalena Gross, Maurycy Fraenkel et Irene Sendler, et bien d'autres encore – selon Jan, environ trois cents au total.

Comme si une encre invisible avait coulé dans leurs veines, les hors-la-loi polonais et juifs n'apparaissaient qu'à l'intérieur, à une heure tardive, quand Hôtes et locataires formaient une même grande famille. En conséquence, les tâches quotidiennes d'Antonina se multiplièrent, mais elle recevait aussi plus d'aide, et elle appréciait les deux jeunes filles Lemi-Łebkowski : découvrant vite qu'elles en savaient très peu sur les travaux ménagers, elle les éduqua «avec rigueur» dans l'art d'être une bonne maîtresse de maison.

Pour les nazis, un zoo sans animaux était du terrain gâché : ils décidèrent donc d'y installer un élevage de bêtes à fourrure. Les soldats allemands qui combattaient sur le front est pourraient bénéficier des fourrures (toutes celles des juifs du ghetto avaient été confisquées à cet effet) ; la vente des surplus contribuerait en outre à financer la guerre. Dans un souci d'efficacité, ils nommèrent un Polonais, Witold Wroblewski, vieux célibataire habitué à vivre seul avec de tels animaux d'élevage. Comme le banni dans *Frankenstein* de Mary Shelley, il observait, envieux, les résidents de la villa bien chauffée, confortable, «pleine de lumière et de l'odeur du pain qui cuisait», raconta-t-il plus tard à Antonina. Un jour, à la surprise et au désarroi de Jan et d'Antonina, il frappa à leur porte et, sans aucune mondanité ou discussion, déclara qu'il emménageait.

La chance sourit aux Żabiński : ils ne tardèrent pas à découvrir que ce Polonais, qui avait grandi en Allemagne, voyait leur mission d'un bon œil et était digne de confiance. De loin l'humain le plus excentrique de la villa, «l'Homme Renard», comme ils en viendraient à l'appeler, arriva avec sa chatte Balbina et plusieurs perruches inséparables, mais sans rien d'autre, aucun effet personnel. Ce ne fut donc pas long de l'installer dans l'ancien bureau de Jan, et il paya avec du coke et du charbon, bien utiles pour le chauffage. Malgré de probables conséquences fâcheuses sur sa vie d'homme d'affaires, il ne supportait ni calendrier ni horloge, ni nom ni numéro de rue ; il dormait parfois sur le plancher entre sa table de travail et son lit, comme si, soudain submergé par la fatigue, il n'avait pu faire un pas supplémentaire. Quand les habitants de la maison apprirent qu'il avait été pianiste professionnel avant la guerre, il entra dans le cercle intime des Żabiński car, comme Magdalena aimait à le dire, « la maison sous une folle étoile respecte les artistes par-dessus tout ». Chacun le harcelait pour qu'il se mette au piano, mais il persistait à refuser ; puis un jour, à une heure du matin sonnante, il sortit de sa chambre, se dirigea sur la pointe des pieds vers l'instrument et joua sans interruption jusqu'à l'aube. Dès lors, Magdalena organisa des récitals réguliers le soir, après le couvre-feu, et ils eurent l'immense plaisir d'entendre du Chopin et du Rachmaninoff au lieu des mesures frénétiques de « Pars, pars, pars pour la Crète ! ».

Antonina écrivit souvent au sujet de la chatte grise de l'Homme Renard, Balbina, naturellement dépravée (« s'accouplant sans arrêt, comme une bonne chatte normale »). Mais, chaque fois qu'elle mettait bas, l'Homme Renard arrachait les chatons de leur panier et les remplaçait par des renardeaux nouveau-nés qu'elle devait nourrir. Antonina ne précise pas ce que devenaient les chatons ; il les donnait peut-être à dévorer aux chiens viverrins omnivores, prisés pour leur fourrure grise rayée comme celle des ratons laveurs. D'après les éleveurs, une renarde doit nourrir peu de petits à la fois afin que tous présentent un pelage épais, florissant ; employer Balbina comme nourrice pour les renardeaux en trop lui paraissait une solution idéale, quoiqu'un peu malicieuse. « Le premier jour restait le plus difficile, nota Antonina, elle aurait juré avoir donné naissance à des chatons, mais le deuxième jour elle savait que son imagination lui avait joué un tour. »

Déroutée – ce qui se comprenait – par leur odeur et leurs grondements étranges, la chatte constatait que les bébés renards avaient un appétit féroce ; après beaucoup de léchages et de tétées, ils commençaient enfin à sentir comme elle, mais ses efforts répétés pour leur inculquer des manières félines échouaient en grande partie. Miaulant autour d'eux « d'un ton très distingué [...] pour leur montrer comment des chats normaux doivent s'exprimer », elle ne réussissait jamais à les convaincre de miauler eux-mêmes, et leurs glapissements sonores la faisaient sans cesse tressaillir. «Dans son cœur de chatte, elle avait honte qu'ils glapissent», médita Antonina, ajoutant que ces rejetons étaient de grandes gueules au caractère bien trempé. Mais ils parvenaient à maîtriser d'agiles bonds félins sur les tables, les placards, les hautes bibliothèques, et les habitants de la villa trouvaient souvent un renardeau, roulé en boule comme une soupière bavaroise, endormi au sommet d'une commode ou du piano.

Préférant les proies vivantes, Balbina sortait tous les jours chasser avec sa progéniture, traînant avec zèle oiseaux, lapins, campagnols et rats jusqu'à la maison, même si, découvrait-elle vite, elle devait chasser sans arrêt pour apaiser la gloutonnerie des renardeaux. Dehors, elle marchait en tête, petite chatte tigrée suivie de renardeaux trois fois plus gros qu'elle, aux longs museaux et aux queues noires duveteuses terminées par un plumeau blanc. Elle leur apprenait à traquer les proies en se tapissant comme un sphinx, à bondir sur le gibier et, si l'un d'eux s'éloignait, elle miaulait avec sévérité jusqu'à ce qu'il réintègre consciencieusement le groupe. Chaque fois qu'ils apercevaient un poulet, les renardeaux le poursuivaient, rampant à toute vitesse, puis bondissaient et le déchiquetaient de leurs dents acérées, grondant pendant qu'ils mangeaient; Balbina observait la scène à distance.

Après avoir «donné naissance» à plusieurs portées de renardeaux, malgré la fatigue et la confusion, Balbina finit par s'habituer à leurs manières différentes: ils devinrent à moitié chats, elle devint à moitié renarde. Louant la civilité de la chatte qui n'attaquait jamais les autres animaux de la maison, Antonina écrivit: «C'est comme si elle avait son propre code moral.» Elle épargnait les perruches de l'Homme Renard, même quand il ouvrait la porte de leur cage; Wicek le lièvre ne la tentait pas, ni Kuba le poussin; elle laissait en paix les rares souris importunes; et si un oiseau égaré entrait dans la maison (mauvais présage), elle le regardait paresseusement. Mais un nouveau venu réveilla les instincts sauvages de Balbina.

Au printemps, un voisin apporta un étrange orphelin pour le zoo royal de Ryś : un bébé rat musqué dodu au pelage brun luisant, au ventre jaune-beige, à la longue queue écailleuse et aux minuscules yeux noirs. Leurs pattes antérieures palmées, équipées de doigts, aident les rats musqués à construire des huttes, tenir leur nourriture ou creuser des terriers ; quand ils nagent, leurs pattes arrière frangées font de vigoureux mouvements de pagaies. Caractéristique la plus insolite peut-être, quatre incisives aussi tranchantes que des ciseaux pointent hors de leurs lèvres, si bien qu'ils peuvent manger sous l'eau, sans ouvrir la bouche, tiges et racines, joncs et roseaux.

Antonina trouva cette créature fascinante. Elle lui donna une grande cage dans la galerie et ajouta en guise de pataugeoire le bac à développement d'une ancienne chambre noire, puisque les rats musqués sont des nageurs-nés. Ryś l'appela Szczurcio (Petit Rat), et le rongeur ne tarda pas à apprendre son nom ; il s'adapta vite à l'existence dans la villa, passant ses journées à dormir, manger et se vautrer. Les rats musqués sont difficiles à apprivoiser, pourtant au bout de quelques semaines Szczurcio laissa Ryś le transporter, lui caresser ou lui gratter la fourrure. Pendant qu'il dormait, Balbina tournait autour de sa cage comme un puma, à la recherche d'une entrée. Quand il était réveillé, il la tourmentait en jouant sans cesse dans la petite baignoire et en l'éclaboussant, ce dont elle avait horreur. Personne ne savait pourquoi le rat musqué tentait à ce point Balbina, mais quiconque nourrissait Szczurcio ou nettoyait sa cage devait ensuite fermer la porte avec des brins de fil de fer.

Antonina adorait regarder « la minutieuse toilette » du rat musqué : tous les matins, Szczurcio trempait son museau dans le bac d'eau et soufflait énergiquement, expulsant l'air de son nez, puis s'aspergeait la figure avec ses pattes humides comme un homme se préparant au rasage et se nettoyait durant de longues minutes. Cela fait, il entrait dans la baignoire et s'étirait sur le ventre, puis sur le dos, et se tournait plusieurs fois de suite. Enfin, il ressortait et s'ébrouait comme un chien, projetant des gouttes partout. Il avait la curieuse habitude de grimper contre la paroi de la cage et de s'installer sur le perchoir comme l'occupante précédente, Koko la femelle cacatoès. Là, utilisant ses doigts, il humidifiait sa fourrure avec soin. Les visiteurs trouvaient un peu étrange de voir un rat musqué perché qui se lustrait à la manière d'un oiseau, mais la villa abritait des personnalités bizarres même aux périodes les plus tranquilles, et il était le nouvel animal préféré de Ryś. Après ses ablutions matinales, Szczurcio mangeait une carotte, une pomme de terre, des pissenlits, du pain ou des céréales, bien qu'il regrettât sans doute les branches, les écorces et les herbes des marais si profitables aux rats musqués sauvages.

Lorsqu'il devint trop grand pour le petit bac, Antonina lui apporta un gigantesque bocal que Jan avait employé jadis dans l'étude de cafards. Szczurcio y bondit aussitôt et barbota avec un tel abandon qu'Antonina déplaça sa cage dans la cuisine, où le sol était carrelé de céramique et l'eau fraîche à portée de main.

«Tu sais, maman, dit un jour Ryś, Szczurcio est en train d'apprendre à ouvrir sa cage. Il n'est pas bête!

— Je ne pense pas qu'il soit futé à ce point», objecta Antonina.

Szczurcio passa des heures à manipuler le fil de fer, tenant les extrémités entre ses doigts et s'efforçant de les dénouer, et au bout d'une nuit à s'ingénier, il détacha le fil et souleva la porte coulissante, glissa jusqu'au sol le long d'un pied de chaise, escalada le tuyau d'eau et s'introduisit dans l'évier mouillé. Puis il sauta en haut du fourneau, grimpa sur un radiateur tiède et s'endormit. C'est là que Ryś le découvrit au matin. L'ayant remis dans sa cage, il ferma la porte et entortilla davantage le fil de fer.

Tôt le lendemain, Ryś traversa la maison jusqu'à la chambre d'Antonina où il s'écria, alarmé: «Maman! Maman! Où est Szczurcio? Sa cage est vide! Je ne le trouve nulle part!

179

Peut-être que Balbina l'a mangé… Il faut que j'aille à l'école et papa est au travail. Au secours!»

Toujours clouée au lit, Antonina ne pouvait guère résoudre cette crise, mais elle chargea l'Homme Renard et la gouvernante, Pietrasia, d'entreprendre des recherches; ils explorèrent consciencieusement les moindres placards, sofas, fauteuils, recoins, bottes – tout refuge où un rat musqué pourrait se cacher –, en vain.

Persuadée que le rat musqué ne s'était pas «évaporé comme du camphre», elle soupçonna Balbina ou Żarka de forfait et demanda qu'on lui amène la chatte et la chienne pour une inspection méticuleuse. Elle palpa leur estomac avec attention, en quête d'un renflement douteux. Si elles avaient mangé un animal aussi gros (presque autant qu'un lapin), elles auraient encore le ventre gonflé. Mais non, elles étaient aussi minces que d'ordinaire. Antonina les déclara donc innocentes et les libéra.

Soudain, Pietrasia fit irruption dans sa chambre. «Venez vite! cria-t-elle. À la cuisine. Szczurcio est dans la cheminée du fourneau! J'ai allumé le feu comme tous les matins, et j'ai entendu un raffut terrible!»

S'aidant de sa canne, Antonina se hissa lentement sur ses jambes enflées, descendit l'escalier avec précaution et boitilla jusqu'à la cuisine.

«Szczurcio, Szczurcio», appela-t-elle d'une voix douce.

Un bruit étouffé dans le mur. Lorsqu'une tête couverte de suie pointa de la cheminée, Antonina saisit le fugitif par le dos et le tira hors du conduit, moustaches crasseuses, pattes antérieures roussies. Délicatement, elle le lava au savon et à l'eau tiède, maintes et maintes fois, essayant d'enlever de sa fourrure la graisse de cuisine. Puis elle enduisit ses brûlures de baume et le remit dans sa cage.

En riant, elle expliqua que, pour construire leur hutte, les rats musqués bâtissent un monticule de plantes et de boue, puis creusent par en dessous un terrier immergé. Ce rat musqué voulait une hutte plutôt qu'une cage, et qui aurait pu lui reprocher d'avoir créé un fac-similé? Il avait même courbé les brûleurs métalliques pour faciliter l'accès au conduit.

Lorsqu'il rentra de l'école cet après-midi-là, Ryś fut ravi de trouver Szczurcio dans sa cage, et à l'heure du dîner, tandis que les convives apportaient leurs assiettes jusqu'à la table, Ryś les amusa tous avec les aventures de Szczurcio et de la cheminée. Une petite fille rit si fort qu'elle trébucha en revenant de la cuisine et renversa un plein bol de potage brûlant sur la tête de l'Homme Renard et Balbina, installée sur ses genoux. Bondissant de sa chaise, l'Homme Renard se précipita dans sa chambre, la chatte à sa suite, et ferma la porte. Ryś courut derrière lui, colla son œil au trou de la serrure et livra ses informations à mi-voix :

« Il a enlevé sa veste ! »

« Il l'essuie avec une serviette-éponge ! »

« Maintenant, il sèche Balbina ! »

« Il s'essuie la figure ! »

« Oooh ! Non ! Il a ouvert la cage des perruches ! »

À cet instant, le suspense devint insoutenable pour Magdalena, qui ouvrit la porte d'un geste brusque. L'Homme Renard, pianiste virtuose de la maison, se dressait là, figé au centre de la pièce, les perruches tournant autour de sa tête comme des animaux d'un manège. Après quelques instants, elles se posèrent sur son front et se mirent à piqueter dans ses cheveux, tirant et avalant les pâtes à potage. Enfin, l'Homme Renard remarqua les spectateurs sur le seuil, silencieux et impatients, avides d'explications.

« Il aurait été dommage de gaspiller une nourriture aussi délicieuse », dit-il de cette scène insolite, comme s'il avait trouvé la seule chose évidente à faire.

22

Le temps s'écoule en général à un rythme variable, mais à la villa il y avait une constante quand l'heure du couvre-feu approchait : un genre de solstice se produisait et le soleil s'immobilisait sur l'horizon de la journée d'Antonina, les minutes passaient avec une lenteur infinie – une minute, une longue pause, puis une autre. Parce que quiconque ne rentrait pas avant le couvre-feu risquait d'être arrêté, roué de coups, voire tué, cette heure acquérait une majesté païenne. Chacun connaissait d'horribles histoires de couvre-feu, comme celle de Bruno Schulz, l'ami de Magdalena, peintre et écrivain, abattu par un officier rancunier de la Gestapo à Drohobycz le 19 novembre 1942. Un autre officier de la Gestapo, Felix Landau, qui admirait les tableaux macabres et parfois sadomasochistes de Schulz, lui avait donné une autorisation de sortie du ghetto pour qu'il vienne peindre des fresques inspirées de contes sur les murs de la chambre de son fils. Un jour, Landau tua un dentiste juif que protégeait un autre officier, Günther, et lorsque celui-ci aperçut Schulz dans le quartier aryen, rentrant chez lui après l'heure du couvre-feu, un pain sous le bras, il le tua en représailles.

Si tout le monde finissait par rentrer, Antonina fêtait une nouvelle journée sans encombre, une nouvelle nuit épargnée par les monstres qui hantaient les labyrinthes de la ville. Le crépuscule du couvre-feu plongeant Ryś dans l'inquiétude, elle le laissait veiller et attendre les retours ; alors il pouvait s'abandonner à un sommeil paisible, son univers intact. Plusieurs années de guerre et de couvre-feu n'y avaient rien changé : il continuait d'attendre avec angoisse le retour de son père, aussi indispensable que celui de la lune. Respectant cela, Jan allait tout de suite dans la chambre de l'enfant, ôtait son sac à dos et s'asseyait quelques minutes pour parler de la journée. Il révélait souvent un petit trésor caché dans une poche. Un soir, son sac semblait gonflé par des nervures de fer.

« Qu'est-ce que tu rapportes, papa ? demanda Ryś.

— Un tigre, répondit Jan avec une crainte simulée.

— Ne blague pas, qu'y a-t-il en vrai là-dedans ?

— Je te l'ai dit, un animal dangereux », affirma son père d'un ton solennel.

Antonina et Ryś regardèrent Jan sortir une cage métallique contenant une créature pelucheuse qui avait une silhouette de cobaye nain, une fourrure brun clair, des joues blanches et des taches sur les flancs comme un cheval sioux.

« S'il te fait envie, je te l'offre ! dit Jan. C'est le fils de mon couple de hamsters à l'Institut d'hygiène… Mais, si je te le confie, tu ne le donneras pas à manger à Balbina, promis ? le taquina Jan.

— Papa, pourquoi est-ce que tu me parles comme si j'étais un bébé ? », répliqua Ryś, offensé. Il avait déjà eu des quantités d'animaux, argumenta-t-il, et ne leur avait fait aucun mal.

« Je te demande pardon, dit Jan. Prends soin de lui, surveille-le bien, car il est l'unique survivant d'une portée de sept. La mère a tué les autres avant que je puisse l'en empêcher, malheureusement.

— Quelle affreuse mère ! Pourquoi la garder ?

— Tous les hamsters ont cet instinct cruel, pas seulement sa mère à lui, expliqua Jan. Un mâle peut tuer sa partenaire. Les mères chassent les jeunes du terrier et ne s'occupent plus d'eux. Je n'ai pas voulu priver les bébés du lait de leur mère trop tôt, mais j'ai mal calculé le moment où les retirer ; je n'ai pu sauver que ce petit. Je manque de temps pour lui au labo et je sais que tu te débrouilleras très bien. »

Antonina écrivit que Jan et elle hésitaient sur ce qu'ils devaient dévoiler à un enfant des aspects amoraux, impitoyables de la nature, sans l'épouvanter (la guerre causait assez de terreurs), mais jugeaient important aussi qu'il connaisse le monde réel et les habitudes innées des animaux, d'une méchanceté explicable ou d'une inexplicable gentillesse.

« J'ai lu tellement d'histoires sur les hamsters, je croyais que c'étaient des petites bêtes adorables et travailleuses, qui faisaient des provisions de graines pour l'hiver…, dit-il déçu.

— Oui, c'est vrai, le rassura Jan. Ils hibernent, tout comme les blaireaux, mais, s'ils se réveillent et qu'ils ont faim, ils peuvent manger les graines qu'ils ont mises en réserve et se rendormir jusqu'au printemps.

— Nous sommes en hiver, alors pourquoi ce hamster est-il réveillé ?

— Il se comporterait différemment à l'état sauvage. Nous obligeons les animaux en captivité à suivre un calendrier qui ne leur est pas naturel parce que c'est arrangeant pour nous, mais nous perturbons leur rythme de sommeil normal. Pourtant, même si ce hamster est réveillé, son pouls et sa respiration sont beaucoup plus lents que durant l'été. Tu peux le vérifier par toi-même : recouvre sa cage et il s'endormira en un clin d'œil. »

Ryś plaça une couverture sur la cage et le hamster avança dans un coin, s'assit, baissa la tête vers sa poitrine, plaça ses pattes devant ses yeux et sombra dans un profond sommeil. Antonina le décrivit plus tard comme « assez égocentrique », « bruyant glouton » qui « préférait la solitude et une existence tranquille ». Dans une maison aussi poreuse, où temps animal et temps humain s'entremêlaient, il était logique d'identifier le passage des mois non par saison ou par année, mais selon le séjour d'un visiteur influent, bipède ou quadrupède. Pour Antonina, l'arrivée du hamster « inaugura une nouvelle ère sur notre arche de Noé, que nous avons appelée par la suite "l'époque du hamster" ».

23

La nouvelle année approchait, or Antonina demeurait alitée la plupart du temps et, au bout de trois mois, l'enfermement et le manque d'exercice affectaient son corps et son état d'esprit. Elle laissait en général la porte de la chambre ouverte afin de s'associer, quoique de loin, à l'effervescence de la maison, à son mélange d'odeurs et de bruits. Le 9 janvier 1943, en visite à Varsovie, Heinrich Himmler condamna huit mille nouveaux juifs à la «réinstallation», mais chacun comprenait maintenant que réinstallation signifiait mort. Au lieu de se présenter comme ils en avaient reçu l'ordre, beaucoup se cachèrent, d'autres tendirent des embuscades aux soldats et filèrent par les toits, provoquant juste assez de conflits pour ralentir les déportations pendant quelques mois. Chose étonnante, le service téléphonique rudimentaire continua, même jusqu'à certains bunkers, bien qu'il soit difficile d'imaginer pourquoi les Allemands l'autorisaient ; ils estimaient peut-être que d'habiles électriciens étaient de toute façon capables de brancher des lignes clandestines ou que la Résistance avait ses propres ingénieurs en télécommunication.

Un matin avant l'aube, les Żabiński se réveillèrent, non pas aux cris des gibbons et des aras comme jadis, mais au son d'un téléphone et d'une voix qui semblait venir de l'espace. Maurycy Fraenkel, un ami avocat qui habitait dans le ghetto mourant, demandait s'il pouvait leur «rendre visite».

Bien qu'ils n'aient pas eu de nouvelles récentes de lui, Jan était allé le voir au moins une fois dans le ghetto, et ils le connaissaient comme «le plus cher ami» de Magdalena ;

ils acceptèrent donc sur-le-champ. Antonina nota que plusieurs heures éprouvantes suivirent pour Magdalena, « dont les lèvres étaient bleues et la figure si blême que nous distinguions de nombreuses taches de rousseur, presque invisibles en temps normal. Ses mains vigoureuses, toujours occupées, tremblaient. Le pétillement de ses yeux avait disparu et nous ne lisions qu'une pensée douloureuse sur son visage : "Réussira-t-il à s'enfuir et à venir ici ?" ».

Il réussit en effet mais arriva sous la forme d'un individu noueux, cassé telle une gargouille de « l'autre côté », comme les gens appelaient parfois le ghetto, expression yiddish (*sitre akhre*) qui désigne le monde obscur où les démons vivent et les zombies portent « une membrane ou une carapace qui s'est développée autour d'une étincelle sacrée, masquant sa lumière ».

Le poids intolérable de la vie dans le ghetto l'avait rendu infirme : sa tête penchait entre des épaules voûtées, son menton touchait sa poitrine, sa respiration était difficile. Rougi par les engelures, son nez contrastait avec son visage blafard, maladif. Lorsqu'il entra dans sa nouvelle chambre, d'un geste rêveur, il traîna un fauteuil proche de l'armoire vers le coin le plus sombre et s'assit là, courbé, se recroquevillant, comme s'il avait voulu devenir invisible.

« Consentirez-vous à m'accueillir ? demanda-t-il tout bas. Vous serez en danger… C'est tellement paisible ici. Je ne comprends pas… » Ce furent les seuls mots qu'il parvint à prononcer avant que sa voix s'éteigne.

Antonina se demanda si son système nerveux, accoutumé au tohu-bohu de la vie du ghetto, trouvait cette brusque plongée dans le calme et la tranquillité déstabilisante, si cette atmosphère le minait plus que le monde en détresse du ghetto ne l'avait fait.

Né à Lvov, Maurycy Pawel Fraenkel était un passionné de musique classique, ami de nombreux compositeurs et chefs d'orchestre, et il avait souvent organisé de petits concerts privés. Dans sa jeunesse, il avait étudié le droit et emménagé à Varsovie, où il avait rencontré Magdalena

Gross, dont il admirait beaucoup le talent. Il fut d'abord son mécène, puis son ami proche, et enfin son amoureux. Avant la guerre, elle était venue avec lui au zoo, ce qui l'avait enchanté, et il avait aidé les Żabiński à acheter plusieurs wagonnées de ciment destinées à des rénovations.

Maurycy s'habitua vite à l'existence hors de l'atroce ghetto, et tandis qu'il émergeait des recoins et des ombres, Antonina remarqua que son dos parut se redresser un petit peu. Il avait un grand sens de l'humour, même s'il ne riait jamais tout haut, plissant et clignant les yeux derrière ses lunettes épaisses alors qu'un large sourire illuminait son visage. Antonina le trouvait «calme, aimable et doux. Il ne savait pas être agressif, effrayant ou désagréable, ne fût-ce qu'une seconde. C'est pour cela qu'il s'était installé dans le ghetto lorsqu'il en avait reçu l'ordre, sans hésiter un seul instant. Frappé par la tragédie de la séquestration derrière ces murs, il fit une tentative de suicide. Heureusement, il utilisa un poison trop vieux pour être efficace. Alors, n'ayant plus rien à perdre, il résolut d'essayer de s'évader».

Sans papiers, il ne pouvait s'inscrire nulle part, il cessa donc d'exister officiellement durant une longue période, vivant au milieu d'amis mais décharné, spectral, l'un des disparus. Il avait perdu beaucoup de ses voix: celle de l'avocat, de l'impresario, de l'amant, et l'on ne s'étonnera pas que la parole et même la cohérence lui aient posé problème.

Pendant qu'Antonina était alitée, Maurycy passa des heures à son chevet, retrouvant lentement un équilibre psychique, songeait-elle, ainsi que l'énergie de parler à nouveau. Ce qui lui pesait le plus était le risque colossal qu'engendrait sa simple présence, et il citait souvent la menace du gouverneur Frank d'octobre 1941, l'arrêté selon lequel tout Polonais cachant des juifs serait tué. Chaque juif recevant de l'aide devait affronter cette question douloureuse, y compris les dizaines d'entre eux cachés dans la villa et les cages des animaux, mais Maurycy était particulièrement tourmenté par le fardeau qu'il ajoutait à l'existence des Żabiński. C'était une chose de s'exposer soi-même au danger, dit-il à Antonina, mais l'idée de répandre la peur à travers le zoo, foyer de si nombreuses vies, l'accablait d'un sentiment de culpabilité intolérable.

Dans la chambre d'Antonina, les étagères et les tiroirs étaient encastrés dans les murs blancs et le lit occupait une alcôve peu profonde, d'où il dépassait comme une jetée tapissée. Les meubles étaient en bouleau argenté, un arbre qui abonde en Pologne, à la fois solide et durable, bois pâle dont les fibres unies prennent par endroits un aspect flammé, avec ici et là des nœuds marron et de minces traces brunes d'insectes ayant jadis attaqué son cambium.

Du côté sud, près des grandes fenêtres, une porte vitrée ouvrait sur la longue terrasse ; du côté nord, trois portes blanches donnaient respectivement sur le couloir, le grenier et le placard où les Hôtes se réfugiaient. Au lieu d'un bec-de-cane, le placard avait une serrure haute et, malgré son exiguïté, un Hôte pouvait s'y pelotonner parmi les tissus glissants imprégnés du parfum réconfortant d'Antonina. Parce qu'il s'ouvrait de part et d'autre comme un coffre de magicien, des quantités de vêtements dissimulaient la porte opposée. C'était un abri d'autant plus précieux que, côté couloir, ses vantaux commençaient à trente centimètres du plancher, d'où l'illusion d'un rangement très peu profond, qu'une pile de linge ou une petite table pouvait masquer sans peine.

Un jour qu'il était assis dans un fauteuil près du lit, Maurycy entendit la gouvernante Pietrasia monter l'escalier et se blottit dans le placard entre les robes à pois d'Antonina. Quand Pietrasia quitta la pièce, Maurycy sortit en silence et se rassit, mais avant qu'Antonina ne puisse dire un mot Pietrasia rouvrit la porte et se précipita à l'intérieur pour poser une question qu'elle avait oubliée. Voyant un inconnu, elle s'arrêta net, respira fort et se signa frénétiquement.

« Vous continuerez donc l'acide salicylique, dit Maurycy à Antonina d'un ton de médecin et, lui tenant le poignet avec délicatesse, il ajouta, maintenant, je vais prendre votre pouls. » Plus tard, Antonina écrivit que son pouls angoissé n'était pas difficile à trouver ; les pulsations de Maurycy, elles, se sentaient jusqu'au bout de ses doigts.

Pietrasia examina leurs visages, qui lui parurent calmes, et secoua la tête, troublée. Elle marmonna qu'elle devait avoir eu un problème de vue ou un blanc, puis s'en alla, se frottant le front alors qu'elle redescendait l'escalier.

Antonina appela Ryś et lui dit : « S'il te plaît, apporte-moi le manteau et le chapeau du *docteur*, et fais-le sortir par la cuisine, pour que Pietrasia le voie partir. Ensuite, prie-la d'aller jeter un coup d'œil aux poulets. Tu comprends ? »

Ryś cilla, réfléchit quelques secondes, puis un sourire se peignit sur ses traits. « Je lui dirai que, ce matin, j'ai laissé un poulet s'échapper et qu'il faut le retrouver. Pendant ce temps, le *docteur* pourra revenir en catimini par la porte du jardin. Ça devrait marcher.

— Bravo pour ton ingéniosité, le félicita Antonina. À présent, dépêche-toi ! »

Dès lors, Maurycy se promena dans la maison uniquement le soir, une fois que la gouvernante avait fini sa journée et qu'il pouvait rôder sans crainte au rez-de-chaussée comme sur une toundra interdite. Avec lenteur et révérence, il parcourait le séjour, afin de « ne pas oublier comment marcher », expliqua-t-il à Antonina. À un certain moment, il s'arrêtait et saluait le hamster dont il était devenu l'ami, puis rejoignait les autres Hôtes pour le concert de piano.

Un soir, entre deux préludes de Rachmaninoff, l'Homme Renard entraîna Maurycy à l'écart et lui dit : « Docteur, je ne suis pas doué pour les tâches administratives, et il y a des formulaires en allemand, langue que je maîtrise mal. Mon commerce de fourrure se développe et j'ai vraiment besoin d'un secrétaire… Vous pourriez peut-être m'aider ? »

Maurycy avait confié à Antonina que, vivant reclus sous un nom d'emprunt, il avait l'impression d'être un fantôme. L'offre de l'Homme Renard signifiait pour lui redevenir réel, avoir des papiers, une mobilité et, mieux encore, un statut de résident à la villa en qualité d'employé de l'entreprise de fourrure. Devenir réel n'était pas un mince succès, puisque l'Occupation avait introduit pléthore de pièces d'identité et autres documents officiels – faux contrat de travail, certificat de naissance, passeport, carte d'immatriculation, coupons et laissez-passer. Selon ses nouveaux papiers, il était Pawel Zieliński, secrétaire officiel de l'élevage de bêtes à fourrure, et il rejoignait la maison au titre de pensionnaire, il n'était donc plus obligé de se tapir dans le placard à l'étage, espace désormais disponible pour un nouvel Hôte. Devenir réel entraînait aussi des changements psychologiques. Maurycy dormait sur un divan au rez-de-chaussée dans l'étroite pièce du hamster, voisine de la salle à manger, parmi les bruissements de son animal favori, et Antonina remarqua combien son humeur tout entière évoluait.

Il lui expliqua que, chaque soir, il préparait lentement son lit avec un bonheur qu'il ne connaissait plus depuis avant l'Occupation, prenant plaisir à ces simples gestes : plier son seul costume, certes très élimé, et le placer sur une chaise à côté de sa propre étagère, contenant les quelques livres qu'il avait sauvés de son existence antérieure, dans une maison où il pouvait dormir tranquille, entouré d'une famille de substitution dont la présence adoucissait sa vie.

Pour une foule de gens, le ghetto avait effacé le mysticisme subtil du quotidien, les perceptions rassurantes telles que l'intimité, le soutien et surtout la confiance qui permet, la nuit venue, de se coucher et de s'abandonner facilement au sommeil. Baigné par l'innocence du hamster, Maurycy dormait près de ses livres, nanti de documents qui lui conféraient le statut d'être réel et, en prime, sous le même toit que sa bien-aimée Magdalena. Trouver l'amour intact, avec assez de place pour exister et son cœur toujours alerte, lui donnait de l'espoir, croyait Antonina, et même de furtifs « moments de plaisir et de joie, sentiments qu'il avait perdus dans le ghetto ».

Le 2 février 1943, la sixième armée allemande capitula à Stalingrad dans ce qui fut la première grande défaite de la Wehrmacht, mais trois semaines plus tard seulement, les juifs qui travaillaient dans des usines d'armement berlinoises furent envoyés à Auschwitz et, dès la mi-mars, le ghetto de Cracovie fut liquidé. Pendant ce temps, la Résistance continua de mener des attaques de divers types, cinq cent quatorze au total depuis le 1er janvier ; en outre, le 18 marqua le début de la résistance armée dans le ghetto de Varsovie.

En cette période de bouleversements sismiques, les habitants du ghetto s'échouaient de plus en plus nombreux sur le pont de la villa ; ils arrivaient abîmés par les intempéries, « comme des âmes naufragées », écrivit Antonina dans son journal. « Nous sentions que notre maison n'était pas un fragile bateau léger dansant sur de hautes vagues, mais un sous-marin du capitaine Nemo naviguant en eau profonde à destination d'un port abrité. » Cependant, la tempête de la guerre soufflait avec violence, les effrayant tous et « projetant une ombre sur la vie des Hôtes, qui fuyaient l'entrée des crématoriums et le seuil des chambres à gaz », et cherchaient plus qu'un simple refuge. « Ils avaient terriblement besoin de l'espoir qu'un havre existait bel et bien, que les horreurs de la guerre finiraient un jour », tandis qu'ils dérivaient à bord de l'étrange villa que ses propriétaires euxmêmes qualifiaient d'arche.

Maintenir le corps en vie au détriment de l'esprit ne correspondait pas à la manière d'Antonina. Jan croyait à la tactique et aux subterfuges, Antonina à une vie aussi joyeuse que possible, vu les circonstances, sans sacrifier la vigilance. Donc, d'un côté, ils avaient chacun une pilule de cyanure sur eux en permanence, mais par ailleurs, ils encourageaient l'humour, la musique et la convivialité. Dans la mesure du possible, leur existence clandestine était supportable, allègre même parfois. En réaction aux inévitables contrariétés nées de l'exiguïté, les Hôtes lançaient assurément de célèbres malédictions yiddish, passant par toute la gamme de l'imagé (« Va donc pisser des vers ! » ou « Qu'une caserne s'écroule sur toi ! ») au fleuri :

«Que tu sois propriétaire de mille maisons
Avec mille pièces dans chaque maison
Et mille lits dans chaque pièce.
Et que tu dormes chaque nuit
Dans un lit différent, dans une chambre différente,
Dans une maison différente, et que tu te lèves chaque matin
Et descendes un escalier différent
Et montes dans une voiture différente,
Conduite par un chauffeur différent,
Qui te conduise chez un médecin différent,
Médecin qui ne sache d'ailleurs pas ce qui cloche chez toi!»

Néanmoins, «je dois admettre que l'atmosphère de notre maison était plutôt agréable, écrivit Antonina dans son journal, presque heureuse même quelquefois». Il y avait là un contraste frappant avec la couleur de l'existence jusque dans les meilleures cachettes de la ville. Ainsi, Antonina et Jan connaissaient bien Adolf Berman, et lurent sans doute la lettre qu'il reçut en novembre 1943 de Judit Ringelblum (l'épouse d'Emanuel), évoquant le climat dans un bunker surnommé Krysia: «Ici règne un pessimisme terrible – une peine de prison illimitée. Affreux désespoir. Peut-être que tu nous réconforteras par des nouvelles et que nous pourrions faire venir le dernier de nos proches.»

Le hamster et Maurycy, qui partageaient donc une pièce, semblaient se distraire mutuellement, et Antonina nota qu'ils devinrent très vite de véritables compagnons. «J'adore ce petit animal et, comme mon nouveau prénom est Pawel [Paul], je crois que le sien devrait être Piotr [Pierre]. Alors nous serons deux disciples!»

Tous les soirs après le souper, Maurycy lâchait Piotr sur le plateau ciré de la table, où le hamster trottinait d'assiette en assiette, ramassant des miettes jusqu'à ce que ses grosses joues pendent. Puis Maurycy le prenait dans une main et le ramenait à sa cage. Avec le temps, Piotr lui fit assez confiance pour voyager à travers la maison sur le tapis de sa paume, le duo devint inséparable et les habitants de la villa rangèrent Pawel et Piotr sous l'appellation commune « les Hamsters ».

24

Au printemps 1943, Heinrich Himmler voulut offrir à Hitler un cadeau d'anniversaire inégalable, propre à l'élever au-dessus de tous les autres dans ses bonnes grâces. Himmler, qui avait souvent des conversations intimes avec le photographe d'Hitler et s'efforçait d'être le meilleur et le plus loyal serviteur du Führer, aurait décroché et enveloppé la lune s'il avait pu la lui apporter. « Pour lui, je ferais n'importe quoi, dit-il un jour à un ami. Crois-moi, si Hitler m'ordonnait de tuer ma mère, je le ferais et je serais fier de sa confiance. » En cadeau, il jura de liquider les juifs qui demeuraient dans le ghetto de Varsovie le 19 avril, premier jour de la Pâque, importante fête liturgique juive, également veille de l'anniversaire d'Hitler.

À 4 heures du matin, de petites patrouilles et escouades d'assaut allemandes pénétrèrent avec précaution dans le ghetto et arrêtèrent quelques juifs qui partaient travailler, mais ceux-ci réussirent à s'échapper et les Allemands se replièrent. À 7 heures, le général de division Jürgen Stroop, commandant d'une brigade SS, revint avec 36 officiers et 2 054 soldats, et se dirigea droit vers le centre du ghetto dans un fracas de chars et de mitrailleuses. À sa surprise, il trouva des barricades tenues par des juifs qui ripostèrent par le feu avec des pistolets, plusieurs fusils, une mitraillette et de nombreux « cocktails Molotov », bouteilles remplies d'essence bouchées par des chiffons enflammés. Les Finlandais avaient récemment emprunté l'idée de la bouteille-grenade aux franquistes, qui l'improvisèrent durant la guerre civile espagnole de 1936-1939, époque où les cocktails d'apéritif devinrent à la mode dans les milieux chic. Lorsque la Russie envahit la Finlande, les Finlandais donnèrent ironiquement à la bombe le nom du ministre des Affaires étrangères Vyacheslav Mikhailovich Molotov. Quoique très inférieurs en nombre et mal équipés, les juifs parvinrent à tenir les nazis en échec jusqu'à la tombée de la nuit, et de nouveau le lendemain quand les soldats réapparurent avec des lance-flammes, des chiens policiers et des gaz asphyxiants. Dès lors, environ 1 500 guérilleros répliquèrent à la moindre occasion.

Le massacre dans un paquet cadeau planifié par Himmler devint un siège qui dura presque un mois, jusqu'au jour où les Allemands décidèrent de tout faire brûler – immeubles, bunkers, égouts, et l'ensemble des gens à l'intérieur. Beaucoup moururent dans les incendies, certains se rendirent, d'autres se suicidèrent, et quelques-uns, rescapés, purent faire le récit de l'apocalypse. Des journaux clandestins demandèrent aux chrétiens polonais d'aider les juifs en fuite à trouver un refuge, et les Żabiński s'empressèrent de répondre.

«À proximité, de l'autre côté du mur, la vie s'écoulait comme d'ordinaire, comme la veille, comme toujours, écrivit un survivant. Les gens, citoyens de la capitale, s'amusaient. Ils voyaient la fumée des incendies le jour et les flammes la nuit. Un manège tournait encore et encore à deux pas du ghetto, des enfants dansaient en cercle. C'était charmant. Ils étaient heureux. Des filles de la campagne venues visiter la capitale montaient sur le manège, jetant un coup d'œil aux flammes du ghetto», riant, attrapant des feuilles de frêne qui voltigeaient vers elles, au son d'une éclatante musique de carnaval.

Enfin, le 16 mai, le général de division Stroop envoya à Hitler un compte-rendu plein de fierté : « Le ghetto de Varsovie n'est plus. » Selon le *Bulletin économique clandestin* du 16 mai 1943, 100 000 logements furent réduits en cendres, 2 000 locaux industriels, 3 000 magasins et une vingtaine d'usines. Au bout du compte, les Allemands ne mirent la main que sur neuf fusils, cinquante-neuf pistolets et quelques centaines de bombes artisanales diverses. 7 000 juifs avaient été tués sur-le-champ, 22 000 furent envoyés dans les camps d'extermination de Treblinka ou Majdanek, et 1 000 autres en camps de travail. Réaliser cette opération ne coûta aux Allemands que seize morts et quatre-vingt-cinq blessés.

À la villa, tous suivirent l'insurrection du ghetto, « électrisés, stupéfaits, impuissants et fiers », précisa Antonina. Ils avaient d'abord entendu dire que les drapeaux polonais et juif flottaient au-dessus du ghetto ; ensuite, comme la fumée et les bruits d'artillerie augmentaient, ils apprirent par leur ami Stefan Korboński, membre haut placé de la Résistance, que l'Organisation juive de combat et l'Union combattante juive – 700 hommes et femmes seulement – luttaient héroïquement, mais que « les Allemands ont enlevé, assassiné ou brûlé vif des dizaines de milliers de juifs. Il ne reste pas plus de 10 % des trois millions de juifs polonais ».

Puis, par un jour terrible, une pluie grise tomba sur le zoo, une longue et lente pluie de cendres qu'apportait le vent d'ouest, venant du quartier juif en flammes sur l'autre rive de la Vistule. Chacun à la villa perdit des amis dans cette ultime phase d'annihilation des 450 000 juifs de Varsovie.

Le 10 décembre, juste avant le couvre-feu, alors que Jan était rentré sans encombre et que Pietrasia avait fini sa journée, Antonina réunit la famille, l'Homme Renard, Magdalena, Maurycy, Wanda et les autres à la table pour le bortsch du soir, une soupe de betterave d'un rouge luisant où se reflètent les bougies et qui forme des flaques bordeaux dans les grosses cuillers d'argent. Malgré le froid tourbillonnant tels des djinns de neige sous les réverbères, il y avait assez de charbon cet hiver-là pour chauffer tout le monde. Après le dîner, pendant qu'il changeait l'eau de la baignoire de Szczurcio dans la cuisine, Ryś entendit frapper doucement à la porte. Il ouvrit avec précaution, puis se précipita tout excité dans la salle à manger pour annoncer la nouvelle à ses parents.

« Maman, dit-il, la fille de Zibeline et sa famille sont là ! »

Déconcerté, l'Homme Renard posa son journal. Il n'élevait pas de zibelines, petits mammifères proches du vison.

«Vous êtes fous dans cette maison! dit-il. Vous donnez aux gens des noms d'animaux et aux animaux des noms de gens! Je ne sais jamais si vous parlez d'humains ou de bêtes. Cette "Zibeline", c'est qui ou quoi? J'ignore s'il s'agit d'un prénom, d'un nom de code, d'une personne ou d'un animal. C'est bien trop déroutant!» Sur ces mots, il se leva, théâtral, et regagna sa chambre.

Antonina se hâta vers la cuisine pour accueillir les nouvelles zibelines dans la maison: Regina Kenigswein, son mari Samuel et leurs deux garçons – Miecio, cinq ans, et Stefcio, trois ans. Leur benjamin, Staś, qui avait moins d'un an, était dans un foyer pour enfants trouvés tenu par le père Boduen, parce qu'ils craignaient que ses pleurs de bébé n'attirent l'attention. Regina attendait un heureux événement: elle était enceinte pour la quatrième fois.

Au cours de l'été 1942, durant les déportations à grande échelle vers les camps de concentration, tandis que les issues liées au palais de justice n'existaient plus et que les itinéraires d'évasion par le labyrinthe des égouts n'étaient pas encore établis, Samuel avait demandé à un ami catholique, Zygmunt Piętak, s'il pouvait l'aider à fuir avec sa famille et à trouver refuge du côté aryen. Les évasions réussissaient pour la plupart grâce à un réseau complexe d'amis et de connaissances, ainsi qu'à la chance; ce fut le cas pour les Kenigswein. Samuel et son ami Szape Rotholc étaient entrés dans la police du ghetto et n'avaient pas tardé à sympathiser avec des gardes allemands compatissants ou cupides et des passeurs polonais. De nuit, portant dans des sacs les enfants endormis, les Kenisgwein soudoyèrent les gardes et escaladèrent le mur du ghetto. Ils furent d'abord logés dans un appartement que Piętak avait loué pour eux; ils y restèrent jusque vers la fin de l'année. Pendant toute cette période, Piętak fut leur seul lien avec le monde extérieur: lors de ses fréquentes visites, il leur apportait de la nourriture et des produits de première nécessité. Mais ils finirent par manquer d'argent et être expulsés. Piętak sollicita alors Jan pour les héberger, le temps que la Résistance leur trouve un abri ailleurs.

Antonina connaissait Regina, fille d'un M. Zibeline (Sobol, en polonais) qui avait livré des fruits au zoo avant la guerre, un homme aimable, voûté, qui portait toujours le même gilet défraîchi et vacillait sous de pesantes corbeilles de fruits et de légumes. Malgré son fardeau, il trouvait en général de la place dans ses poches pour de petits cadeaux et gâteries, comme des cerises pour les singes ou une pomme jaune pour Ryś. Mais le véritable pont entre la famille Zibeline et les Żabiński était le fils de M. Zibeline, qui faisait partie des travailleurs du ghetto et s'esquivait quelquefois pour courir au zoo, où les Żabiński lui donnaient des pommes de terre et des légumes à rapporter en cachette. Un jour, il expliqua qu'il avait été affecté à une autre équipe au-dedans du ghetto, et supplia Antonina d'intervenir auprès de son chef allemand pour qu'il l'autorise à garder son travail à l'extérieur. Antonina le fit, et nota ensuite : « Peut-être que cet *Arbeitsführer* était quelqu'un de bien, ou qu'il fut ébranlé lorsque je lui expliquai que, sans la nourriture introduite dans le ghetto par Zibeline, sa famille mourrait de faim. Dans un assez bon polonais, il me dit que je devrais être "plus prudente". Mais le jeune Zibeline put conserver son travail en dehors du ghetto et ravitailler les siens pendant plus d'un mois. »

Les Żabiński avaient non seulement connu Regina petite fille, mais ils avaient assisté à ses noces et Jan avait travaillé avec son mari, Samuel – pour construire des bunkers. Boxeur célèbre, Samuel Kenigswein combattait dans les clubs sportifs du Maccabi et du Shtern de Varsovie ; par ailleurs menuisier qualifié, il aidait Zegota à créer et à remodeler des cachettes. Durant la guerre, l'architecte Emilia Hizowa, figure centrale de Zegota, conçut des cloisons qui coulissaient quand on appuyait sur un bouton, et des ouvriers en posèrent dans des appartements de la ville, où on eut soin de ne pas les bloquer avec des meubles.

Le stratagème fonctionna : le dépouillement passa pour de l'honnêteté et n'attira pas l'attention.

Lorsque les Kenigswein arrivèrent au zoo, leur situation tragique toucha profondément Antonina : « Je les regardai, émue aux larmes. De pauvres poussins aux grands yeux remplis de peur et de tristesse me dévisagèrent. » Les yeux de Regina, surtout, la troublèrent, parce que c'étaient « les yeux éteints d'une jeune mère condamnée à mort ».

Antonina écrivit qu'elle sentit un déchirement intérieur, un conflit entre la compassion et l'intérêt personnel, et un certain embarras de pouvoir si peu faire pour eux sans mettre en danger sa propre personne et sa famille. En attendant, où les Kenigswein allaient-ils dormir ? Pendant plusieurs jours, ils logèrent dans la maison des lions, puis Regina et les enfants empruntèrent le tunnel de la maison des faisans pour gagner la villa. Antonina trouva un grand manteau chaud en peau de mouton et une paire de bottes pour Samuel et, au crépuscule, il s'introduisit dans la maison en bois des faisans et ils l'y enfermèrent. Le lendemain matin, avant l'arrivée de la gouvernante, Regina et ses fils montèrent furtivement à l'étage, jusqu'à une chambre où ils resteraient deux mois. Lorsqu'elle félicita les enfants pour leur calme et leur discrétion, Antonina apprit qu'une école secrète du ghetto leur avait enseigné des jeux qui nécessitaient peu de place, les manières les plus silencieuses de bouger, une technique pour s'allonger en souplesse avec une économie de mouvements.

L'élevage d'animaux à fourrure employait beaucoup de gens extérieurs ; des garçons inconnus s'arrêtaient parfois devant la cuisine, en quête d'aumônes ; des policiers venaient souvent aussi. De plus, la gouvernante n'était pas vraiment digne de confiance, et les Żabiński ne pouvaient pas lui révéler pourquoi ils avaient soudain un appétit féroce. Comme il était impossible de dérober de la nourriture dans la cuisine sans qu'elle s'en aperçoive, ils allaient la trouver, l'air affamé, assiette vide dans les mains, demandant à être resservis une, deux, trois fois. Simple employée, elle n'était pas en droit de commenter ce prodigieux changement dans leurs habitudes alimentaires, mais de temps à autre Antonina l'entendait marmonner : « C'est incroyable, les quantités qu'ils mangent ! Je n'ai jamais rien vu de pareil ! » Quand elle ne regardait pas, Ryś montait et descendait tour à tour bols et assiettes à l'étage et au sous-sol. Jan et Antonina disaient parfois : « Il faut que les lions mangent », ou « les faisans », « les paons », etc., et Ryś emportait de la nourriture aux Hôtes encagés. Néanmoins, pour ne pas prendre de risques, Antonina renvoya la gouvernante et la remplaça par une femme prénommée Franciszka, belle-sœur d'un vieil ami de Jan, en qui ils avaient toute confiance, même si elle non plus ne connut jamais tous les niveaux d'existence et de résistance du jeu d'échecs en trois dimensions qui caractérisait la villa.

25

À la mi-décembre, Jan procura une nouvelle pension aux Kenigswein chez l'ingénieur et ancien officier de carrière Feliks Cywiński, qui avait combattu à ses côtés pendant la Première Guerre mondiale et travaillait maintenant en relation étroite avec lui au sein de la Résistance. Marié, père de deux enfants, Feliks Cywiński cachait une quantité de gens dans ses appartements 19 et 21 rue Sapieżyńska, au domicile de sa sœur, au domicile de ses parents et dans le magasin de tissus d'un ami (qui ferma son commerce quelque temps, sous prétexte d'y faire des rénovations). Là, il nourrissait pas moins de dix-sept personnes, fournissant des plats séparés à celles qui mangeaient casher, apportait des médicaments et appelait au besoin un médecin de la Résistance. Un «comité de coordination des médecins démocrates et socialistes», organisation secrète fondée en 1940, regroupait plus de cinquante praticiens qui soignaient les malades et les blessés; ils publiaient aussi leur propre mensuel, dans lequel ils discréditaient la propagande nazie sur la pureté raciale et la maladie. Une fois par mois, Cywiński envoyait ses pensionnaires clandestins à la villa ou ailleurs, de manière à pouvoir inviter des voisins et des amis, prouvant qu'il n'avait rien à cacher. Quand il n'eut plus d'argent, il s'endetta, vendit sa propre maison et employa les bénéfices à louer et à meubler quatre appartements supplémentaires pour y abriter des juifs. Comme les Kenigswein, ceux-ci arrivaient souvent du zoo et ne restaient qu'un jour ou deux, le temps de fabriquer des papiers et de trouver d'autres refuges.

Le transfert des Kenisgwein créa des difficultés : comment déplacer une famille aussi grande sans attirer l'attention ? Antonina décida d'amoindrir le risque en décolorant leurs cheveux noirs, puisque de nombreux Allemands et Polonais présumaient que tous les blonds étaient d'origine scandinave et que tous les juifs étaient bruns. Cette idée fausse perdura même quand des plaisanteries circulèrent sur la moustache et les cheveux noirs non aryens d'Hitler. Des photos et une remarque de Jan nous l'apprennent, à un certain moment Antonina décolora sa propre chevelure, mais il s'agissait seulement de l'éclaircir, non de la faire passer d'un noir de jais à une couleur citrine, et elle consulta un ami coiffeur qui lui donna des flacons de peroxyde pur et une recette. Il lui fallait une recette car, Emanuel Ringelblum le souligna bien, « dans la pratique, les blondes platine éveillaient plus de soupçons que les brunes ».

Un jour, elle conduisit les Kenigswein dans la salle de bains à l'étage, ferma la porte à clé et chargea Ryś de monter la garde. Elle employa du coton imprégné de peroxyde dilué pour leur frictionner la tête, ce qui provoqua des brûlures sur leur cuir chevelu et des cloques au bout de ses doigts, mais elle eut beau renforcer la solution caustique, le noir refusa de virer au blond. Lorsqu'elle rouvrit enfin la porte, ses victimes sortirent avec des cheveux roux cuivré.

« Maman, qu'est-ce que tu as fait ? demanda Ryś effaré. On dirait des écureuils ! » À partir de ce jour, « Écureuils » fut le nouveau nom de code des Kenigswein.

De nuit, Jan escorta les Kenigswein dans le tunnel aboutissant à la maison des faisans, puis en ville jusque chez Feliks, rue Sapieżyńska. Là, quand il y avait danger, les réfugiés se repliaient dans un bunker qui communiquait avec la salle de bains par une ouverture discrète, dissimulée dans un renfoncement derrière la baignoire. Feliks ne sut pas que Regina était enceinte avant le jour où ses contractions commencèrent, et alors, le couvre-feu ayant déjà sonné, le rôle d'obstétricien lui incomba. « Mon plus grand moment de bonheur, déclara-t-il dans un entretien après la guerre, fut lorsqu'un enfant vint au monde entre mes mains. La naissance eut lieu pendant la phase finale de destruction du ghetto de Varsovie. L'atmosphère de la ville était très tendue et la pire terreur sévissait, car les gendarmes allemands et les maîtres chanteurs envahissaient le terrain et le ratissaient, à la recherche de juifs en fuite. » Feliks prit soin d'eux jusqu'à l'insurrection du ghetto en 1944, lors de laquelle Samuel Kenigswein, vétéran de la Première Guerre mondiale, mena son propre bataillon.

Ailleurs dans la ville, d'autres sauveurs recouraient aussi à des procédés cosmétiques pour camoufler les juifs, certains salons se spécialisant dans des stratagèmes plus élaborés. Le Dr Mada Walter et son mari, par exemple, ouvrirent un remarquable institut de beauté rue Marszałkowska, où Mme Walter donnait aux femmes juives des leçons pour paraître aryennes et passer inaperçues.

« Je vis là une douzaine de dames plus ou moins vêtues, témoigna après la guerre Władysław Smólski, écrivain polonais, membre de Zegota. Certaines étaient placées sous des lampes en tout genre, d'autres, le visage enduit de crème, étaient soumises à de mystérieux traitements. Dès que Mme Walter arriva, elles se réunirent autour d'elle, tirèrent des chaises et s'assirent, ouvrant des livres. Alors commença leur séance de catéchisme ! »

Chacune de ces femmes avait au cou une médaille pieuse ou une croix, et Mme Walter leur enseignait les principales prières chrétiennes et le comportement habituel à l'église et durant les cérémonies. Elles apprenaient à cuisiner et à servir le porc, à préparer des plats traditionnels polonais, à commander la vodka de contrebande appelée *bimber*. En général, quand ils interpellaient des juifs dans la rue, les policiers vérifiaient si les hommes étaient circoncis et ordonnaient aux femmes de réciter le « Notre Père » et le « Je vous salue Marie ».

Le plus infime détail pouvait les trahir, Mme Walter professait donc les bons usages, la manière d'échapper aux regards, qui exigeait une parfaite alliance de maquillage à la mode, de gestes maîtrisés et de coutumes populaires polonaises. Il fallait s'interdire toutes les expressions juives, comme demander « De quelle rue êtes-vous ? », au lieu de « De quel quartier êtes-vous ? ». Le banal méritait une attention particulière – comment marcher, bouger, se conduire en public. Les hommes devaient ôter leurs chapeaux à l'église (au temple, ils les auraient gardés), et chacun devait fêter le jour de son saint patron autant que ceux de ses amis et de sa famille.

Il importait que le front soit dégagé, les cheveux soigneusement retenus ou relevés dans un style plus aryen ; les franges, les boucles, les frisures pouvaient en revanche inspirer des soupçons. Il fallait décolorer les cheveux noirs pour en atténuer l'éclat, mais ne pas les rendre douteusement clairs. Quant au choix des vêtements, Mme Walter donnait ces conseils : « Évitez le rouge, le jaune, le vert et même le noir. La meilleure couleur, c'est le gris, ou alors une combinaison de plusieurs couleurs sobres. Vous devez éviter les montures de lunettes en vogue actuellement, parce que leur forme accentue l'aspect sémitique de votre nez. » Et certains nez sémitiques exceptionnels nécessitaient une « intervention chirurgicale ». Par chance, elle travaillait avec des chirurgiens polonais (tel l'éminent Dr Andrzej Trojanowski et ses collègues) qui remodelaient les nez juifs et opéraient les circoncis pour refaire leur prépuce, pratique clandestine et controversée de tradition très ancienne.

Au cours de l'Histoire, cette restauration du prépuce avait permis aux juifs persécutés de ne pas être découverts, et la Bible la signale dès 168 avant J.-C., sous le règne d'Antiochus IV, lorsque la mode gréco-romaine des sports pratiqués nus et des bains publics apparut en Judée. Les hommes juifs souhaitant camoufler leur origine n'avaient que deux possibilités : tâcher de ne pas se montrer nus ou utiliser un poids spécial, appelé *pondus judaeus*, pour étirer le prépuce jusqu'à ce qu'il recouvre le gland. Cet étirement créait de petites déchirures entre les cellules de la peau et, à mesure que de nouvelles cellules se formaient pour combler les vides, le prépuce s'allongeait. Nul doute que cela prenait du temps, était douloureux et parfois difficile à cacher, malgré l'ampleur des tenues de l'époque. Pendant la Seconde Guerre mondiale, un résultat identique pouvait être obtenu par des moyens chirurgicaux, bien que, cela va sans dire, la littérature médicale de la période nazie ne détaille pas la procédure.

Dans les cercles emboîtés de la Résistance, Jan connaissait sûrement les Walter; le décolorant et la recette qu'utilisa Antonina pouvaient très bien venir de leur salon. Mme Walter et son mari âgé abritaient cinq juifs en même temps à leur domicile et, durant toute la guerre, ils offrirent à «une suite interminable» de gens des leçons de «beauté» dans leur institut. Plus tard, Mme Walter écrivit que «le fait – de pur hasard – qu'aucun habitant provisoire de notre nid de guerre ne connut malheur créa une légende superstitieuse qui entraîna un afflux d'hôtes toujours croissant». En réalité, expliqua-t-elle, la magie de la compassion lui dictait ses actions: «La souffrance m'envahissait comme un sortilège gommant toutes les différences entre étrangers et amis.»

26

Comme le printemps approchait timidement et que la nature oscillait entre deux saisons, la neige fondit et un petit paysage verdoyant de plantes potagères apparut pendant la journée, mais durant la nuit la terre gelait de nouveau et sous le clair de lune les allées devenaient des pistes d'argent scintillantes. Les animaux hibernants restaient blottis dans leurs terriers, en attente. Les gens et les bêtes de la villa sentaient les jours rallonger, et quand une bouffée d'air extérieur entrait, elle apportait la douce odeur de mousse qui monte du sol gorgé de vie. Le rose clair enveloppant les cimes des arbres annonçait une foule de bourgeons, signe assuré que le printemps arrivait, bien à l'heure, et le monde animal se préparait à la fête des amours et des accouplements, des duels et des danses, des tétées et des festins, des mues et des parures – bref, la pétillante, pétulante animation du retour de la vie.

Mais le printemps flottait en dehors de la rupture temporelle que la guerre avait créée. Pour les gens à l'écoute de la nature et du changement des saisons, pour les agriculteurs, les animaliers, la guerre accrochait le temps aux fils de fer barbelés, les obligeaient à vivre selon la simple durée au lieu du temps réel, le temps du blé, du loup, de la loutre.

Confinée dans la prison rembourrée de son lit, Antonina se levait parfois pour gravir les quelques marches de son balcon, d'où elle jouissait d'un vaste panorama et entendait même le fracas de la glace qui craquait sur la Vistule, timbales marquant la fin de l'hiver. Sa maladie avait comme ralenti le rythme du monde, lui permettait de contempler ses souvenirs, faisait apparaître certaines choses sous un aspect différent tandis que d'autres lui échappaient, hors d'atteinte. Ryś passait davantage de temps sans surveillance, mais elle l'estimait «plus autonome et raisonnable qu'un enfant de son âge aurait dû l'être».

Des adolescents membres des groupes de jeunesse qui aidaient la Résistance arrivaient désormais sans crier gare, et ni Antonina ni Ryś ne savaient qui se présenterait et quand; Jan en était informé, mais il était souvent au travail lorsqu'ils surgissaient ou se volatilisaient. Ils restaient en général une nuit ou deux dans la maison des faisans, puis regagnaient le maquis varsovien; Zbyszek, un garçon parmi les plus recherchés de la Gestapo, séjourna, lui, durant des semaines. Ce fut Ryś, le moins susceptible d'attirer les regards, qui eut la mission de lui apporter ses repas.

Antonina et Jan n'évoquaient jamais les faits et gestes de ces adolescents devant Ryś, même si certains se montraient tels des animaux rares, fugaces et mystérieux, et Antonina s'étonnait que Ryś ne semble pas s'intéresser à eux malgré sa curiosité habituelle. Il avait à coup sûr imaginé une histoire à leur propos... Elle lui demanda donc s'il avait une opinion sur les jeunes visiteurs, un avis sur Zbyszek, par exemple.

«Oh, maman, répondit Ryś du ton très patient que les enfants réservent aux parents aveugles, je sais tout! Un *homme* comprend ces choses, évidemment. Je ne t'ai jamais posé de questions parce que je voyais que toi et Zbyszek aviez des secrets que vous ne vouliez pas me révéler. Mais je me fiche de lui! J'ai un ami à moi. Et si tu veux vraiment savoir ce que je pense de Zbyszek, eh bien je le trouve idiot!» Sur quoi il se précipita hors de la pièce.

Antonina n'était pas surprise de sa jalousie, qui était bien naturelle, mais Ryś était devenu cachottier, avait-elle l'impression, et beaucoup moins bavard. Devinant que quelque chose avait capturé son attention, elle s'interrogea sur ce qu'il mijotait. La seule piste était son nouvel ami, Jerzyk Topo, fils d'un menuisier dont la famille habitait depuis peu un logement du personnel dans l'enceinte du zoo. Antonina trouvait Jerzyk poli et sage. Il avait deux ou trois ans de plus que Ryś, savait manier les outils et apprenait le métier de son père. Ryś admirait sa dextérité manuelle, ils aimaient tous les deux la construction et pouvaient jouer quotidiennement ensemble, étant voisins. Du haut de son observatoire à l'étage, Antonina les apercevait parfois, occupés à construire des formes secrètes et à bavarder sans fin, et elle était soulagée que Ryś ait un nouveau compagnon de jeu.

Or, un jour, après le départ des garçons à l'école, la mère de Jerzyk vint à la villa et demanda d'une voix angoissée s'il était possible de parler seule à seule avec Antonina. Celle-ci l'emmena dans sa chambre et ferma la porte. D'après ses écrits, Mme Topo déclara alors : « Les garçons ignorent tout de ma visite ! Ne leur dites rien ! Je ne sais pas vraiment par où commencer… »

L'inquiétude envahit Antonina : qu'avait fait son fils ?

Puis Mme Topo révéla : « J'ai écouté leur conversation – je suis certaine qu'ils ne m'ont pas vue. J'ai bien conscience que c'est un procédé abominable, mais comment aurais-je pu m'en empêcher lorsque j'ai eu vent de leurs projets ? Il fallait que je découvre exactement ce qu'ils tramaient. J'ai donc tendu l'oreille, en retenant mon souffle, et j'ai été éberluée ! J'hésitais entre rire et pleurer. Quand ils sont partis, je ne savais pas quelle décision prendre, et je me suis dit que le mieux serait d'en discuter avec vous. Peut-être qu'ensemble nous parviendrons à une solution ! »

Antonina trouva ces nouvelles alarmantes. Mme Topo dramatisait-elle les innocentes farces des garçons ? Espérant que c'était le cas, elle affirma : « Votre fils est très respectueux. Je suis sûre qu'il ne ferait rien pour vous chagriner. Et Ryś est si petit… D'accord, je pourrais le surveiller davantage… Mais qu'ont-ils fait, au juste ?

— Rien encore, mais ils prévoient de frapper un grand coup. »

Antonina sentit son « cœur se serrer » au récit de Mme Topo : elle avait entendu les garçons jurer de chasser les Allemands, ce qu'ils considéraient comme leur devoir patriotique, d'abord en posant une bombe dans le gros tas de foin près de l'entrepôt d'armes non loin de la clôture du zoo.

« Et sous le matelas de Jerzyk, continua Mme Topo, j'ai trouvé l'une de vos serviettes-éponges, avec une grosse inscription en rouge disant "Hitler kaput!". Ils veulent l'accrocher au-dessus de la grille principale du zoo, parce qu'une foule d'Allemands la franchissent et qu'ils la verront forcément! Qu'allons-nous faire? Votre mari pourrait peut-être leur parler et leur expliquer qu'ils sont beaucoup trop jeunes pour combattre, et que s'ils réalisent leur projet ils nous mettront tous en danger... Mais qu'en pensez-vous? »

Antonina, silencieuse, essaya d'assimiler, puis d'analyser ces nouvelles perturbantes qu'elle estimait à la fois nobles et insensées. Elle présuma que Ryś avait eu l'idée d'un tel complot en écoutant de jeunes résistants préparer des actes de sabotage comparables. Ne pas attirer l'attention sur l'effervescence au zoo était devenu un art, comme dormir avec un bâton de dynamite. Ils n'avaient vraiment pas besoin que les garçons hissent un drapeau rouge.

Elle se demandait aussi comment elle avait pu passer à côté des manœuvres de Ryś et se tromper sur sa capacité à comprendre le monde de conséquences des adultes, alors qu'elle croyait pouvoir compter sur sa discrétion absolue et être en mesure d'évaluer sa maturité. La colère qu'elle éprouvait envers lui et envers elle-même se changea vite en tristesse car, « au lieu de le féliciter pour sa bravoure et son initiative, et lui dire combien j'étais fière de lui, je devais le punir, révéler à son père qu'il avait volé des explosifs, voire l'embarrasser devant son ami. Je savais que Jan serait furieux ».

Elle répondit à Mme Topo : « Oui, je vais demander à Jan de parler aux garçons. En attendant, il vaut mieux brûler la serviette. »

Ce soir-là, elle entendit ses hommes, père et fils, avoir un entretien calme, sur un ton militaire, solennel : « Tu apprécieras, je l'espère, le fait que je ne te traite pas en enfant, mais en soldat, déclara Jan, répondant au souhait bien naturel de son fils d'être considéré avec sérieux, comme un adulte. Dans cette maison, je suis un officier, ton chef. Sur le plan militaire, tu dois suivre mes instructions, ne jamais agir seul. Si tu veux garder ce genre de relation avec moi, tu dois me jurer de ne rien faire sans m'en informer. L'action que tu as projetée avec Jerzyk relève de l'anarchie et de l'arbitraire, et tu dois être puni – exactement comme tu le serais dans l'armée de métier.»

Mais quel châtiment un père jouant le rôle d'un militaire devait-il infliger à un petit enfant jouant le rôle d'un soldat? Le risque n'a pas le même aspect aux yeux des enfants, les conséquences ultimes d'un acte leur échappent, de plus le châtiment ne fonctionne que si les deux parties le considèrent juste, la justice étant la règle d'or de l'enfance.

Jan conclut donc: «Tu pourrais peut-être me suggérer comment je dois te punir.»

Ryś réfléchit gravement: «Tu peux me donner une fessée», finit-il par proposer.

Et Jan la lui donna sans doute, parce qu'Antonina, narrant la scène dans son journal, nota: «Ainsi, sobrement, notre propre Résistance familiale clandestine cessa d'exister.»

27

Au printemps 1943, Antonina put enfin quitter son lit, en accord avec les marmottes, chauves-souris, hérissons et loirs sortant de l'hibernation. Avant la guerre, elle avait adoré le vacarme du zoo à cette saison, ses bruyants *vas-y!*, *fous le camp!* et *alléluia!*, surtout la nuit, dans la ville silencieuse, quand des appels sauvages en jaillissaient comme d'un gigantesque juke-box. Le temps animal en collision avec le temps urbain produisait un rythme décalé qu'elle savourait et décrivit souvent. On peut citer cette rêverie dans son livre pour les enfants consacré aux lynx, *Rysie*.

« Quand la nuit printanière enveloppe Varsovie d'un manteau noir et que les enseignes lumineuses parsèment les rues sombres de gais reflets, quand le silence de la ville endormie est interrompu par le coup d'avertisseur d'une dernière voiture, sur la rive droite de la Vistule, au milieu des vieux peupliers et saules pleureurs, les bruits secrets de la vie sauvage et le tintamarre de la jungle se font entendre. Un orchestre de loups, d'hyènes, de chacals et de dingos s'exprime. Le rugissement d'un lion soudain réveillé glace d'horreur la population de singes voisine. Tandis que des oiseaux effarouchés poussent des cris terrifiés dans leurs étangs, les bébés lynx Tofi et Tufa entonnent dans leurs cages une sérénade nostalgique. Leurs miaulements aux notes perçantes s'élèvent au-dessus des autres sons nocturnes du zoo. Loin des terres vierges du monde, nous pensons au règne de la nature, dont les secrets attendent d'être dévoilés, nous vivons parmi nos compagnons terrestres, les animaux. »

Alors que l'atmosphère demeurait fraîche et que ses muscles rouillés restaient faibles, Antonina s'emmitouflait dans des sous-vêtements de laine, de gros tricots et des bas épais. Vacillante, s'aidant d'une canne, elle devait réapprendre à marcher, ses genoux tremblaient, des objets lui glissaient des doigts. Comme un bébé, dorlotée par Magdalena et les autres, elle avait l'impression d'être une petite fille malade que sa famille couvait, mais par ailleurs elle se réprimandait et « se sentait vraiment gênée et inutile ». Durant trois mois, son entourage avait effectué le travail à sa place, l'avait servie, soignée, et même maintenant, impatiente de reprendre son rôle dans la maisonnée industrieuse, elle ne pouvait accomplir les tâches ménagères. « Quel genre de femme suis-je ? », se reprochait-elle. Chaque fois qu'elle prononçait ces paroles non loin d'eux, Magdalena, Nunia ou Maurycy lui rétorquaient : « Arrête ! Nous t'aidons par pur égoïsme. Que ferions-nous sans toi ? Ton seul travail, c'est de reprendre des forces. Et de nous donner des ordres ! Toute ton énergie, ta vivacité et, oui, tes étourderies parfois nous ont manqué. Amuse-nous de nouveau ! »

Alors Antonina riait, s'égayait et remontait lentement le mécanisme de la maison folle comme s'il s'était agi d'une horloge ancienne. Elle écrivit qu'ils veillaient en permanence sur elle, s'empressaient, « ne laissaient pas la fatigue, le froid, la faim ou les soucis m'assaillir », et en retour elle les remerciait de « me gâter comme personne ne l'avait jamais fait ». Ces mots sont la seule allusion qu'elle se permit à sa situation d'orpheline. Toujours présents dans leur absence, ses parents défunts appartenaient à un passé indicible, chagrin d'avant les mots lorsqu'elle n'avait que neuf ans, morts aux mains des bolcheviks trop horribles à imaginer pour une enfant. Ils hantaient peut-être ses souvenirs, néanmoins elle ne les mentionne jamais dans ses mémoires.

Les amis d'Antonina la couvraient chaudement, l'encourageaient à guérir par le repos et, au cœur de ce cercle intime, elle s'épanouissait ; il lui arrivait même parfois «d'oublier l'Occupation» et son «désir incessant que la guerre se termine».

Jan continuait de partir tôt le matin et de rentrer juste avant l'heure du couvre-feu, et même s'ils ne le voyaient pas au travail, les habitants de la villa le trouvaient irascible et inquiet. Pour que leur existence soit vivable, il vérifiait à maintes reprises chaque habitude et règle de conduite, responsabilité accablante puisque la moindre perturbation, négligence ou impulsion, pouvait les trahir. Ce n'est pas étonnant qu'il se soit rigidifié sous cette pression et ait commencé de s'adresser à eux comme à ses «soldats» et à Antonina comme à son «lieutenant». Il dirigeait la villa et les Hôtes ne pouvaient pas lui désobéir, mais l'ambiance se dégrada car, dictateur versatile, il créait des tensions en disputant souvent Antonina malgré les efforts de celle-ci pour le contenter. Dans son journal, elle expliqua : «Il était sans cesse sur le qui-vive, endossait l'ensemble des responsabilités, nous protégeait des événements fâcheux, tâchant de tout vérifier avec un soin extrême. Il nous parlait quelquefois comme si nous étions ses soldats […] Il était froid et en attendait plus de moi que des autres gens de la maison […] L'atmosphère de bonheur de notre foyer avait disparu. »

Rien de ce qu'elle faisait ne semblait assez bien, rien ne le rendait fier d'elle, et le décevoir perpétuellement l'affligeait. Avec le temps, ses Hôtes fidèles, furieux, n'accordèrent plus une parole ou un regard à Jan : détestant la manière dont il la traitait mais ne voulant pas entrer en conflit avec lui, ils lui marquaient une indifférence complète. Jan se hérissait de leur protestation silencieuse, soutenait que la désobéissance civile n'avait pas sa place dans la maison, et au fond pourquoi le condamnaient-ils et l'excluaient-ils ?

«Hé, vous tous ! Vous m'ignorez parce que j'ai un peu critiqué Punia, dit-il, utilisant l'un de ses surnoms affectueux (Petit chat sauvage, ou Chaton des bois). Je ne mérite rien de tel ! Vous pensez que je n'ai pas mon mot à dire dans la maison ? Punia n'a pas toujours raison !

— Tu es à l'extérieur toute la journée, dit calmement Maurycy. Je sais que ta vie hors de cette maison est pleine de pièges et de dangers, mais cela lui donne aussi du piquant. Tola est dans une situation différente, poursuivit-il, employant un autre surnom d'Antonina. Elle m'évoque un soldat continuellement de service sur un champ de bataille. Elle doit rester en état d'alerte. Comment peux-tu ne pas le comprendre et lui reprocher d'être distraite de temps en temps ? »

Un après-midi de mars, la gouvernante hurla depuis la cuisine : « Mon Dieu ! Au feu ! Au feu ! » Regardant par la fenêtre, Antonina vit un énorme champignon de flammes et de fumée, un incendie dévorant dans la zone de stockage des Allemands. Poussé par le vent qui soufflait en rafales, le feu se propageait à toute vitesse sur le toit de la caserne. Antonina empoigna son manteau et courut dehors pour vérifier que l'élevage d'animaux à fourrure et les bâtiments du zoo, situés à proximité, n'étaient pas touchés.

Un soldat allemand arriva en trombe sur son vélo, mit pied à terre et l'accusa, furieux : « C'est vous qui avez mis le feu ! Qui habite cette villa ? »

Antonina regarda son visage dur et sourit. « Vous ne le savez pas ? dit-elle, affable. Le directeur de l'ancien zoo de Varsovie habite ici. Je suis sa femme. Et nous sommes beaucoup trop sérieux pour des plaisanteries pareilles. »

L'amabilité déjoue souvent la colère, et le soldat se calma.

« Entendu, mais ces bâtiments là-bas…

— Oui, nos anciens employés occupent deux petits logements. Ce sont des gens bien, que je connais et en qui j'ai toute confiance. Je suis sûre qu'ils ne sont pas en cause. Pourquoi risqueraient-ils leur vie pour incendier un ridicule tas de foin ?

— N'empêche, quelqu'un l'a allumé, répliqua-t-il. Ce n'est pas la foudre. Quelqu'un a forcément provoqué cet incendie ! »

Antonina le regarda d'un air innocent. « Vous ne savez pas de qui il s'agit ? Je suis presque certaine de connaître la réponse. »

Pantois, l'Allemand attendit qu'elle éclaircisse le mystère.

Comme elle continuait sur le ton de la conversation amicale, des mots allemands dont elle se servait peu remontèrent des profondeurs de sa mémoire. « Vos soldats emmènent tout le temps leurs petites amies là-bas. Il fait encore froid, s'asseoir dans le foin est plutôt douillet. Un couple y est sans doute encore allé aujourd'hui, ils ont fumé une cigarette, jeté un mégot… et vous connaissez la suite. » Malgré l'allemand médiocre d'Antonina, le soldat comprit très bien et se mit à rire.

Se dirigeant vers la maison, ils parlèrent d'autres choses.

« Que sont devenues les bêtes du zoo ? demanda-t-il. Vous avez eu le douzième éléphant né en captivité. Je l'ai lu dans le journal. Où est cet éléphanteau, à présent ? »

Antonina expliqua que Tuzinka avait survécu aux premières journées de bombardement et que Lutz Heck l'avait transférée à Königsberg avec d'autres animaux. Alors qu'ils approchaient de la galerie, deux policiers allemands garèrent leur side-car. Le soldat leur raconta toute l'histoire, les hommes lancèrent des rires grossiers, puis ils entrèrent tous dans la villa pour rédiger un rapport.

Peu après leur départ, le téléphone sonna. Antonina entendit une voix allemande autoritaire déclarer « C'est la Gestapo », puis s'exprimer trop vite pour qu'elle comprenne. Elle saisit néanmoins le mot « Feu » et la question « Qui êtes-vous ? ».

« Le tas de foin était en flammes, répondit-elle du mieux qu'elle le put. Un bâtiment a brûlé, une voiture de pompiers est venue et tout va bien maintenant. Des policiers allemands se sont déjà déplacés et ont écrit un rapport.

— Ils ont fait une enquête ? Tout est rentré dans l'ordre ? Entendu. *Danke schön.* »

Sa main tremblait tellement qu'elle eut du mal à remettre le combiné sur son support, tandis que les événements de l'heure écoulée lui revenaient en un flot et qu'elle les repassait dans sa tête, s'assurant qu'elle avait eu les bonnes réactions. Le champ étant libre, les Hôtes sortirent de leurs cachettes et l'embrassèrent. Dans son journal, elle nota qu'il lui «tardait de relater l'affaire à Jan».

Lors du dîner, Jan écouta son récit, mais, au lieu de l'approbation espérée, il marqua un silence pensif.

«Nous savons tous que notre Punia est un prodige, finit-il par dire. Mais je suis un peu étonné que tout le monde s'enthousiasme à ce point. Elle s'est comportée exactement comme je l'attendais de sa part. Laissez-moi vous l'expliquer sous l'angle de la psychologie.

»Vous savez déjà, par nos histoires d'avant la guerre au sujet du zoo, qu'en cas de gros problème avec un animal – qu'il ait été malade, difficile à nourrir ou simplement trop farouche – je le confiais à Antonina. Et à juste titre, car elle n'a pas son pareil avec eux. Pourquoi vous dis-je cela? Ni pour faire sa publicité, ni pour prouver qu'elle est merveilleuse ou combien je suis amoureux, ni pour qu'elle se sente valorisée. Nous le savons tous, même petite, Punia avait beaucoup d'animaux près d'elle et s'identifiait à eux.

»C'est comme si elle était perméable. Elle lit presque dans leurs pensées. Trouver ce qui perturbe ses amis animaux est un jeu d'enfants pour elle. Peut-être parce qu'elle les traite comme des gens. Mais vous l'avez vue. En une seconde, elle peut perdre sa nature d'*homo sapiens* et se transformer en panthère, en blaireau ou en rat musqué!

— En tant qu'artiste animalière, intervint Magdalena rieuse, j'ai un œil infaillible à cet égard, et j'ai toujours dit qu'elle était une jeune lionne!»

Jan enchaîna: «Elle a un don précis et très particulier, une manière d'observer et de comprendre les animaux qui est rare, singulière chez une naturaliste sans formation. C'est un sixième sens absolument exceptionnel.»

Antonina écouta avec fierté le surprenant discours de son mari, éloge si long et rare qu'aussitôt après elle le nota mot pour mot dans son journal, ajoutant: «Il détaillait mes talents, chantait mes louanges en présence d'autres gens. Ce n'était jamais arrivé! […] Il ne plaisantait pas. Il m'avait si souvent traitée d'idiote que c'était presque devenu mon nom de famille. »

« Je parle de cela, dit Jan, pour éclairer la manière dont les animaux réagissent dans différentes situations. Nous savons quelle prudence les animaux sauvages peuvent montrer, quelle facilité ils ont à s'effrayer quand leur instinct leur ordonne de se défendre. Lorsqu'ils sentent un inconnu traverser leur territoire, ils deviennent agressifs pour se protéger. Mais, dans le cas de Punia, cet instinct semble absent : elle ne redoute aucun animal, bipède ou quadrupède, ni ne suscite la crainte. Cette combinaison peut persuader les gens et les animaux qui la côtoient de ne pas attaquer. Les animaux surtout, plus aptes à la télépathie que les humains et percevant les ondes cérébrales d'autrui.

« Quand il émane d'elle un intérêt calme et bienveillant pour ses animaux, notre Punia fait en quelque sorte office de paratonnerre à leur peur, elle l'absorbe, la neutralise. Par le ton réconfortant de sa voix, ses gestes doux, le regard dénué de menace qu'elle pose sur eux, elle communique une confiance dans son aptitude à les protéger, à les guérir, à les nourrir, etc.

« Vous voyez ce que j'essaie de dire : Punia est capable d'émettre des ondes de quiétude et de compréhension. Les humains ne sont pas aussi sensibles que les animaux en la matière, mais chacun peut plus ou moins accéder à ces ondes invisibles, selon la sensibilité de son système nerveux. Je crois que certains sont plus à même de capter ces signaux, et je ne pense pas que l'intelligence entre en jeu. Au contraire, il se pourrait que des organismes plus primitifs soient plus réceptifs. Si nous devions employer la terminologie scientifique, nous demanderions : quel genre d'émetteur psychique est Punia, et quel genre de message produit-elle ? »

Jan était, semble-t-il, influencé par Friedrich Bernhard Marby (1882-1966). Cet occultiste et astrologue antinazi associait la tradition occulte des runes nordiques aux principes scientifiques de son époque, décrivant « l'homme comme un récepteur et émetteur sensible des ondes et des rayons cosmiques qui animaient l'univers entier et dont la nature et les effets spécifiques dépendaient des influences planétaires, du magnétisme terrestre et de la configuration du paysage ».

Si Jan vivait aujourd'hui, il connaîtrait le rôle des neurones miroirs du cerveau, ces cellules particulières du cortex prémoteur qui s'activent juste avant qu'on empoigne une pierre, fasse un pas, se détourne, commence à sourire. Étonnamment, les mêmes neurones s'activent si nous effectuons une action ou si nous regardons quelqu'un d'autre l'effectuer, et des sentiments semblables s'y rattachent. Apprendre de nos propres mésaventures étant plus dangereux qu'apprendre des mésaventures de notre prochain, nous en venons à déchiffrer le monde des intentions, ce qui rend possibles les rapports sociaux. Le cerveau développe des manières intelligentes de guetter le risque, de détecter rapidement la joie ou la douleur d'autrui, sous forme de sensations précises, sans recourir aux mots. Nous ressentons ce que nous voyons, nous éprouvons les autres comme nous-mêmes.

« C'est curieux, poursuivit Jan, Punia n'est pas une enfant, elle n'est pas sotte, mais elle a souvent une relation très naïve aux autres ; elle pense que tout le monde est honnête et gentil. Elle sait qu'il y a aussi des êtres mauvais, elle les reconnaît de loin. Mais elle n'arrive pas vraiment à croire qu'ils pourraient lui nuire.

« Une autre qualité de Punia est sa manière d'observer ce qui l'environne et de noter les moindres détails. Elle a vu des soldats allemands donner rendez-vous à leurs amies dans ce tas de foin et, connaissant le sens de l'humour grossier des Allemands, elle s'en est servi dans cette situation particulière. Elle ne s'est pas inquiétée de son vocabulaire allemand limité, parce que sa voix et ses propos sont très musicaux et apaisants. Son intuition et son instinct lui ont dicté précisément sa conduite. Et, bien sûr, sa beauté a été sa carte maîtresse. Elle est grande, mince, blonde – elle a le physique idéal, le type scandinave. Un atout considérable aussi, j'en suis sûr.

« Mais, si vous voulez connaître mon avis sur la conclusion de cette tragi-comédie, je pense que les Allemands ont trouvé l'explication de Punia relative à l'incendie très commode. Elle leur a fourni un prétexte pour ne pas enquêter sur tous les vols qui se produisent dans ces bâtiments. Le feu était un excellent moyen de dissimuler le crime. S'ils avaient vraiment voulu punir quelqu'un, Punia ne s'en serait pas sortie avec une telle facilité.

« Je ne veux pas déprécier votre héroïne. Punia s'est bien débrouillée. Elle a été très astucieuse, et je me réjouis de pouvoir lui faire confiance, mais j'aime avoir une vision plus cynique des choses. »

Il avait donné à son quasi-cauchemar une dimension assez secondaire, à sa réaction un caractère froid et calculateur, peut-être conforme à la manière dont il l'aurait lui-même vécu. Malgré son talent et ses nombreuses compétences, elle avait souvent l'impression de ne pas être à la hauteur, le vénérait et s'en remettait à lui, s'appliquait en permanence à le combler et à obtenir de lui des marques d'approbation. Parfois, suivant l'exemple paternel, Ryś lançait que même lui, étant un homme, comprenait ce qui échappait à une femme évaporée. Pourtant, à travers ses journaux intimes, il semble qu'Antonina se sentait profondément aimée par Jan, Ryś et les Hôtes, et très complémentaire de son mari, qu'elle considérait strict avec tout le monde, avant tout avec lui-même. Elle était également d'accord avec lui sur les modes de communication subtils des animaux. Après l'exposé de Jan sur son influence psychique, elle eut du mal à dormir. Un tel panégyrique devant ses amis ! Aussi rare que la lumière pendant l'hiver polonais.

« Jan avait raison, la réaction des soldats allemands à mes ondes télépathiques était comparable à celle des animaux du zoo », songea-t-elle. Il y avait eu beaucoup d'épisodes mystiques dans son passé où elle avait eu la certitude de pouvoir établir un pont invisible avec les animaux et les amener à écouter ses demandes, à réprimer leur peur, à avoir confiance en elle. À l'en croire, ses premières expériences de ce genre s'étaient produites quand, jeune fille, elle passait tout son temps libre dans les écuries près de fougueux chevaux pur-sang, mais aussi loin qu'elle s'en souvînt, les animaux s'étaient apaisés à son contact. Peut-être que son extraordinaire empathie et ses sens en éveil relevaient d'une sensibilité plus humaine dont héritent certains, colorée et façonnée par l'expérience de l'enfance. De plus, et c'est important dans le cas d'Antonina, les enfants qui ont un attachement incertain à leurs parents nouent parfois un lien fort avec la nature.

Cette nuit-là, elle réfléchit à la limite ténue entre les humains et les autres animaux, frontière des plus minces, que les gens se représentaient néanmoins comme «une muraille de Chine symbolique» et qu'elle, au contraire, voyait floue, presque imperceptible. «Sinon, pourquoi humanisons-nous les animaux et animalisons-nous les humains?»

Des heures durant, Antonina médita sur les gens et les animaux, sur le développement médiocre de la psychologie animale comparée à d'autres sciences, la chimie ou la physique par exemple. «Nous marchons encore, yeux fermés, dans le labyrinthe de l'énigme psychologique, pensa-t-elle. Mais, qui sait, peut-être qu'un jour nous découvrirons les secrets du comportement animal et que nous maîtriserons nos instincts les plus sombres.»

En attendant, elle et Jan menèrent leur propre étude informelle pendant toute la guerre, vivant en relation étroite avec des mammifères, des reptiles, des insectes, des oiseaux et une galerie d'humains. Pourquoi donc, s'interrogea-t-elle, «les animaux peuvent-ils parfois brider leurs dispositions de prédateurs en l'espace de quelques mois, alors que les humains, malgré des siècles de raffinement, peuvent très vite devenir plus sauvages que n'importe quelle bête?».

28

Dans le contexte de la guerre, au gré des fluctuations du danger, même une discrète remarque irréfléchie pouvait causer une avalanche d'ennuis. Antonina et Jan furent effrayés d'apprendre que l'un des employés du zoo avait aperçu Magdalena et raconté que la célèbre sculptrice se cachait dans la villa. Certes, Antonina estimait ce Polonais « honnête, voire bienveillant – au fond, il n'avait pas appelé la Gestapo », mais elle craignait que des propos étourdis ne tombent dans de mauvaises oreilles et que le château de cartes de la villa ne s'effondre. « La Gestapo savait-elle déjà ? se demanda-t-elle. N'était-ce qu'une question de jours ? »

Le chantage, ambitieux ou insignifiant, très répandu à Varsovie, constituait aussi une menace handicapante. Grâce, notamment, à la popularité du marché noir avant la guerre et à la commodité d'aplanir les difficultés par de petits pourboires et pots-de-vin, Varsovie était vite devenue une ville pleine de prédateurs et de proies de toutes tailles : des gens respectables mais corruptibles, des intègres, un noyau dur de criminels, des citoyens opportunistes, des gens paralysés par la peur, des sympathisants nazis et des téméraires qui jonglaient avec leur vie et celle des autres comme avec des torches. Donc, pour l'heure, il semblait plus sage de cacher les Hôtes ailleurs. Mme Dewitzowa, qui avait enseigné avec Jan avant la guerre, offrit à Magdalena et Maurycy un espace dans sa maison en banlieue ; mais, au bout de quelques semaines seulement, elle les renvoya, effrayée, soutenant que des inconnus suspects s'étaient mis à surveiller son domicile. Antonina avait des doutes. «Les faubourgs pouvaient-ils être plus risqués que le centre?», s'interrogea-t-elle. Peut-être, mais elle devinait une raison plus subtile, un symptôme de la manière dont les gens tâchent de vivre avec la peur et l'incertitude.

Emanuel Ringelblum parla d'une «psychose de la peur» ressentie par de nombreuses personnes s'évadant du côté aryen: «Ce sont les périls imaginaires, la surveillance supposée du voisin, du portier, du chef, du passant, qui constituent le risque principal, parce que le juif [...] se trahit en regardant tout autour de lui pour vérifier que personne ne l'observe, par la nervosité empreinte sur son visage, par son expression effarouchée d'animal traqué, flairant le danger de toutes parts.»

Même si, aux yeux des autres, Antonina semblait en général sereine, ses écrits révèlent une femme souvent assaillie par l'inquiétude et la peur. Elle savait quelle impression elle créait, en tant que pilier de la villa, et elle soulignait que l'atmosphère «chaleureuse, amicale, presque thérapeutique» de la maison suggérait une sécurité qui n'était qu'illusoire. La villa procurait assurément un cadre spacieux aux Hôtes, qui n'étaient pas forcés de vivre bloqués derrière des murs ou dans un sous-sol humide et surpeuplé. Mais, à mesure que les nazis resserrèrent leur étau, le jeu consistant à distraire les regards et à tromper la mort devint l'art de matérialiser les possibilités et de guetter les signes. Selon le folklore polonais, «un tableau qui se décrochait d'un mur, des crissements sous une fenêtre, un balai qui tombait sans raison, un tic-tac de pendule là où il n'y en avait pas, une table qui craquait, une porte qui s'ouvrait toute seule étaient autant d'indices que la mort approchait».

Obtenir la sécurité était source de multiples désagréments, par exemple devoir faire souvent les courses et acheter en petites quantités pour ne pas trop attirer l'attention, ou mettre à sécher certains vêtements à l'intérieur parce qu'on n'osait pas étendre dehors du linge qui ne pouvait appartenir à personne dans la maison. Inévitablement, la peur avait des effets sur l'humeur de chacun. Mais, en tant que gardiens de zoo, les Żabiński comprenaient à la fois la vigilance et la prédation : dans un marécage grouillant de vipères, il fallait calculer le moindre pas. La gravité de la guerre influençait tout et il pouvait être difficile de discerner qui était initié ou profane, fidèle ou renégat, prédateur ou proie.

Au début, nul ne connaissait le secret du couple de gardiens, qui devaient trouver la nourriture supplémentaire et improviser les évasions sans aide. Par chance, ils découvrirent qu'une vieille amie, Janina Buchholtz, psychologue et passionnée d'art, était un membre essentiel de Zegota. Sous l'Occupation, Janina travaillait officiellement comme traductrice agréée pour l'administration notariale, bureau où Antonina s'était arrêtée pour s'informer en 1939, après la visite au zoo bombardé. Parce qu'elle traitait des quantités de documents, de formulaires et de requêtes, les feuilles débordaient des tables, s'accumulaient sur les étagères, s'élevaient en stalagmites sur le sol et semblaient ruisseler de tous côtés. Cauchemar de bureaucrate, le fouillis camouflait la véritable vie du bureau : c'était un centre névralgique de la Résistance, où l'on fabriquait des documents aryens, cherchait des logements sûrs, envoyait des messagers, distribuait de l'argent liquide, planifiait des opérations de sabotage et expédiait des lettres aux habitants d'autres ghettos. Les contacts y recevaient leurs instructions et y déposaient leurs rapports, ce qui entraînait beaucoup de passages, mais, comme les Żabiński, Janina cultivait l'art de cacher à la vue de tous, en l'occurrence au milieu d'un désordre suffisant pour dissuader des nazis fouineurs, peu désireux d'examiner les piles poussiéreuses, toujours légèrement vacillantes. Comme un survivant se le remémora, les nazis « visaient, étape par étape, au moyen d'arrêtés successifs, à créer un système de renseignements et de documentation qui rendrait toute manœuvre impossible et permettrait de connaître avec la précision requise l'endroit où se trouvait le moindre habitant de la ville». Il fallait donc aux clandestins de fausses identités, origines et pièces justificatives élaborées, car les Polonais catholiques, qui vivaient surtout dans des immeubles de logements, pouvaient présenter des documents ecclésiastiques et municipaux antérieurs à la guerre tels que des actes de naissance, de baptême, de mariage, de décès, de propriété. Les papiers falsifiés étaient soit «solides» – crédibles pour la Gestapo –, soit fragiles, peu susceptibles de résister à une analyse – appelés *lipne*, terme dérivé de *lipa* (tilleul) et plus tard synonyme de pieux mensonge.

Gunnar Paulsson décrit ainsi le processus: «S'établir comme *homo novus* n'exigeait pas seulement de se créer une nouvelle identité mais de trancher tous les liens avec les anciennes identités compromettantes. Par conséquent, il fallait déménager. L'ancien moi pouvait alors disparaître, tandis que le nouveau moi se déclarait, selon la procédure normale, dans le nouveau quartier [...] Vous deviez vous faire radier au bureau de l'état civil de votre ancien secteur, qui vous remettait un reçu. Vous vous déclariez ensuite auprès du gestionnaire de l'immeuble où vous résidiez désormais, lequel vous donnait également un reçu. Puis vous deviez porter les deux reçus au bureau de l'état civil local, avant l'expiration d'un certain délai de grâce, pour preuve de déclaration [...] Afin de brouiller les pistes, il était indispensable d'avoir un faux reçu de radiation, ce qui nécessitait des justificatifs dans les registres du bureau de l'état civil. »

Heureusement, Janina travaillait au bureau de l'état civil, où elle fabriquait des identités et introduisait des archives pour les étayer. Certaines personnes prétendaient être nées en Union soviétique, ou être des Polonais de confession musulmane, ou avoir perdu leurs papiers dans l'incendie d'une église avant 1939; d'autres prenaient l'identité d'un citoyen décédé ou résidant à l'étranger. Tout cela réclamait contrefaçon et finesse, production, introduction et modification de registres en longues séries – d'où les montagnes de papiers dans son bureau. En 1941, lorsque Hans Frank ordonna l'établissement de *Kennkarte* (cartes d'identité), où devaient figurer un numéro et les empreintes digitales, les employés réussirent à retarder leur entrée en vigueur jusqu'en 1943, et à cette date ils en profitèrent pour fabriquer de fausses cartes d'identité. Des foules de gens semblèrent soudain avoir perdu leurs archives. Opportunistes cupides et experts de la Résistance confectionnèrent tant de passeports et d'autres documents que, à l'été 1943, même le bureau de Ziegler estimait que 15 % des cartes d'identité et 25 % des certificats de travail étaient falsifiés. Une cellule de Zegota produisait à elle seule entre cinquante et cent documents par jour, depuis les actes de naissance et de décès jusqu'aux papiers d'identité de SS ou de membres subalternes de la Gestapo. Janina voyait ses usagers comme des gens « qui marchaient sur des sables mouvants ».

« J'ai de la chance… je peux faire des merveilles », déclara-t-elle fièrement à son amie et collègue Barbara Temkin-Berman, « Basia », souriant et tapotant d'un doigt tordu la table du café pour détourner le malheur.

Grande, robuste et âgée, Janina portait des jupes noires de mère prieure et un curieux petit chapeau voilé qu'elle attachait sous son menton, et utilisait un manchon. Derrière ses lunettes en équilibre sur son long nez fin, ses yeux rayonnaient d'une telle chaleur que les gens la décrivaient habituellement comme « la personne la plus gentille que j'aie jamais connue » ou « l'éternelle protectrice des opprimés ».

Dans son double combat clandestin pour nuire aux Allemands et aider les juifs, Janina travaillait en relation étroite avec Basia, qui était psychologue avant la guerre et son opposé sur le plan physique : une petite femme mince, nerveuse et lunatique, toujours enveloppée dans un vieux manteau lie-de-vin, coiffée d'un béret noir et d'un voile dissimulant ses traits sémitiques.

Janina et Basia s'entretenaient tous les jours dans le bureau de la rue Miodowa ou dans le café bienveillant pour les « chats » au 24 de la même rue, et elles établissaient des contacts parmi les nonnes et les prêtres, les cheminots, les professeurs, les marchands à l'étal, les petits commerçants, les femmes de chambre, les conducteurs de tramway, les agriculteurs, les esthéticiennes, les ingénieurs, les employés de bureau et les secrétaires (prêts à effacer les gens des registres publics ou à délivrer des certificats truqués), sans oublier, bien sûr, un directeur de zoo et son épouse. Un jour, Janina parla avec des chefs de la Résistance du risque encouru au zoo par Magdalena, et leur décision, quoique contrariante, sembla raisonnable à Antonina et Jan : Maurycy resterait à la villa, tandis que Magdalena logerait chez un ami ingénieur de Janina qui habitait sur la rive orientale de la Vistule, à Saska Kępa, vieille mais charmante commune agrémentée d'un parc peuplé de statues, *La Danseuse*, *Rythme* et *La Baigneuse* voluptueusement nue. Le quartier comptait des édifices publics néoclassiques, des maisons modernistes récentes avec de nombreux massifs d'arbustes, des villas d'avant-garde en béton et en verre conçues dans l'entre-deux-guerres.

Au début, le zoo n'avait servi que d'abri provisoire, d'arrêt facultatif sur une ligne de chemin de fer clandestine complexe, et Jan et Antonina cachaient seulement des amis et des connaissances, mais ensuite, travaillant avec Janina, « les choses devinrent plus organisées », comme le dit Jan à sa manière mesurée, par quoi il entendait qu'avec l'aide de la Résistance il avait amplifié ses efforts et pris des risques extrêmes.

De tous les Hôtes de la villa, « la fougueuse Magdalena pleine de joie et de drôlerie » fut celle qu'Antonina regretta le plus. Une amitié extraordinaire les unissait, à la fois enfantine et mûre, personnelle et professionnelle. Perdre Magdalena lui fut physiquement douloureux, même si son départ rendit possible l'accueil d'un nouvel Hôte, la préservation d'une autre vie. Jan et Antonina promirent d'aller voir Magdalena à Saska Kępa le plus souvent possible ; quant à Maurycy, qui ne pouvait se déplacer sans danger à travers la ville, il se demanda s'ils se séparaient pour des mois, des années ou à jamais, et « fut très affecté ».

Vers la fin juin 1943, Jan et Antonina se dirent que personne n'avait dû les dénoncer à la Gestapo et recommencèrent avec précaution d'accepter des Hôtes. Janina leur envoya une de ses jeunes amies, Aniela Dobrucka, « une belle fille » comme on le disait alors, signifiant qu'elle avait une physionomie aryenne, ce qui lui avait permis de travailler comme vendeuse ambulante de pain et de croissants et de loger chez une vieille dame excentrique. Antonina appréciait la courageuse jeune femme aux cheveux noirs, aux yeux bleu océan, au caractère « doux et un peu malicieux ». Venant d'un village agricole pauvre, Aniela avait eu du mal à payer ses études à l'université de Lvov. Elle s'appelait en fait Rachela Auerbach, nom englouti par la vie clandestine, où l'état civil disparaissait et où il fallait adopter une identité, une apparence, une profession nouvelles.

L'émigrée polonaise Eva Hoffman écrit des lignes touchantes sur le séisme psychique causé par l'abandon forcé de son nom : « Il ne s'était pas produit grand-chose, excepté une petite secousse tellurique mentale. La transformation de nos noms crée une minuscule distance entre eux et nous – mais c'est une brèche dans laquelle l'épouvantail infini de l'abstraction se glisse. » Soudain, son prénom et celui de sa sœur n'existaient plus, malgré le fait qu'ils « étaient aussi assurément nous-mêmes que nos yeux ou nos mains ». Les nouveaux noms, eux, se limitaient à « des plaques d'identité, des pancartes désincarnées indiquant des objets qui se trouvent être ma sœur et moi. Nous avançons vers nos sièges, dans une pièce emplie de visages inconnus, avec des noms qui nous rendent étrangères à nous-mêmes ».

Ayant eu la chance de quitter le ghetto avant la pire période, Aniela consacrait ses journées à recueillir de la nourriture pour les affamés et à travailler dans un hôpital et une bibliothèque ; elle était aussi une des rares privilégiées

227

à connaître le secret des bidons à lait. Dans la partie du ghetto comprenant les ateliers, les Allemands qui dirigeaient la menuiserie OBW *(Ostdeutsche Baumwerkstütte)* obligeaient les propriétaires d'origine, juifs, à continuer de gérer l'activité quotidienne. L'un de ces frères, Alexander Landau, appartenait à la Résistance et employait beaucoup de ses membres comme artisans prétendument qualifiés, bien que leur incompétence n'ait pas toujours été facile à masquer. L'atelier Halmann, 68 rue Nowolipki, employait d'autres soi-disant menuisiers, et les maisons qui lui étaient attribuées devinrent le centre de l'Organisation juive de combat. À eux deux, ces ateliers protégèrent leurs nombreux employés de la déportation, abritèrent d'autres personnes en fuite, servirent de salles de cours et furent le foyer de maintes activités clandestines.

Un mois seulement après le début de l'occupation allemande, l'historien polonais Emanuel Ringelblum eut l'idée de constituer des archives ; il sentait en effet qu'il se passait des événements sans précédent dans l'histoire de l'humanité, et que quelqu'un devait consigner les faits avec précision et témoigner des souffrances et des cruautés indescriptibles. Aniela aidait Ringelblum à l'archivage, même si Janina lisait les documents en premier et les dissimulait un temps sous la housse d'un gros canapé dans son bureau. Puis ce groupe secret d'archivistes, dont le nom de code était *Oneg Shabat* (parce qu'ils se réunissaient le samedi), cachait les documents dans des caisses et des bidons à lait sous l'atelier Halmann. En 1946, des survivants qui fouillaient les ruines du ghetto trouvèrent tous les bidons sauf un, remplis de récits aux détails frappants écrits en yiddish, en polonais ou en hébreu, qui sont maintenant conservés à l'Institut juif de Varsovie.

Plus tard, Aniela fit venir à la villa son amie Genia (Eugienia Sylkes), qui avait organisé des écoles secrètes dans le ghetto, combattu au sein de l'armée de la Résistance et contribué à préparer l'insurrection du ghetto. Elle et son mari finirent par être arrêtés et mis dans un convoi en partance pour Treblinka. Mais, à proximité d'Otwock, ils sautèrent du train alors qu'il ralentissait sur une voie d'évitement pour laisser passer un autre train (certains wagons avaient de petites fenêtres garnies de barbelés qu'il était possible de couper ou de portes qu'il était possible de forcer). Dans un entretien postérieur à la guerre pour la revue londonienne *White Eagle-Mermaid*, Genia raconta ce qui lui était arrivé ensuite : « J'avais horriblement faim et sommeil, mais j'étais trop terrorisée pour m'approcher des constructions […] Je n'ai pas pu trouver mon mari et, très lentement, par les petites routes, je suis allée à Lublin. Au bout de deux jours, j'ai décidé de rentrer à Varsovie. J'ai fait le trajet avec des cols bleus et je suis arrivée dans la vieille ville à l'aube. Ma cousine, qui est mariée à un Polonais, se cachait chez une certaine Mme Kowalska. Je m'y suis rendue et on m'a accueillie comme un fantôme de l'autre monde, j'ai mangé, pris un bain et je me suis mise au lit. Une fois que j'ai été rétablie, on m'a donné des vêtements et je suis allée au 1 rue Miodowa, voir Janina Buchholtz de Zegota. Là, j'ai reçu des papiers et de l'argent. Puis le mari de ma cousine m'a trouvé une chambre rue Chłodna, dans l'appartement d'un policier polonais. Je ne peux évoquer ces gens qui m'ont aidée qu'avec une affection et une admiration immenses. »

Lorsque l'appartement du policier devint peu sûr, Janina conduisit Genia au zoo, où elle devint officiellement la couturière de la villa, chargée de rapiécer les vêtements et, plus tard, quand Antonina fut enceinte, de confectionner des couches et des tenues pour bébé. Son physique n'attirait pas l'attention, puisqu'elle était grande et avait un visage aryen au petit nez retroussé, mais elle parlait très mal le polonais ; en public, elle prétendait donc être muette, ou estonienne, comme ses faux papiers l'affirmaient. Feignant ainsi le mutisme, elle rejoignit le groupe de personnes à fort accent qui se mouvaient dans la ville, réduites au silence par l'innommable.

29

Au printemps, peu après que les jacinthes des bois avaient fané, des touffes d'ail sauvage poussaient dans l'ombre humide des vieux arbres. Leurs minuscules fleurs blanches répandaient une vapeur suave qui entrait par les fenêtres au crépuscule et leurs feuilles se dressaient à plus de soixante centimètres, en quête de lumière. Certains éleveurs faisaient paître leurs moutons dans les bosquets d'ail pour parfumer la viande, tandis que d'autres pestaient si leurs vaches s'y aventuraient par mégarde et y broutaient, car le lait s'en trouvait gâché. Les habitants utilisaient l'ail sauvage dans des potions rajeunissantes et des cataplasmes destinés à juguler la fièvre, réchauffer une ardeur déclinante, sécher l'acné, réguler le cœur ou soigner la coqueluche. Ils écrasaient les gousses pour la cuisine et mijotaient des soupes.

« Une douce nuit de mai enveloppa le zoo, écrivit Antonina, croquant la scène dans son journal. Un bleu-vert pâle, un clair de lune placide et impassible baignait les arbres et les arbustes, la maison et la terrasse. Les branches des lilas ployaient sous leurs lourdes grappes de fleurs ternies. De longues ombres noires soulignaient les contours géométriques nets des trottoirs. Les rossignols chantaient inlassablement leurs chants printaniers, enivrés par leur propre voix. »

Les habitants de la villa écoutaient un récital de piano de l'Homme Renard, oubliant le temps et la réalité au cœur d'un monde éclairé par la lueur des bougies et les constellations de notes flottant dans l'obscurité. « La silencieuse nuit romantique s'enrichissait des accords impétueux de l'étude en *ut* mineur de Chopin. La musique qui retentissait dans la pièce et s'échappait par une fenêtre ouverte nous parlait du chagrin, de la peur, de la terreur », se rappela Antonina.

Soudain, elle entendit un étrange bruissement monter du parterre de grandes roses trémières proche de la fenêtre, qu'elle seule sembla discerner entre les notes. Lorsqu'une chouette chuinta pour éloigner quelque chose ou quelqu'un de ses oisillons, Antonina comprit et avertit discrètement Jan, qui sortit voir. Réapparaissant sur le seuil, il lui fit signe de le rejoindre.

«Il me faut la clé de la maison des faisans», chuchota-t-il. Puisqu'elle restait au foyer, c'était elle qui avait les clés, d'ailleurs nombreuses : certaines ouvraient les portes de la villa, d'autres les bâtiments du zoo, d'autres encore des portes qui existaient jadis, et quelques-unes n'avaient eu aucun usage mémorable mais n'auraient su finir à la poubelle. Cette clé-ci ne devait pas être loin car elle servait souvent : ouvrir la maison des faisans correspondait en général à l'arrivée d'un nouvel Hôte.

L'interrogeant du regard, Antonina donna la clé à Jan, et ils sortirent ; là, ils aperçurent deux garçons filant se mettre à l'abri derrière des buissons. Jan chuchota que ces membres de l'aile de sabotage de la Résistance avaient incendié des réservoirs d'essence allemands et qu'ils devaient se cacher de toute urgence. Ils avaient reçu le conseil de courir au zoo et, sans qu'Antonina le sache, Jan les avait attendus toute la soirée avec une inquiétude croissante. Aussitôt qu'ils reconnurent leurs logeurs, les garçons se montrèrent.

«Nous sommes restés tapis plusieurs heures dans les buissons près de la maison, parce que nous entendions parler allemand», déclara l'un d'eux.

Le beau temps, expliqua Jan, plaisait aux agents de la police militaire qui faisaient de longues promenades au zoo et plusieurs n'étaient partis que depuis vingt minutes. La voie étant désormais libre, ils devaient se hâter vers la maison des faisans. Parce que ces volatiles constituaient un mets délicat, une maison des faisans semblait assez grandiose aux garçons, et l'un d'eux plaisanta : «Nous ferons comme si nous étions une espèce rare, hein, lieutenant ?

— N'imaginez pas une construction exceptionnelle! rétorqua Jan. Elle n'a rien d'une résidence de luxe. Seuls des lapins y vivent. Sa proximité avec notre maison nous permettra de veiller sur vous et de vous apporter à manger. Mais je vous le rappelle: dès l'aube, vous devrez observer le silence du tombeau!» Il ajouta d'un ton grave: «Ne parlez pas, ne fumez pas. Je ne veux entendre aucun bruit venir de là! Compris?

— Compris, monsieur!», répondirent-ils.

Le silence régnait, cette chape de silence qui caractérise parfois une nuit calme, sans lune. Le seul son qu'entendit Antonina fut le cliquetis de la clé dans la serrure dissimulée sous les plantes grimpantes contre la maison des faisans.

Le lendemain matin, lorsque Ryś emmena Wicek dans le jardin et flâna en direction de la volière, Antonina le regarda s'arrêter pour caresser les longues oreilles du lièvre et dire: «Prépare-toi, mon vieux! On va dans la maison des faisans! Alors attention: il faut se tenir tranquille!» Il posa son index sur ses lèvres. Puis tous deux avancèrent jusqu'à la petite construction de bois, le lièvre sur les talons du garçon.

À l'intérieur, Ryś vit deux garçons endormis sur un tas de foin, entourés de lapins de toutes tailles qui, pareils à des trolls, observaient et flairaient ces humains plongés dans le sommeil. Ryś referma la porte à clé derrière lui, déposa sans bruit un panier de laiterons et en lança des poignées pour nourrir les rongeurs. Il sortit ensuite une marmite remplie de pâtes à potage, un gros quignon de pain et deux cuillers.

Les examiner pendant qu'ils dormaient était irrésistible pour un enfant curieux des animaux et des humains, il approcha donc son visage d'eux et s'interrogea sur la meilleure manière de les réveiller, sachant qu'il ne devait ni taper du pied, ni frapper des mains, ni crier. Il s'accroupit et tira l'un d'eux par la manche, mais le dormeur épuisé ne bougea pas. Ryś persévéra. En vain. Comme les gestes n'avaient aucun effet, il essaya une technique plus subtile:

il gonfla ses poumons et souffla sur le visage du garçon, jusqu'à ce que celui-ci lève une main pour écraser un insecte imaginaire et ouvre enfin les yeux.

Encore assoupi, interloqué, le garçon prit un air affolé, et Ryś jugea qu'il était temps pour lui de se présenter. Il se pencha davantage et chuchota: «Je suis Ryś!

— Enchanté, lui répondit le garçon dans un murmure, puis il ajouta, et moi, je suis Faisan!

Le malentendu était compréhensible, attendu que Ryś signifie lynx et que les habitants clandestins du zoo recevaient le nom de l'animal qui vivait jadis dans leur cachette.

«Oui, mais je dis vrai, insista Ryś, je suis vraiment Ryś, ce n'est pas une blague. Ryś le garçon, pas Ryś avec des houppettes sur les oreilles et une queue de fox-terrier!

— Oui, je vois bien, répliqua le garçon. Je ne suis un faisan qu'aujourd'hui. De toute façon, si tu étais un vrai lynx et que j'avais des plumes, tu serais en train de me dévorer, tu ne crois pas?

— Peut-être que non, répondit Ryś avec sérieux. S'il te plaît, ne plaisante pas… je t'ai apporté le petit-déjeuner et un crayon, et…» Soudain, des pas résonnèrent sur un trottoir proche et au moins deux voix allemandes retentirent. Ryś et le garçon se figèrent.

Lorsque les voix se furent éloignées, Ryś déclara: «Ils vont peut-être juste vers leurs carrés de jardin.» Le second conspirateur se réveilla, s'étira et frotta ses jambes raides, courbaturées, tandis que son camarade lui montrait le potage et lui tendait une cuiller. Toujours accroupi, Ryś les regarda manger, attendit qu'ils aient terminé, puis dit tout bas: «Au revoir. Ne vous ennuyez pas. Je vous apporterai le dîner et de la lecture… Vous aurez un peu de lumière par la petite lucarne.»

Alors qu'il repartait, Ryś entendit l'un des garçons glisser à l'autre: «Il est adorable, ce gamin! Et c'est tellement drôle d'avoir un lynx qui garde les faisans. Ça ferait une jolie histoire, tu ne crois pas?»

Ryś regagna la villa et raconta par le menu à Antonina ses aventures avec les garçons. Ceux-ci séjournèrent dans

233

le zoo durant trois semaines, aux bons soins de l'enfant, jusqu'à ce que les Allemands cessent leurs recherches, le temps aussi que de nouveaux papiers soient fabriqués et une autre cachette prévue. Un matin, Ryś ne trouva que les lapins dans la maison des faisans et comprit que les garçons s'étaient remis en route, ce qu'il vécut comme un échec personnel, des amis l'abandonnant.

« Maman, où ils sont ? Pourquoi est-ce qu'ils sont partis ? Ils n'aimaient pas être ici ? »

Elle lui expliqua qu'ils avaient été obligés de partir, que la guerre n'était pas un jeu et que d'autres Hôtes arriveraient pour combler le vide qu'ils avaient laissé.

« Tu peux toujours t'occuper de tes animaux, dit-elle en guise de réconfort.

— Je préfère les faisans, se plaignit-il. Tu ne comprends pas ? C'était autre chose ! Ils m'appelaient même leur ami, et ils ne me considéraient pas comme un petit garçon, mais comme leur gardien. »

Antonina caressa ses cheveux blonds. « Tu as raison, dit-elle, tu as été un grand garçon cette fois, et ton aide a été très importante. Tu comprends bien que c'est un secret et que tu ne dois en parler à personne, n'est-ce pas ? »

Elle vit de la fureur dans ses yeux. « Je le sais mieux que toi ! répliqua-t-il. Ces affaires-là ne sont pas pour les femmes », lança-t-il avec dédain, puis il siffla Wicek. Elle ne put que les regarder tristement tandis qu'ils s'éloignaient dans les buissons, sachant que Ryś devait affronter un départ et un secret supplémentaires qu'il ne pourrait jamais révéler. « Si je garde le silence sur mon secret, celui-ci est mon prisonnier », écrivit à une autre époque le philosophe natif de Gdańsk Arthur Schopenhauer, mais « si je le laisse s'échapper d'entre mes lèvres, alors je suis son prisonnier ». Inscrire les événements dans son journal permettait à Antonina de concilier la conservation et la révélation du secret — une même substance qui, comme l'eau, prend simplement différentes formes.

30

Durant l'été, saison prospère pour le moustique, des nuées d'insectes tourmentaient le zoo, comme d'habitude, et toute personne dehors au crépuscule portait des manches longues et un pantalon malgré la chaleur. À l'intérieur de la villa, Wicek le lièvre rôdait en quête de bonne chère ; il perçut un grincement et bondit vers la cuisine, où il trouva Kuba le poussin en train de manger. Pendant le dîner, Kuba se promenait parfois sur la table, picorant des miettes, et Wicek le regardait de loin jusqu'à l'instant où, d'un grand saut, il se projetait soudain près d'un quignon de pain ou d'un plat de pommes de terre et commençait à dévorer, à la frayeur du poussin et à l'hilarité des humains.

Les soirs où Ryś restait éveillé après le couvre-feu en attendant le retour de son père, le lièvre et le poussin se perchaient au bord de son édredon et veillaient avec lui. Selon Antonina, lorsque le carillon tintait, tous trois s'animaient et guettaient les pas de Jan dans l'escalier de l'entrée, qui sonnaient creux parce que les degrés de bois s'élevaient juste au-dessus des marches conduisant de la cuisine au sous-sol et que cet espace vibrait comme un tambour assourdi.

Ryś cherchait des signes d'inquiétude ou de fatigue sur le visage de son père, et les mains froides de Jan déballaient de la nourriture qu'il avait achetée grâce à des bons, ou il racontait une anecdote piquante, ou sortait un animal de son sac à dos magique. Une fois Ryś plongé dans le sommeil, Jan descendait l'escalier en silence tandis que le lièvre sautait du lit, le poussin se laissait glisser de l'édredon et tous deux le suivaient jusqu'à la table de la salle à manger où il dînait. Inévitablement, le lièvre bondissait sur ses genoux et le poussin escaladait son bras, puis son cou, et, là, se blottissait dans le col de sa veste et s'assoupissait ; même quand Antonina débarrassait les assiettes de Jan et les remplaçait par des livres et des papiers, les animaux refusaient de quitter la tiédeur de ses genoux et de son cou.

En 1943, Varsovie subit un hiver particulièrement rigoureux. Victime d'une mauvaise inflammation des voies respiratoires qui dégénéra en pneumonie, Ryś passa des semaines à l'hôpital et guérit sans le soutien d'antibiotiques notables. La pénicilline ne fut isolée qu'en 1939, dans une Grande-Bretagne contrainte par la guerre qui ne pouvait accorder aux scientifiques le luxe de chercher les moisissures les plus fécondes pour l'expérimentation clinique. Mais, le 9 juin 1941, Howard Florey et Norman Heatley s'envolèrent pour les États-Unis dans un avion aux vitres noircies, emportant une précieuse petite boîte de pénicilline, et, au sein d'un laboratoire de Peoria dans l'Illinois, ils étudièrent de luxuriantes moisissures du monde entier. Il se révéla qu'une souche venue d'un cantaloup sur un marché de Peoria, plongée dans une profonde cuve et laissée à fermenter, produisait dix fois plus de pénicilline que les moisissures concurrentes. Les tests requis prouvèrent que le médicament était le meilleur agent antibactérien de son époque, mais les soldats blessés n'en bénéficièrent qu'à partir du débarquement du 6 juin 1944, et les civils et les animaux durent attendre la fin de la guerre.

Lorsque Ryś rentra à la villa, le gel et la neige avaient déjà commencé à fondre dans le jardin, et il put aider à désherber, à bêcher et à planter. Wicek, dont la fourrure noire était devenue gris argent pendant l'hiver, ne le quittait pas d'une semelle, comme un chien bien dressé. Kuba le poussin, devenu presque adulte, picorait le sol fraîchement retourné et en extrayait de gros vers roses ; Antonina nota que les « vrais » poulets, qui logeaient dans le poulailler, traitaient Kuba en étranger, lui lançant des coups de bec féroces. Wicek, à l'inverse, laissait le poussin grimper sur son dos et s'y installer, et elle les voyait souvent cabrioler ensemble dans le jardin, monture et cavalier.

Avant la guerre, le zoo ondulait d'un paysage à l'autre, montagnes, vallées, lacs, étangs et bois, selon les besoins des animaux et les préférences de Jan en qualité de directeur. Maintenant que le zoo relevait du service des parcs et jardins de Varsovie, Jan rendait des comptes à un bureaucrate qui souhaitait une profusion continue de verdure, où les moindres bosquets, haies et obélisques se répondraient selon sa conception. Pour cela, il lui fallait le parc Praski et, tout spécialement, les vastes pelouses et l'arboretum du zoo.

Au printemps, Müller, directeur du jardin zoologique de Königsberg, apprit que le zoo de Varsovie était démantelé : il proposa d'acheter toutes les cages utilisables. Beaucoup plus petit que celui de Jan, son zoo était niché dans une ville fortifiée fondée par les chevaliers teutoniques et considérée comme imprenable. Plus tard dans le conflit, Churchill choisit Königsberg pour l'un des « bombardements de terreur » controversés de la RAF, et détruisit une grande partie de la ville (zoo inclus), qui capitula devant l'armée Rouge le 9 avril 1945. Elle fut alors rebaptisée Kaliningrad.

Mais, en 1943, en tant que « père de Varsovie » autoproclamé, le président allemand Danglu Leist refusait que sa ville soit éclipsée par une cité plus petite, et décida que Varsovie devait retrouver son zoo. Antonina raconta que Jan fut « aux anges » lorsque Leist l'invita à présenter un budget pour la renaissance du zoo et nota que, malgré le transfert des animaux, la destruction des bâtiments, la détérioration du matériel, le zoo prospérait toujours dans son cœur et ses rêves. Enfin, « tel le phénix », pensa-t-elle, le zoo, sa carrière et sa passion pour sa profession pourraient s'épanouir à nouveau ; et son action clandestine ne pourrait que bénéficier de l'effervescence du quotidien d'un zoo rouvert au public, avec sa mosaïque mouvante de visiteurs, d'animaux et d'employés, contexte dans lequel les manœuvres secrètes de la villa seraient moins visibles. Un zoo restauré revitaliserait les contours de son existence ; c'était parfait. Trop parfait, estima Jan. Il commença aussitôt à analyser le projet, en quête de défauts, d'autant que les Polonais « boy-cottaient toutes les activités de divertissement créées par l'ennemi ». Dans des circonstances normales, le zoo était le lieu de nombreuses études et recherches mais, craignant une intelligentsia polonaise, les nazis avaient fermé tous les établissements secondaires et supérieurs ; seules les écoles primaires avaient l'autorisation de fonctionner. Sa mission d'enseignement étant abolie, le zoo ne pouvait proposer qu'une petite galerie d'animaux et, vu la rareté de la nourri-ture et les étals de marché dégarnis, comment le zoo pour-rait-il justifier de nourrir ses animaux ? De plus, un zoo pourrait nuire à l'économie de la ville, raisonna Jan, ou l'exposer lui-même au danger s'il ne l'administrait pas dans le respect des injonctions allemandes. Alors que de tels pro-blèmes semblaient insurmontables, Antonina admira l'ab-négation de Jan qui, à ses yeux, manifestait « du caractère, de la bravoure et du réalisme ».

Jan déclara au vice-président polonais de Varsovie, Julian Kulski : « Il est difficile de savoir ce qui vaudrait mieux pour la ville ou pour le zoo. Et si, dans cinquante ou cent ans, quelqu'un lisait l'histoire du jardin zoologique de Varsovie, recréé par les Allemands pour leur plaisir alors même qu'il ruinait la ville ? Aimeriez-vous que ce détail figure dans votre biographie ?

— Je suis confronté tous les jours à ce genre de dilemme, se plaignit Kulski. Je jure que je n'aurais jamais accepté cette fonction si tous les habitants de Varsovie avaient péri en 1939 et que les Allemands avaient repeuplé la ville avec des étrangers. Je le fais uniquement pour servir mes conci-toyens. »

Au cours des deux journées suivantes, Jan élabora une lettre à Leist dans laquelle il louait sa décision de rouvrir le zoo et joignit un budget de fonctionnement colossal. Leist ne prit pas la peine de donner réponse, Jan ne s'attendait d'ailleurs pas à en recevoir une, mais il ne s'attendait pas non plus aux événements ultérieurs.

On ne sait par quel canal le directeur des parcs et jardins eut vent de la possible renaissance du zoo, qui aurait entravé son projet de parcs unifiés ; pour contrecarrer Jan, il informa donc les Allemands que les services du Dr Żabiński n'étaient plus nécessaires et que son poste devait disparaître.

Antonina n'attribua cette manœuvre « ni à l'antipathie ni à la vengeance », mais plutôt à « l'idée fixe » de laisser son empreinte sur les parcs de Varsovie. Néanmoins, cette mesure menaçait Jan et sa famille, car une personne dont un employeur allemand n'avait pas besoin perdait ses papiers de travail, ce qui l'exposait à la déportation vers l'Allemagne pour trimer dans les usines d'armement. Comme la villa était rattachée au zoo, les Żabiński risquaient d'être privés de leur logis, avec ses nombreuses cachettes, et du petit salaire de Jan. Que deviendraient alors les Hôtes ?

Kulski intercepta la plainte contre Jan avant que les Allemands la lisent et, au lieu de perdre sa place, Jan fut transféré au Musée pédagogique de la rue Jezuicka, petite annexe endormie où il n'y avait qu'un vieux directeur, une secrétaire et quelques gardiens, dont les Allemands se souciaient peu. Jan écrit que son travail consistait principalement à épousseter le vieux matériel d'éducation physique et à préserver les affiches de zoologie et de botanique prêtées aux écoles avant la guerre. Il avait ainsi davantage de temps pour conspirer avec la Résistance et enseigner la biologie dans « l'université volante ». Il gardait aussi un poste à temps partiel dans le service de santé, donc d'une mission à l'autre Antonina et Ryś savaient que Jan s'éclipsait chaque matin pour courir des dangers inconnus et réapparaissait dans le *no man's land* obscur qui précédait le couvre-feu. Antonina ignorait le détail de ses activités, mais le halo du risque et de la perte potentielle entourait chaque image mentale de Jan et elle essayait de chasser les scènes qui lui venaient naturellement à l'esprit, où elle le voyait tué ou prisonnier. « Mais je m'inquiétais toute la journée pour sa sécurité», avoua-t-elle.

En plus de fabriquer des bombes, de faire dérailler des trains et d'empoisonner les sandwichs au porc destinés à la cantine allemande, Jan continuait de travailler avec une équipe de gens du bâtiment qui construisaient des bunkers et des cachettes. Zegota louait aussi cinq appartements à l'usage des seuls réfugiés, qu'il fallait régulièrement fournir en vivres et conduire d'un abri au suivant.

De façon officielle, au titre des vérités dites tout haut, Antonina ne savait pas grand-chose des actions de Jan ; il ne lui en parlait qu'à de rares occasions et elle lui demandait rarement de confirmer ce qu'elle devinait. Elle jugeait primordial de ne pas en connaître trop long sur son combat, ses camarades ou ses projets. Sinon, l'inquiétude assombrissait son humeur du jour et avait des conséquences fâcheuses sur ses propres responsabilités, tout aussi vitales. Parce que beaucoup de gens comptaient sur elle pour leur subsistance et leur équilibre, elle jouait «à une sorte de cache-cache» avec elle-même, faisait semblant de ne pas savoir, tandis que la vie clandestine de Jan flottait aux limites de son horizon. «Quand les gens sont en permanence à la frontière de la vie et de la mort, il vaut mieux en savoir le moins possible», se disait-elle. Pourtant, sans vraiment le vouloir, l'on a toujours tendance à se représenter des scénarios effrayants, leur pathétique ou leur salut, comme si l'on pouvait s'administrer un traumatisme avant qu'il ne se produise, à petites doses raisonnables, en guise de vaccin. Existe-t-il des degrés homéopathiques d'angoisse ? Par un escamotage mental, Antonina se dupait à demi pour réussir à supporter les années d'horreur et de bouleversement, mais il y a une différence entre ne pas savoir et choisir de ne pas savoir ce que l'on sait mais que l'on préfère esquiver. Elle et Jan conservaient en permanence sur eux leurs capsules de cyanure.

Lorsque le bureau du gouverneur téléphona un jour pour convoquer Jan, les habitants de la villa supposèrent tous qu'il allait être arrêté et, comme l'affolement les gagnait, ils lui conseillèrent de fuir pendant qu'il le pouvait encore. «Mais qui vous procurera argent et protection?», demanda-t-il à Antonina, sachant qu'il les condamnerait à mort.

Le lendemain matin, à l'instant où Jan partait pour le bureau du gouverneur après qu'ils se furent embrassés, elle chuchota l'atroce question: «Tu as ton cyanure?»

Il avait rendez-vous à 9 heures, et Antonina jura qu'elle sentit intérieurement le passage des secondes tandis qu'elle vaquait aux tâches ménagères. Autour de 14 heures, alors qu'elle mettait des pommes de terre dans une casserole, elle entendit une voix chuchoter «Punia» et elle leva les yeux, le cœur battant: Jan était juste devant elle, à la fenêtre ouverte de la cuisine. Il souriait.

«Tu sais ce qu'ils voulaient? demanda-t-il. Tu ne vas pas le croire. Lorsque je suis arrivé au bureau du gouverneur, une voiture m'a emmené à Konstancin, la résidence privée du gouverneur Fischer. Ses gardes avaient aperçu des serpents près de la maison et dans les bois alentour, et ils craignaient que des résistants aient lâché des quantités de reptiles venimeux pour éliminer le gouverneur allemand! Leist m'a recommandé à lui comme spécialiste des serpents. Alors je leur ai prouvé qu'il n'y avait aucun reptile venimeux en capturant les serpents à mains nues!» Puis il ajouta, sinistre: «Par bonheur, je n'ai pas eu besoin du cyanure cette fois.»

Un après-midi, avant de quitter le travail, Jan mit deux pistolets dans son sac à dos et plaça par-dessus un lapin récemment tué. Comme il descendait du tram à l'arrêt du Cercle des vétérans, il se trouva soudain face à deux soldats allemands, dont l'un hurla «Haut les mains!» et lui ordonna d'ouvrir son sac à dos pour qu'il l'inspecte.

«Je suis perdu», pensa Jan. Avec une décontraction désarmante, il sourit et répondit: «Comment pourrais-je ouvrir mon sac avec les mains en l'air? Vous feriez mieux de vous en charger.» Un des soldats fouilla un peu à l'intérieur du sac et vit la carcasse.

241

«Oh, un lapin! Pour le repas de demain, peut-être?

— Oui. Il faut bien manger quelque chose», répliqua Jan sans se départir de son sourire.

L'Allemand lui dit qu'il pouvait baisser les mains et, avec un «*Also, gehen Sie nach Hause!*», l'autorisa à s'en aller.

Antonina écrivit que, écoutant Jan lui raconter comment il l'avait échappé belle, elle sentait son cuir chevelu bouger tant les veines de sa tête palpitaient fort. Que Jan ait paru amusé pendant qu'il lui narrait l'histoire, plaisantant «sur ce qui aurait pu être une tragédie, m'affolait encore plus».

Des années plus tard, Jan confia à un journaliste qu'il avait trouvé de tels risques attirants, exaltants, et éprouvé une fierté de soldat à se débarrasser de la peur et à réfléchir vite dans des situations difficiles. «Flegmatique», ainsi le dépeignait Antonina : un compliment. Cet aspect de sa personnalité, qui différait tant de son caractère à elle, lui était étranger, admirable, et constituait une leçon d'humilité puisqu'elle ne pouvait égaler ses actes de bravoure. Elle aussi l'avait plusieurs fois échappé belle, mais alors qu'elle plaçait les réussites de Jan au rang de l'héroïsme, elle attribuait les siennes à la simple chance.

À l'hiver 1944, par exemple, tandis que le réseau de gaz de la ville marchait mal et que leur salle de bains de l'étage n'avait pas d'eau chaude, Antonina enceinte rêvait des voluptés d'un bain brûlant. Sur un coup de tête, elle téléphona à Marysia et Mikołaj Gutowski, des cousins de Jan qui habitaient l'arrondissement de Żoliborz, au nord du centre-ville, ravissant quartier sur la rive gauche de la Vistule appartenant jadis à des moines qui l'avaient surnommé «joli bord». Lorsqu'elle parla d'eau chaude, comme elle l'avait espéré, les cousins dirent qu'ils en avaient à profusion et l'invitèrent à passer la nuit. Il était rare qu'Antonina sorte seule, même pour aller à la boucherie, au marché ou dans un autre commerce, mais ce luxe exceptionnel était si attrayant que, «une fois la permission de Jan obtenue», elle brava la neige épaisse, les vents de février, les soldats allemands et se rendit jusqu'à leur maison, tôt, un soir.

Après un long bain, elle rejoignit ses cousins dans une salle à manger « superbement décorée de meubles et d'objets élégants ». Elle remarqua des reflets miroitants : une collection encadrée de minuscules cuillers à café en argent était accrochée au mur, chacune ornée des armoiries d'une ville allemande – modestes souvenirs que les Gutowski avaient rapportés de voyages antérieurs à la guerre. Ils dînèrent, puis elle s'installa dans la chambre d'amis et s'endormit. Mais, à 4 heures du matin, des camions vrombissant tout près de la maison la réveillèrent, et elle entendit Marysia et Mikołaj se précipiter à la fenêtre. Elle les suivit : immobiles dans l'obscurité, ils regardèrent les camions bâchés garés sur la place Tucholski, entourés d'une foule considérable et de policiers allemands, et des camions supplémentaires qui arrivaient. Tandis que les soldats ne cessaient d'embarquer les otages à destination des camps, Antonina, angoissée, espéra qu'ils n'allaient pas l'emmener elle aussi. Décidant de ne pas intervenir, ses cousins et elle retournèrent se coucher mais, un instant plus tard, un tambourinement contre la porte obligea Mikołaj à descendre, encore en pyjama, et Antonina se demanda ce que deviendraient les siens sans son aide. Soudain, des Allemands surgirent dans le couloir et exigèrent de voir ses papiers.

Le doigt pointé vers elle, un soldat interpella Mikołaj : « Pourquoi cette femme n'est-elle pas déclarée ici ?

— C'est ma cousine, l'épouse du gardien du zoo, expliqua-t-il dans un allemand parfait. Elle dort ici cette nuit parce que leur salle de bains est hors service ; elle est juste venue prendre un bain et passer la nuit. Dehors, il fait noir et les trottoirs sont verglacés, ce n'est pas prudent pour une femme enceinte d'y marcher seule. »

Les soldats commencèrent d'inspecter la maison. Ils parcoururent avec lenteur chacune des pièces élégamment meublées, échangeant des sourires ravis.

« *So gemütlich*, dit l'un d'eux, mot suggérant un confort délicat. Chez nous, les bombardements aériens ont détruit nos maisons. »

Plus tard, Antonina écrivit qu'elle imaginait bien l'inquiétude de cet homme : en mars, les appareils américains avaient largué deux mille tonnes de bombes sur Berlin, et en avril des milliers d'avions s'étaient affrontés au-dessus de cités allemandes naguère splendides. Les soldats avaient beaucoup de *gemütlichkeit* à regretter, même si le pire était encore à venir. Vers la fin de la guerre, les Alliés lâcheraient un tapis de bombes sur les villes allemandes, y compris Dresde, berceau de l'humanisme et joyau architectural.

Antonina se tint à l'écart et les scruta en silence quand ils entrèrent dans la salle à manger, où un soldat aperçut le fastueux tableau de cuillers commémoratives au mur. Il s'arrêta, se rapprocha, puis son visage exprima un étonnement joyeux alors qu'il signalait à son camarade les rangées soignées à la gloire de si nombreuses villes de leur pays. Le soldat déclara poliment : « Je vous remercie, tout est en ordre, nous avons terminé notre inspection. Au revoir ! » Et ils s'en allèrent.

En repensant à cette nuit, Antonina supposa qu'elle devait son salut à des souvenirs sentimentaux et à l'idée que quelqu'un dans la maison avait des racines allemandes. La coutume de Marysia d'acheter des bibelots et de les exposer comme de l'art populaire leur avait permis d'échapper à l'arrestation, à l'interrogatoire, peut-être à la mort. Malgré tout ce qu'elle choisissait de ne pas voir, Antonina avait des secrets précieux (sur des personnes, des lieux, des contacts), de même que Mikołaj, ingénieur catholique qui, avec l'aide de Zegota, cachait parfois des juifs.

Enfin, ils retournèrent au lit et, le lendemain, Antonina rentra chez elle. Les Hôtes lui assurèrent que, si elle et Jan avaient pu s'en tirer autant de fois, c'était qu'ils vivaient « sous une bonne étoile », pas seulement une folle étoile.

Lorsque le printemps revint, le zoo sortit de l'hibernation, les feuilles des arbres se déplièrent, le sol dégela et beaucoup de citadins arrivèrent, outils de jardinage à la main, pour cultiver leurs petits potagers. Les Żabiński accueillirent des Hôtes encore plus désespérés, qui intégrèrent le sous-sol ou les placards de la villa, se glissèrent dans les petits abris et les cages. Antonina s'affligeait qu'ils n'aient plus aucun bien matériel, aucune photo, aucun objet de famille. Elle les décrivit dans son journal comme « des gens qui avaient tout perdu sauf la vie ».

Au mois de juin, Antonina réaffirma l'optimisme iné-branlable de l'existence en accouchant d'une petite fille nommée Teresa, qui occupa le devant de la scène malgré le conflit mondial. Le nourrisson fascinait Ryś, et Antonina écrivit qu'elle avait l'impression de se trouver dans un conte sur un bébé princesse (la princesse Teresa Jabłonowski était née en 1910), pour qui des cadeaux affluaient tous les jours. Un berceau en osier doré, un édredon cousu main, des chandails, des bonnets et des chaussettes tricotés, à une époque où la laine était rare, constituaient « des tré-sors inestimables, chargés de magie protectrice ». Une amie très pauvre avait même brodé de minuscules perles sur des couches en tissu. Enchantée de ces témoignages d'affec-tion, Antonina les sortait de leur papier de soie, les tou-chait, les admirait, les étalait sur son édredon comme des icônes. Pendant la guerre, les couples essayaient de ne pas avoir d'enfants tant la situation était incertaine, et ce bébé rayonnant de santé paraissait un bon présage dans l'une des cultures les plus superstitieuses qui soient, en particulier au sujet de la maternité.

Dans le folklore polonais, une femme enceinte n'osait pas dévisager un infirme, car le bébé risquait d'être frappé d'infirmité lui-même. Plonger son regard dans le feu pro-voquait des taches de vin chez l'enfant, observer par le trou de la serrure le condamnait au strabisme. Si une femme marchait sur une corde à terre ou passait sous une corde à linge durant sa grossesse, le cordon ombilical s'entortille-rait lors de l'accouchement. Les futures mères ne devaient contempler que des paysages, des objets et des gens beaux, et pouvaient donner naissance à un enfant sociable, heu-reux, à condition de beaucoup parler et chanter. Une envie de mets acides annonçait un garçon, une envie de sucreries annonçait une fille. Si possible, il fallait accoucher un jour favorable de la semaine, à une heure favorable, pour garantir au bébé une vie de bonheur, tandis qu'un jour sinistre était source de mauvais sorts. La Vierge Marie bénissant le samedi, tout nouveau-né échappait alors au mal ; les enfants nés un dimanche pouvaient eux aussi s'épanouir en devenant mystiques et prophètes. Des rituels superstitieux accompagnaient la conservation et le séchage du cordon ombilical, la première tétée, le premier bain, la première coupe de cheveux, etc. Parce qu'il marquait la fin de la petite enfance, le sevrage revêtait une signification particulière. « Les femmes de la campagne pensaient que le sevrage ne devait pas se produire à certaines périodes. Il était exclu quand les oiseaux migraient pour l'hiver, de peur que, plus tard, l'enfant soit farouche et se réfugie dans les bois. Si le sevrage avait lieu pendant que les arbres perdaient leurs feuilles, l'enfant connaîtrait une calvitie précoce. Un enfant n'était pas sevré au temps des moissons, quand les récoltes étaient cachées avec soin, car il deviendrait quelqu'un de très secret. » (*Coutumes, traditions et folklore de Pologne*).

En outre, il fallait dissimuler la grossesse le plus longtemps possible, et même le mari devait se garder d'en parler, de crainte qu'un voisin jaloux ne jette le mauvais œil sur le bébé. À l'époque d'Antonina, le mauvais œil, venu de l'envie rancunière de gâter la bonne fortune, inquiétait beaucoup de Polonais, qui croyaient qu'un événement heureux attirait le mal et que parler avec éloge d'un nouveau-né le menaçait. « Quel beau bébé ! » était une appréciation si empoisonnée qu'en guise d'antidote la mère devait rétorquer : « Oh, cet enfant est un laideron ! », puis cracher en signe de dégoût. Dans la même logique, quand une jeune fille avait ses premières règles, il était habituel que sa mère la gifle. La lutte contre les maléfices revenait principalement aux mères, qui sauvaient leur progéniture en renonçant aux manifestations de joie et de fierté, sacrifiant ainsi ce qu'elles appréciaient beaucoup pour ce qu'elles chérissaient le plus, parce que, dès l'instant où on aimait quelque chose, on encourait la perte. Si, pour les catholiques, Satan et ses laquais rôdaient sans cesse, les juifs affrontaient tous les jours une quantité de démons, le plus connu d'entre eux étant peut-être le *dybbuk*, proche du zombie, esprit d'un mort revenu hanter le corps d'un vivant.

Le 10 juillet, Antonina releva de couches pour fêter la naissance de Teresa lors d'une petite célébration de baptême. La tradition voulait qu'on serve alors du fromage et du pain tressé, afin de chasser les forces malfaisantes. Il y eut aussi des conserves de viande farcie de lard, confectionnées avec les carcasses des corbeaux que les Allemands avaient tués l'hiver précédent. L'Homme Renard prépara des gaufres et Maurycy une liqueur traditionnelle de vodka au miel appelée *pępkowa*. Bien sûr, à ses yeux, l'événement exigeait la présence de son hamster ; Piotr rejoignit donc la table et se mit à ramasser les miettes, comme d'habitude ; il examina chaque assiette et coupe, dressa la tête, renifla, moustaches frémissantes, et finit par découvrir la source d'un nouvel arôme suave : les verres à liqueur vides. Il en souleva un dans ses pattes minuscules, lécha avec plaisir les dernières gouttes de liquide au parfum de miel, passa au verre suivant et se régala ainsi jusqu'à l'ivresse, tandis que les participants riaient. Il paya cher cette beuverie : le lendemain matin, Maurycy le trouva raide mort sur le plancher de sa cage.

31

Rien n'avait changé dans le tableau de service ou l'organisation de la villa, pourtant Antonina sentait un malaise flotter dans l'air : chacun vaquait à ses occupations habituelles avec un sourire aimable tout en s'efforçant de dissimuler des nerfs à fleur de peau. Les gens semblaient « distraits » et « les conversations trébuchaient, hésitantes, les phrases restaient en suspens ». Le 20 juin 1944, une bombe posée par le comte von Stauffenberg explosa dans le quartier général d'Hitler, la *Wolfschanze* (le repaire du loup), au cœur de la forêt prussienne, mais le Führer en fut quitte pour de légères blessures. Après cet attentat, l'affolement gagna la population allemande locale et des colonnes de soldats battant en retraite se mirent à traverser Varsovie, faisant sauter les immeubles alors qu'ils fuyaient vers l'ouest. Des membres de la Gestapo brûlaient les dossiers, vidaient les entrepôts et expédiaient leurs biens personnels à destination de l'Allemagne. Le gouverneur, le maire et d'autres administrateurs allemands filèrent dans la première charrette ou le premier camion venu, laissant derrière eux une simple garnison de 2 000 soldats. Tandis que les Allemands se repliaient en hâte, créant un vide, de nombreux Polonais se précipitèrent en ville depuis les villages voisins, car ils redoutaient que les soldats de passage dévastent leurs fermes ou leurs maisons.

Persuadé que le soulèvement se déclencherait d'une minute à l'autre, Jan estimait qu'il suffirait de quelques jours aux 350 000 hommes de l'Armée de l'intérieur pour écraser les Allemands restants. En principe, une fois que les Polonais auraient pris le contrôle des ponts, les bataillons des deux rives de la Vistule pourraient unir leurs forces et constituer une seule armée puissante qui libérerait la capitale.

Le 27 juillet, lorsque les troupes russes atteignirent la Vistule à une centaine de kilomètres au sud de Varsovie (Antonina entendit les tirs d'artillerie, écrit-elle), le gouverneur allemand Hans Frank donna l'ordre, sous peine de mort, à 100 000 hommes polonais entre dix-sept et soixante-cinq ans de travailler neuf heures par jour à bâtir des fortifications autour de la ville. L'Armée de l'intérieur recommanda d'ignorer l'injonction de Frank et de se préparer au combat, un appel aux armes que les Russes, qui ne cessaient de se rapprocher, reprirent le lendemain dans un message radiophonique en polonais : « L'heure d'agir a sonné ! » Le 3 août, comme l'armée Rouge bivouaquait à quinze kilomètres du quartier de la rive droite où se trouvait le zoo, la tension monta encore au sein de la villa et la question devint lancinante : « Quand le soulèvement va-t-il commencer ? »

Les personnages du zoo changèrent soudain. La plupart des Hôtes avaient déjà rallié l'armée ou intégré des cachettes plus sûres ; l'Homme Renard prévoyait d'emménager dans une ferme près de Grójec ; Maurycy rejoignit Magdalena à Saska Kępa ; néanmoins, même si l'avocat et sa femme se réfugièrent de l'autre côté de la Vistule, leurs deux filles Nunia et Ewa décidèrent de rester à la villa, parce qu'à supposer qu'il arrive malheur à Antonina, insistèrent-elles, la petite Teresa, Ryś, la mère septuagénaire de Jan et la gouvernante devraient se débrouiller seuls, ce qui était inconcevable. Les soldats commencèrent à évacuer les civils qui habitaient les parcelles les plus proches du fleuve, mais Jan espérait que sa famille pourrait rester au zoo, parce que les combattants polonais seraient à coup sûr bientôt victorieux, et que l'épreuve d'un déménagement risquait d'être fatale à sa mère infirme ou au bébé. Dans son témoignage à l'Institut juif, il raconta que, à 7 heures du matin le 1ᵉʳ août, une fille arriva pour l'avertir de la mobilisation. Ce devait être quelqu'un comme la messagère de l'Armée de l'intérieur Halina Dobrowolska (Halina Korabiowska durant la guerre), que j'ai rencontrée un après-midi ensoleillé à Varsovie. Aujourd'hui sémillante octogénaire, elle était adolescente pendant le conflit, et elle se souvient encore du jour où, à vélo et en tramway, elle dut effectuer un long trajet périlleux dans diverses banlieues pour rallier les combattants et informer les familles de l'imminence du soulèvement. Lorsqu'elle trouva enfin un tram, son conducteur s'apprêtait à plier bagage, car la majorité des Varsoviens avaient déjà quitté leur travail et regagné leur domicile à toute vitesse pour se préparer au combat. Anticipant le problème, la Résistance avait fourni à Halina des dollars américains, que le conducteur accepta, et, fébrile, il la conduisit à destination.

Jan se précipita à l'étage, où Antonina dormait avec Teresa, et lui annonça la nouvelle.

« Hier, tu avais des informations tout autres ! dit-elle avec angoisse.

— Moi non plus, je ne comprends pas ce qui se passe, mais il faut que j'aille voir. »

Leur ami Stefan Korboński, qui ne fut pas prévenu et s'étonna aussi du moment choisi, saisit un peu de l'ardeur et de la vivacité dans les rues du centre-ville ce jour-là : « Les rames de tramways étaient pleines de jeunes garçons [...] Sur les trottoirs, des femmes par groupes de deux ou trois marchaient d'un pas alerte, avec une hâte évidente, chargées de gros sacs et paquets. Elles transportent des armes vers les points de rassemblement, ai-je pensé. Un flot continu de bicyclettes occupait la chaussée. Des garçons en bottes à revers et coupe-vent pédalaient aussi fort que leurs jambes le leur permettaient [...] Ici et là, il y avait un uniforme allemand, ou une patrouille allemande, qui avançait sans rien remarquer, sans savoir ce qui se passait alentour [...] J'ai croisé de nombreux hommes qui se pressaient, graves et déterminés, dans toutes les directions, et échangeaient avec moi des regards entendus. »

Quatre heures plus tard, Jan rentra pour faire ses adieux à sa femme et à sa mère, expliquant que l'insurrection allait commencer d'une minute à l'autre. Il tendit à Antonina une gamelle en étain et annonça : « Il y a un revolver chargé à l'intérieur, si jamais des soldats allemands faisaient irruption… »

Antonina se figea. « J'étais pétrifiée », écrivit-elle. Elle demanda alors : « Des soldats allemands ? Quel est le fond de ta pensée ? As-tu oublié ce dont nous étions persuadés il y a encore quelques jours, que l'armée de la Résistance gagnerait ? Tu n'y crois plus ! »

Jan répondit d'un ton lugubre : « Écoute, il y a une semaine, nous avions de bonnes chances de remporter cette bataille. Maintenant, il est trop tard. Les circonstances ne sont plus propices, il faudrait attendre. Il y a vingt-quatre heures, nos chefs le pensaient. Mais, hier au soir, ils ont brusquement changé d'avis. Ce genre d'indécision peut avoir des conséquences désastreuses. »

Jan ne se doutait pas que les Russes, alliés supposés, avaient leurs propres visées expansionnistes, et que Staline, ayant l'assurance de recevoir une partie de la Pologne après la guerre, voulait vaincre à la fois les Allemands et les Polonais. En attendant, il refusait que les avions des Alliés se dirigent vers la Pologne et atterrissent sur les pistes russes.

« J'étreignis Jan, appuyant mon visage contre sa joue, se remémora Antonina. Il me déposa un baiser dans les cheveux, regarda le bébé puis se précipita au rez-de-chaussée. Mon cœur battait à tout rompre ! » Elle cacha sous son lit la gamelle contenant le revolver et alla voir la mère de Jan, qu'elle trouva assise dans un fauteuil, en train d'égrener son chapelet, « la figure inondée de larmes ».

La mère de Jan devait respecter la coutume de se signer sur le front et d'implorer Marie de bénir le parcours de Jan. Notre Dame de l'Armée de l'intérieur (la Vierge) était la sainte patronne des soldats pendant l'insurrection : elle eut ses autels édifiés à la hâte dans la capitale et des statuettes le long des routes (la Pologne en compte toujours beaucoup). Les soldats et leurs familles priaient aussi Jésus et avaient souvent dans leurs portefeuilles une petite image du Christ avec l'inscription *Jezu, ufam tobie* (Jésus, j'ai confiance en toi).

Nous ne savons pas ce que faisait Antonina pour alléger les tourments de l'incertitude, mais Jan précisa un jour dans un entretien qu'elle avait reçu une éducation catholique stricte ; comme ses deux enfants étaient baptisés et qu'elle portait toujours une médaille pieuse, elle priait sûrement. Pendant la guerre, quand tout espoir s'était évanoui et qu'il ne restait plus que les miracles, même les incroyants se tournaient vers la prière. Certains Hôtes recouraient à la divination pour essayer de garder le moral, mais Jan, homme de raison autoproclamé, fils d'un athée déclaré, désapprouvait la superstition et la religion ; sa mère, fervente catholique, et Antonina avaient donc probablement leurs secrets intimes.

Lorsque les avions effectuèrent des raids à basse altitude sur la ville, Antonina s'efforça de deviner ce qui se passait de l'autre côté de la Vistule et finit par monter sur la terrasse, d'où elle prêta l'oreille aux vives fusillades, le moindre bruit constituant un indice. Les tirs étaient «distincts, ciblés», nota-t-elle ; il ne s'agissait pas des échos continus d'une grande bataille.

La direction du petit fief qu'était le zoo lui incombait, prit-elle conscience, avec sous sa coupe Ryś, la petite Teresa de quatre semaines, les jeunes Nunia et Ewa, sa belle-mère, la gouvernante, l'Homme Renard et les deux assistants de celui-ci. La «lourde responsabilité de la vie d'autres personnes» lui pesait et tournait, obsessionnelle, dans sa tête : «La gravité de la situation m'empêchait de me détendre un seul instant. Que je le veuille ou non, il me fallait tenir les rênes de notre foyer [...] être vigilante à chaque seconde comme je l'avais appris dans mes années de scoutisme. Et je savais que Jan avait des missions bien plus difficiles.

J'éprouvais avec force le sentiment de devoir veiller à tout dans la maison ; ces pensées me hantaient [...] Je savais que je ne pouvais me soustraire à cette obligation. »

Le sommeil s'inclina devant la guerre, et pendant vingt-trois nuits Antonina s'obligea à veiller, terrifiée à l'idée qu'elle pourrait s'assoupir et ne pas remarquer un bruit, même minuscule, signalant un danger. D'une certaine façon, cet esprit protecteur n'était pas nouveau chez elle : durant les bombardements de 1939, elle avait fait un rempart de son corps à son jeune fils. Une attitude liée à la véhémence de la maternité, estima-t-elle, à l'instinct de se battre si nécessaire pour sauver sa famille.

Même si les affrontements se déroulaient de l'autre côté de la rivière, Antonina sentait l'odeur de la mort, du soufre et de la pourriture quand le vent d'ouest soufflait et elle entendait le fracas incessant des balles, des obus et des bombes. Privée de nouvelles et de contact avec le reste de la ville, elle voyait la villa « qui avait tenu lieu d'arche désormais réduite à une coque de noix sur le vaste océan, à la dérive sans compas ni gouvernail », et elle pensait qu'un bombardement allait frapper le zoo d'une minute à l'autre.

Postés sur la terrasse, Ryś et elle s'étiraient pour observer les incendies et suivre les heurts. La nuit, ils voyaient les gerbes d'étincelles des tirs et entendaient les avions siffler au-dessus de la ville jusqu'à l'aube.

« Papa se bat dans la pire zone », ne cessait de répéter Ryś, le doigt pointé vers la vieille ville. En faction pendant des heures, il scrutait les scènes aux jumelles, cherchant la silhouette de son père, se baissant chaque fois qu'une bombe grondait dans sa direction.

Juste devant la porte de la chambre d'Antonina, une échelle métallique menait au toit plat, et Ryś y grimpait souvent, ses jumelles à la main. Des Allemands casernés dans le parc Praski avaient investi un petit parc d'attractions près du pont, où se dressait une tour pour les sauts en parachute ; de là-haut, ils aperçurent Ryś qui les espionnait.

Un jour, un soldat s'arrêta pour dire à Antonina que, si jamais il revoyait le garçon sur le toit, il le tuerait.

Malgré les nuits chaotiques, sans sommeil, et les alertes quotidiennes, Antonina admit qu'elle éprouvait des « frissons d'enthousiasme » quant à l'insurrection, « ayant imaginé ce jour au fil des longues et terribles années d'Occupation », même si elle ne disposait d'aucun renseignement précis. Par-delà la Vistule, au cœur de la ville, il y avait pénurie d'eau et de nourriture, mais profusion de sucre en morceaux et de vodka (chapardés dans les réserves allemandes) pour alimenter l'Armée de l'intérieur tandis qu'elle élevait des barricades antichars avec des pavés. Parmi ses 38 000 soldats (dont 4 000 femmes), seul un sur quinze possédait des armes adéquates ; tous les autres utilisaient des bâtons, des fusils de chasse, des couteaux et des épées, avec l'espoir de s'emparer des armes de l'ennemi.

Les Allemands contrôlaient encore le central téléphonique, d'audacieuses coursières portaient donc des messages dans toute la ville comme elles l'avaient fait en secret sous l'Occupation. Lorsqu'elle revint à Varsovie, Halina Korabiowska se dirigea vers le centre et aida à relayer les messages, à installer des antennes chirurgicales et des cuisines roulantes et à approvisionner les combattants.

« Il y avait des barricades partout, m'a-t-elle raconté, de l'ardeur dans la voix. Au début, nous étions ravis. À 5 heures du matin, l'insurrection a commencé et nous avons mis des brassards rouge et blanc […] Au cours des premières semaines, nous avons eu un repas quotidien composé de soupe et de viande de cheval, mais ensuite nous n'avons plus mangé que des pois secs, des chiens, des chats et des oiseaux.

« Un jour qu'une de mes amies, âgée de quinze ans, transportait sur une civière un soldat blessé, un avion est passé au-dessus de nous. Elle a remarqué la peur dans les yeux du soldat et s'est jetée sur lui pour le protéger : elle a été gravement touchée au cou. Un autre jour, pendant ma tournée, j'ai rencontré deux femmes qui sortaient d'un immeuble, chargées de gros sacs. Je me suis arrêtée pour leur proposer de l'aide et elles m'ont expliqué qu'elles avaient découvert un stock de médicaments allemands, ainsi qu'un énorme sac de sucreries, dont elles m'ont offert une partie. J'ai bourré les poches et les manches de ma veste et je suis allée vers les soldats en tenant mes bras juste à la bonne hauteur pour que rien ne tombe. Chaque fois que j'en croisais un, je lui disais de mettre ses mains en coupe, je tendais les bras et lâchais les bonbons dans ses paumes!»

Avec le repli des Allemands, chacun était libre de circuler et de parler pour la première fois depuis des années, les juifs pouvaient quitter leurs cachettes, puisque les lois racistes n'étaient plus en vigueur, les gens plantaient le drapeau polonais sur leurs maisons, chantaient des chants patriotiques et arboraient des brassards rouge et blanc. Feliks Cywiński commandait une brigade où combattait Samuel Kenigswein, qui menait son propre bataillon. La vie culturelle de Varsovie, longtemps léthargique, se réveilla, les cinémas rouvrirent, les revues littéraires réapparurent soudain, des salons au mobilier élégant accueillirent de brillants concerts. Un service postal gratuit émettait des timbres, des scouts l'assuraient et portaient eux-mêmes les plis. Une photo d'archives montre une petite boîte à lettres métallique décorée à la fois d'un aigle et d'un lis, rappelant que les plus jeunes scouts risquaient leur vie pour distribuer ce courrier.

Lorsque la nouvelle de l'insurrection lui parvint, Hitler ordonna à Himmler d'envoyer ses troupes les plus dures, de tuer tous les Polonais et de détruire la ville entière, rue par rue, de la bombarder, de l'incendier et de la raser en guise d'avertissement au reste de l'Europe occupée. Pour cette besogne, Himmler choisit les unités SS les plus brutales, composées de criminels, de policiers et d'anciens prisonniers de guerre. Le cinquième jour du soulèvement, qui fut ensuite appelé le «samedi noir», les soldats aguerris d'Himmler, membres de la SS ou de la Wehrmacht, massacrèrent trente mille hommes, femmes et enfants. Le lendemain, tandis qu'une armada de Stukas bombardaient la ville (dans les films d'archives, on les entend gémir comme des moustiques géants), des Polonais mal équipés et souvent non entraînés luttèrent avec acharnement, demandèrent par radio à Londres de larguer de la nourriture et du matériel, et supplièrent les Russes de lancer une attaque immédiate.

Antonina écrivit dans son journal que deux SS ouvrirent soudain la porte de la villa, armes pointées, et hurlèrent: «*Alles rrrraus!!*»

Terrifiés, elle et les autres sortirent de la maison et attendirent dans le jardin, ne sachant que prévoir mais redoutant le pire.

«Mains en l'air!» hurlèrent-ils. Antonina remarqua qu'ils avaient le doigt sur la détente.

Tenant le bébé dans ses bras, elle ne pouvait lever qu'une main, et son cerveau eut du mal à «comprendre leurs phrases vulgaires, virulentes» lorsqu'ils vociférèrent: «Vous allez payer pour la mort de nos soldats héroïques, abattus par vos maris et vos fils. Vos enfants (ils montrèrent Ryś et Teresa) ont tété la haine du peuple allemand au sein maternel. Jusqu'à présent nous vous avons laissé faire, mais ça suffit! Dorénavant, mille Polonais seront tués pour chaque Allemand mort.»

«Cette fois, c'en est fini», pensa Antonina. Serrant bien fort son bébé, l'esprit en ébullition pour essayer de trouver une idée, elle sentit son cœur battre la chamade et ses jambes devenir trop lourdes pour bouger. Même si elle était clouée sur place, elle savait qu'elle devait dire quelque chose, n'importe quoi, et garder son sang-froid, leur parler comme elle le faisait jadis pour apaiser les animaux en colère et gagner leur confiance. Sa bouche s'emplit de mots allemands qu'elle ne pensait pas connaître et elle se mit à parler des tribus anciennes, de la grandeur de la culture allemande. Tandis qu'elle serrait son bébé plus fort et que les mots sortaient d'entre ses lèvres, dans un autre coin de sa tête, elle se concentrait et répétait sans relâche : *Calmez-vous ! Baissez vos armes ! Calmez-vous ! Baissez vos armes ! Calmez-vous ! Baissez vos armes !*

Les Allemands continuèrent à hurler, sans qu'elle les entende, et ils ne baissèrent leurs armes à aucun moment, mais dans un flot de pensées précipitées elle s'obstina à leur parler tout en lançant des injonctions muettes.

Soudain, l'un des soldats regarda le plus jeune assistant de l'Homme Renard et lui aboya d'aller derrière le hangar du jardin. Le garçon se mit à marcher, suivi du SS qui plongea la main dans sa poche et en sortit un revolver alors qu'ils disparaissaient. Un unique coup de feu.

L'autre Allemand dit à Ryś : « C'est ton tour ! »

Antonina vit la terreur se peindre sur le visage de son fils, la pâleur l'envahir, les lèvres virer au mauve. Elle ne pouvait esquisser un geste, car ils risquaient de la tuer, ainsi que Teresa. Ryś leva les mains et s'éloigna d'un pas lent, robotique, « comme si la vie avait déjà quitté son petit corps », se rappela-t-elle plus tard. Elle le suivit d'abord des yeux, puis en pensée : « Maintenant, il doit être près des roses trémières… Maintenant, il doit arriver vers la fenêtre du bureau… » Un deuxième coup de feu « comme une baïonnette me transperçant le cœur […] et nous entendîmes un troisième coup de feu […] Ma vue se brouilla puis devint sombre. Je me sentais si faible, j'étais sur le point de m'évanouir ».

L'un des Allemands lui lança : « Asseyez-vous sur le banc. C'est trop pénible de rester debout avec l'enfant dans vos bras. » Un moment après, le même soldat cria : « Eh, les garçons ! Apportez-moi ce coq ! Sortez-le des buissons ! »

Tremblants de peur, les deux garçons surgirent des arbustes. Ryś tenait son poulet Kuba, mort, par une aile, et Antonina fixa les grosses gouttes qui coulaient des blessures de l'oiseau.

« Quelle bonne farce on vous a faite ! », s'exclama l'un des soldats. Antonina vit leurs visages de marbre devenir goguenards alors qu'ils quittaient le jardin, emportant le poulet, et elle regarda Ryś se détourner, luttant pour ne pas pleurer, mais il fondit bientôt en larmes. Comment une mère pouvait-elle consoler son enfant après une telle scène ?

« Je me suis approchée de lui et j'ai chuchoté à son oreille : "Tu es mon héros, tu as été si courageux, mon fils. Pourrais-tu m'aider à rentrer maintenant, s'il te plaît, parce que mes jambes ne me portent plus." Peut-être que la responsabilité l'aiderait à désamorcer un peu ses émotions. Je savais combien il était difficile pour lui de ne pouvoir les maîtriser. De plus, j'avais vraiment besoin de lui pour nous soutenir, Teresa et moi, car l'épouvante m'avait privée de mes forces. »

Plus tard, lorsqu'elle se fut ressaisie, elle essaya d'analyser le comportement des SS : avaient-ils jamais envisagé de les tuer, ou tout cela avait-il été, depuis le début, un jeu malsain de pouvoir et d'intimidation ? Assurément ils n'avaient pas pu connaître l'existence de Kuba, ils devaient donc avoir improvisé. Leur soudaine compassion, lorsqu'ils l'avaient invitée à s'asseoir, constituait une énigme. S'étaient-ils réellement inquiétés qu'elle s'effondre, son nourrisson dans les bras ? « Dans ce cas, pensa-t-elle, peut-être que leurs cœurs monstrueux contiennent quelques sentiments humains ; dès lors, le mal absolu n'existe pas vraiment. »

Elle avait cru si fort que les coups de feu avaient tué les garçons, que Ryś gisait à terre, une balle dans la tête. Des circonstances pareilles ébranlent le système nerveux d'une mère et, même s'ils avaient tous survécu, elle se sentit sombrer dans une brusque dépression qu'elle se reprocha dans son journal : « Ma faiblesse me rendait honteuse » au moment précis où « il fallait que je guide mon petit groupe ».

Les jours suivants, elle souffrit aussi de maux de tête provoqués par le vacarme infernal de l'armée allemande qui accumulait des rangées de lance-roquettes, de mortiers et de pièces d'artillerie lourde à proximité du zoo. Puis vint le séisme des bombes, projectiles de toutes tailles et de toutes formes produisant leur atroce fracas : sifflements, explosions, crépitements, détonations, chocs, grincements, grondements. Il y avait en outre les « mimis hurlantes », terme d'argot militaire tiré du prénom français Mimi, désignant au sens propre un type d'obus allemand qui volait avec un son strident, au sens figuré la psychose traumatique causée par une longue exposition au feu ennemi.

Les Allemands utilisaient aussi des lance-mines surnommés «vaches meuglantes» qui beuglaient six fois de suite, alors que les six mines se positionnaient avant d'exploser tour à tour.

«Je me souviendrai de ce son jusqu'à mon dernier souffle, écrivit Jacek Fedorowicz, qui avait sept ans au moment de l'insurrection de Varsovie. Après le positionnement, on ne pouvait plus rien faire. Si on entendait l'explosion, ça signifiait qu'on était encore en vie [...] J'avais l'oreille fine pour distinguer les bruits annonciateurs de mort.» Il réussit à fuir avec les «restes de la fortune familiale [...] sous forme de "porcelets", pièces d'or de 5 roubles, cousus à l'intérieur [de mon ours en peluche]. Les seuls autres objets que je pus sauver furent un verre et un exemplaire du *Dr Doolittle*».

Les avions bombardaient les combattants dans la vieille ville, les soldats mitraillaient les civils polonais dans les rues, des équipes de démolition incendiaient et faisaient sauter d'immenses bâtiments. L'air était plein de flammes, de poussière et de soufre. À la nuit tombée, Antonina entendit un grondement encore plus effrayant qui venait du côté du pont Kierbedź, ronflement d'une machine colossale. Certains disaient que les Allemands avaient construit un crématorium pour brûler les corps et protéger Varsovie des épidémies, d'autres pensaient qu'ils avaient mis en route un énorme engin nucléaire. Dans l'eau de la Vistule se reflétait une lumière fluorescente vert pâle si vive qu'Antonina distinguait les gens à leurs fenêtres de l'autre côté du fleuve. Plus tard dans la soirée s'ajoutèrent au grondement mystérieux les chœurs d'invisibles soldats ivres qui chantèrent jusqu'au milieu de la nuit.

Antonina ne put fermer l'œil, morte de peur, consciente des poils minuscules hérissés sur sa nuque. Il se révéla que l'étrange lumière était beaucoup moins sophistiquée qu'elle l'avait imaginé : dans le parc Praski, les Allemands avaient installé un générateur qui alimentait de gigantesques lampes à réflecteurs destinées à éblouir l'ennemi.

Même après que la bataille eut quitté le quartier du zoo, des soldats vinrent y rôder et se livrer au pillage. Un jour, une bande de Russes arriva, «l'œil farouche», et se mit à explorer activement les placards, les murs et les planchers en quête du moindre objet à voler, y compris les cadres et les tapis. Lorsqu'elle s'approcha et se campa devant eux, silencieuse, Antonina sentit les charognards se précipiter autour d'elle «comme des hyènes» parcourant les pièces. «S'ils devinent ma peur, ils me dévoreront», pensa-t-elle. Leur chef, un homme aux traits asiatiques et au regard glacial, s'avança et la fixa durement. Teresa dormait à proximité, dans un minuscule berceau en osier. Antonina était résolue à ne pas céder d'un pouce. Soudain, le soldat empoigna la médaille en or qu'elle avait toujours au cou «et montra ses dents blanches». Lentement, doucement, elle pointa le doigt vers le bébé, puis, mobilisant le russe de son enfance, elle ordonna d'une voix forte et solennelle : «Interdit! Votre mère! Votre femme! Votre sœur! Vous comprenez?»

Lorsqu'elle lui posa une main sur l'épaule, il parut interloqué, et elle vit la folie furieuse disparaître de ses yeux, sa bouche se détendre, comme si elle avait lissé le tissu de son visage avec un fer chaud. Elle se dit que, une fois encore, ses supplications intérieures avaient marché. Puis il enfonça la main dans la poche arrière de son pantalon et, durant un instant horrible, elle se rappela le SS avec son revolver pointé sur Ryś. Mais le soldat ressortit sa main et déplia les doigts, révélant plusieurs bonbons rose sale.

«Pour le bébé!», lança-t-il, montrant le berceau.

Alors qu'Antonina le remerciait d'une poignée de main, il lui sourit avec admiration et, s'apercevant qu'elle n'avait pas de bague, il eut un air de pitié, retira une bague de son propre doigt et la lui offrit.

«C'est pour vous, dit-il. Prenez-la! Mettez-la à votre doigt!»

Son cœur «frémit» lorsqu'elle passa la bague, car le bijou était orné d'un aigle en argent, emblème de la Pologne, ce qui laissait penser que le Russe l'avait arraché au doigt d'un soldat polonais mort. «À qui appartenait cette bague?», s'interrogea-t-elle.

Puis, appelant ses soldats d'une voix tonitruante, il ordonna: «Rendez tout ce que vous avez pris! Je vous tuerai comme des chiens si vous désobéissez!»

Stupéfaits, ses hommes lâchèrent leur butin et vidèrent leurs poches.

«Maintenant, partons; ne touchez à rien!»

Sur quoi, Antonina observa ses hommes «se rapetisser alors qu'ils s'en allaient tour à tour comme des chiens muselés».

Après leur départ, elle s'assit à la table, regarda de nouveau la bague ornée de l'aigle et pensa: «Si des mots profondément ressentis comme mère, femme et sœur ont le pouvoir de changer l'état d'esprit d'une brute et de freiner ses instincts meurtriers, peut-être qu'il reste un peu d'espoir pour l'avenir de l'humanité, finalement.»

De temps en temps, d'autres soldats vinrent au zoo, sans incident, puis un jour une voiture s'arrêta; en descendirent plusieurs responsables allemands qui géraient les élevages de bêtes à fourrure du Troisième Reich et connaissaient l'Homme Renard depuis son passage à Grójec. Celui-ci leur annonça que les animaux vivaient toujours et donnaient d'abondantes fourrures. Ils l'autorisèrent à transférer à la fois les bêtes et les employés en Allemagne. Préparer autant d'animaux au voyage serait long, par conséquent tout le monde pourrait rester à la villa encore quelque temps, peut-être même jusqu'à ce que les insurgés triomphent et que les Allemands abandonnent Varsovie. Alors plus personne ne devrait quitter le zoo.

En attendant, pour essayer d'affaiblir la Résistance, les avions allemands ne cessaient de larguer des messages incitant les civils polonais à déserter la ville avant qu'elle ne soit réduite à des murs. Bientôt, l'armée allemande remorqua de nouvelles pièces d'artillerie lourde dans le parc Praski et les dissimula parmi les arbres et les buissons près du fleuve. Casernés si près, les soldats allemands s'arrêtaient souvent pour un verre d'eau, un gobelet de soupe ou des pommes de terre cuites. Un soir, un jeune officier de grande taille se montra soucieux que des civils vivent trop près du théâtre des opérations ; alors, Antonina expliqua qu'elle et les siens s'occupaient d'un élevage d'animaux à fourrure de la Wehrmacht absolument prioritaire et ne pouvaient déménager parce que c'était un moment défavorable pour les chiens viverrins, qui perdaient leurs poils en été puis prenaient leur pelage d'hiver entre septembre et novembre, processus dont il résultait une fourrure souple et dense. Si l'on perturbait ce rythme en les enfermant dans des caisses, en les stressant et en les transférant sous un autre climat, leurs précieux manteaux d'hiver ne seraient pas près de revenir, avertit-elle. Cette justification sembla le satisfaire.

Elle n'avait jamais eu peur du tonnerre, écrivit-elle – « Après tout, ce n'est que du son qui remplit le vide créé par les éclairs » –, mais l'artillerie canonnait sans relâche, il n'y avait pas d'humidité dans l'atmosphère en prélude à un orage, aucune pluie ne tombait et ce tonnerre sec la rendait nerveuse. Un après-midi, les tirs s'interrompirent, et pendant cette accalmie exceptionnelle les femmes de la maison s'allongèrent et se reposèrent, savourant la quiétude. La mère de Jan, Nunia et Ewa firent la sieste dans leurs chambres ; Antonina allaita Teresa au rez-de-chaussée. Comme il régnait une chaleur suffocante, toutes les portes et fenêtres étaient ouvertes. Soudain, la porte de la cuisine grinça et un officier allemand s'avança à grandes enjambées. Il s'immobilisa une seconde lorsqu'il la vit avec le bébé, puis il se rapprocha et elle sentit son haleine alcoolisée. Fouinant d'un air soupçonneux, il pénétra dans le bureau de Jan.

« Oh ! Un piano ! Des partitions ! Vous jouez ? demanda-t-il, enthousiaste.

— Un petit peu », répondit-elle.

Il feuilleta du Bach, s'arrêta à une page et commença à siffler une fugue avec une perfection exquise. Elle pensa qu'il était musicien professionnel.

« Vous semblez avoir l'oreille musicale », lui dit-elle.

Lorsqu'il la pria de jouer pour lui, elle s'assit devant le piano malgré son sentiment de malaise. Tentée de prendre Teresa dans ses bras et de s'enfuir, elle craignit qu'il ne la tue si elle essayait, alors elle se mit à jouer *Ständchen*, le lied romantique de Schubert, espérant que ce classique allemand pourrait apaiser le visiteur en lui suggérant des souvenirs tendres.

« Non, pas ça ! Pas ça ! hurla-t-il. Pourquoi jouez-vous ce morceau ? »

Antonina retira aussitôt ses mains du clavier. À l'évidence un mauvais choix, mais pour quelle raison ? Elle avait si souvent entendu et joué cette sérénade allemande. Tandis qu'il se dirigeait vers l'étagère pour examiner d'autres partitions, elle baissa les yeux et lut les paroles du lied :

Doucement mes chants t'implorent
À travers la nuit ;
En bas, dans le calme bosquet,
Mignonne, rejoins-moi !

Chuchotant, les sveltes cimes chantent
Dans la lumière de la lune ;
Le guet malveillant du perfide,
Belle, ne le crains pas.

Entends-tu chanter les rossignols ?
Ah ! ils t'implorent,
D'une douce voix plaintive,
Ils t'implorent pour moi.

Ils comprennent le cœur alangui,
Connaissent la peine d'amour,
Ils touchent de leurs voix d'argent
Celui au cœur tendre.

Laisse aussi ton cœur s'attendrir,
Mignonne, écoute-moi!
En tremblant je t'attends!
Viens, fais-moi plaisir!

«Un cœur brisé, susceptible d'émouvoir chacun», songea-t-elle. Tout à coup, le visage de l'officier s'illumina lorsqu'il découvrit un recueil d'hymnes nationaux, dans lequel il chercha avec ardeur quelque chose qu'il finit par trouver.

Posant le fascicule ouvert sur le piano, il dit : «S'il vous plaît, jouez-moi ce morceau.»

Comme elle obéissait, le visiteur l'accompagna à la voix, prononçant avec un fort accent les mots anglais, et elle se demanda ce que devaient penser les soldats du parc Praski alors qu'il chantait à pleins poumons «La Bannière étoilée». De temps en temps, elle lui jetait un coup d'œil furtif et voyait ses paupières mi-closes. Elle termina par une fioriture; il la salua et s'en alla tranquillement.

Qui était cet officier si à l'aise en musique, s'interrogea-t-elle, et pourquoi diable l'hymne américain? Peut-être qu'il plaisantait avec un autre Allemand posté près de la villa. «Quelqu'un va certainement venir m'interroger sur cette musique et me reprocher d'avoir provoqué les SS.» Puis elle se dit qu'il avait sans doute voulu la terroriser, et si telle était son intention il avait bel et bien réussi, car la mélodie lui trotta dans la tête jusqu'à ce que, dans la soirée, le fracas de la canonnade déchire de nouveau le silence.

Tandis que les Allemands intensifiaient leurs attaques sur la vieille ville, Antonina n'en continua pas moins d'espérer que l'armée de la Résistance serait victorieuse, mais une rumeur filtra selon laquelle Hitler avait donné l'ordre de détruire Varsovie. On sut bientôt que les Forces françaises libres, américaines et britanniques avaient libéré Paris, puis que dix mille tonnes de bombes avaient dévasté Aachen, première ville allemande à tomber.

Elle n'avait aucune nouvelle, directe ou indirecte, de Jan, caserné dans la vieille ville, où l'Armée de l'intérieur, contenue dans un espace resserré, luttait immeuble par immeuble, voire pièce par pièce dans une maison ou un édifice religieux. Beaucoup de témoins racontent qu'un front se créait soudain au sein d'un bâtiment puis s'étendait d'étage en étage, tandis qu'à l'extérieur c'était une pluie continuelle de bombes et de balles. Antonina et Ryś ne pouvaient qu'observer les tirs nourris qui ricochaient et imaginer Jan et ses compagnons suivre les rues pavées qu'elle connaissait par cœur.

Sur une photo d'archives prise le 14 août par le reporter Sylwester «Kris» Braun, des soldats polonais présentent fièrement un véhicule de transport de troupes allemand blindé dont ils viennent de s'emparer. Jan n'y figure pas, mais ce n'est certainement pas une simple coïncidence si, comme l'indique la légende, ils baptisèrent le véhicule pachydermique «Jaś», nom de l'éléphant du zoo de Varsovie tué au début de la guerre.

32

Lorsque septembre arriva, cinq mille soldats de la vieille ville avaient réussi à s'enfuir par les égouts, malgré les grenades et l'essence enflammée que les Allemands jetaient dans les bouches. Ailleurs, les Alliés avançaient sur tous les fronts : après avoir libéré la France et la Belgique, la Grande-Bretagne et les États-Unis progressaient vers l'Allemagne à partir des Pays-Bas, de la Rhénanie et de l'Alsace ; de son côté, même si elle marquait un arrêt à proximité de Varsovie, l'armée Rouge avait déjà conquis la Bulgarie et la Roumanie, était sur le point de s'emparer de Belgrade et de Budapest et comptait prendre d'assaut le Reich depuis les pays baltes ; les Américains avaient atterri sur Okinawa et pilonnaient le Pacifique sud.

Un officier allemand garantit à l'Homme Renard que, quoi qu'il arrive aux troupes, le Troisième Reich avait besoin des précieux élevages d'animaux à fourrure et qu'il devait se disposer à mettre les siens dans des caisses bien ventilées et à les transporter jusqu'à une petite ville de la périphérie où ils seraient en sûreté. Comme les obus tombaient plus près du zoo, Antonina se prépara à transférer aussi sa maisonnée. Lowicz, destination de l'Homme Renard, semblait être un havre hors de la zone des combats mais pas trop éloigné de la capitale ; Antonina, Ryś, la mère de Jan, les deux jeunes filles, l'Homme Renard et ses assistants prévirent donc de voyager ensemble, avec l'espoir qu'ils passeraient tous pour des employés de l'élevage. Le choix des animaux familiers à laisser les tourmenta – rat musqué, lièvre arctique, lapins, chat, chien, aigle ? –, mais en définitive ils décidèrent d'emmener le seul Wicek et de relâcher tous les autres dans la nature, en espérant qu'ils se débrouilleraient.

Même s'ils pouvaient en principe emporter autant de choses qu'ils le voulaient, il semblait prudent de ne pas se charger, par conséquent ils n'emballèrent que des matelas, édredons, oreillers, manteaux d'hiver, bottes, bidons, casseroles et quelques autres ustensiles. Il fallait mettre à l'abri des bombes et des soldats pilleurs tous les objets de valeur; ils empilèrent les manteaux de fourrure, l'argenterie, la machine à écrire, la machine à coudre, les papiers, les photos, les bijoux de famille et divers trésors dans de grandes boîtes que l'Homme Renard et ses aides se dépêchèrent de cacher dans le couloir souterrain entre la villa et la maison des faisans, après quoi ils murèrent l'accès.

Le 23 août, jour du départ, Ryś vit un énorme obus s'abattre à une cinquantaine de mètres de la villa et s'enfoncer sans exploser; une brigade de déminage ne tarda pas à arriver, l'officier jura que toute personne encore présente dans la villa à midi serait tuée. Ryś courut dans la maison des faisans et donna une ultime fois des feuilles de pissenlit aux lapins, puis il ouvrit les portes de toutes les cages. Déroutés par cette liberté nouvelle, les lapins refusèrent de partir, Ryś les souleva donc un à un par leurs longues oreilles et alla les déposer sur la pelouse. Aucun prédateur ne rôdait dans les broussailles, les étangs ou le ciel, et les derniers animaux familiers, l'aigle et le rat musqué, avaient été relâchés la veille.

«Ouste, ouste, idiots de lapins! lança Ryś en les chassant. Vous êtes libres!»

Antonina regarda les boules de poils de toutes tailles sauter avec nonchalance dans l'herbe. Soudain, Balbina surgit des buissons et, ronronnant très fort, la queue en trompette, se précipita vers Ryś. À peine eurent-ils senti l'odeur de la chatte que les lapins filèrent, et Ryś prit Balbina dans ses bras.

«Alors, Balbina, tu veux venir avec nous?» La tenant contre lui, il se dirigea vers la maison, mais la chatte se tortilla et lui échappa.

« Tu ne veux pas ? Dommage, déplora-t-il, ajoutant d'un ton amer, mais tu as de la chance, toi au moins tu peux rester. » Elle s'éloigna entre les buissons.

Antonina, qui observait la scène depuis la galerie, éprouva elle-même un puissant désir de rester, accompagné d'une envie aussi forte que le camion qui les conduirait à la gare ferroviaire arrive. Elle consultait sans cesse sa montre, mais « les aiguilles avançaient avec une lenteur impitoyable ». L'idée de se terrer dans un refuge à Varsovie lui traversa l'esprit, mais comment faire ? Elle s'inquiétait pour sa belle-mère boiteuse, « qui ne pouvait parcourir cinq cents mètres à pied », et du risque d'être interceptés par les Allemands qui, avait-elle entendu dire, arrêtaient tous les Polonais qu'ils trouvaient et les envoyaient dans un camp de la mort près de Pruszków. Vu la situation, aller vers l'ouest avec les animaux à fourrure était le plus raisonnable.

À 11 h 30, le vieux camion de l'Homme Renard s'immobilisa enfin devant la villa, et ils chargèrent leurs bagages en hâte. Abandonnant le zoo, ils zigzaguèrent dans les petites rues jusqu'à la gare, où attendait un wagon de marchandises qui contenait déjà les renards, les visons, les ragondins, les chiens viverrins et Wicek. Antonina et les siens montèrent dans le train, qui franchit bientôt la rivière, prit des passagers dans deux ou trois autres gares et quitta Varsovie. À Lowicz, on leur ordonna de décharger leurs caisses et d'attendre l'arrivée d'animaux à fourrure en provenance d'autres régions, ensuite l'effectif complet serait transféré dans un vaste lieu d'élevage en Allemagne. Antonina flâna dans la ville, saisie par la sensation de liberté et l'immense calme d'un territoire que la guerre semblait avoir épargné. Le lendemain, elle se mit en quête d'aide et put solliciter Andrzej Grabski, fils de l'ex-Premier ministre polonais, qui était par un heureux hasard membre du conseil d'administration de la société de fourrures allemande ; quand elle lui expliqua qu'elle craignait d'emmener ses jeunes enfants en Allemagne, Grabski lui procura un abri provisoire en ville. Six jours plus tard, elle dit au revoir à l'Homme Renard, qui devait rester à Lowicz avec les animaux, loua un chariot tiré par un cheval et gagna le village de Marywil. Malgré la faible distance, quelque six kilomètres, le « long et lent trajet parut interminable ».

Lorsqu'ils arrivèrent enfin à une petite école dans un vieux domaine, une femme leur proposa une petite salle de classe où dormir, pièce dont les murs en bois étaient tachés de terre et le plancher couvert de boue et de paille. Des toiles d'araignées pendaient au plafond, toutes les vitres étaient cassées, des tas de mégots jonchaient le sol. Ils posèrent la cage de Wicek à côté d'un four en argile et ses grattements pour demander à sortir constituèrent le seul bruit dans un caveau de silence, étrange après des semaines de tirs d'artillerie et d'explosions, non pas apaisant mais vide, anormal, troublant, « pénible à nos oreilles ».

« Ce silence est sinistre », dit Ryś, enlaçant le cou d'Antonina et l'étreignant. Elle ne voulait pas qu'il ait peur ou qu'il souffre, pourtant, écrivit-elle, c'était merveilleux de sentir qu'il avait besoin de son réconfort. Pendant les journées violentes et incertaines d'août, elle l'avait vu essayer de se montrer fort et adulte ; à son soulagement, « il pouvait enfin se permettre d'être un enfant ».

Des larmes dans la voix, il déclara : « Maman, je sais qu'on ne rentrera jamais à la maison. »

En quittant une grande ville ancienne frappée par la guerre pour une paisible bourgade où ils n'avaient aucune intention de se fixer, ils avaient perdu contact avec leurs amis, leur famille et la Résistance, mais ils perdirent aussi les frayeurs des pilonnages. Hantée par la base lointaine de son univers, Antonina se sentit « accablée sous le poids d'une catastrophe que je ne pouvais ni nommer ni changer [...] irréelle et flottante » la plupart du temps, en dépit de quoi elle se jura de redonner le sourire à Ryś.

À la recherche de chiffons, d'un balai et d'un seau, ils frappèrent à la porte d'une pièce où vivaient Mme Kokot, l'institutrice du village, son mari forgeron et leurs deux fils. Une petite femme robuste qui avait des fossettes et des mains usées par le travail les salua.

« Je suis désolée, s'excusa-t-elle, nous n'avons pas eu le temps de nettoyer la salle de classe avant votre arrivée. Mon mari passera demain et vous installera un vrai fourneau. Ne vous inquiétez pas, tout ira bien. Vous ne tarderez pas à vous adapter et à vous sentir chez vous ici. »

Dans les jours suivants, Mme Kokot leur fournit du pain, du beurre, et apporta une petite baignoire avec de l'eau chaude pour Teresa. La vie parut bientôt moins épouvantable, mais Antonina se tracassait pour Ryś, qui avait « perdu tout ce qu'il connaissait [...] tel un brin d'herbe déraciné et entraîné par le vent loin de son jardin ». Entre « l'arrachement à Varsovie, le souci qu'il se faisait pour son père » dont ils n'avaient toujours pas de nouvelles, « les nombreuses incertitudes et la pauvreté », elle ne s'étonna pas lorsqu'il devint sombre et abattu.

Mais, au fil des jours, Ryś se rapprocha de la famille Kokot, dont les activités quotidiennes avaient une dimension prévisible et ordonnée qui le comblait. Antonina craignait que, se comportant davantage en adulte qu'en petit garçon depuis le début de la guerre, Ryś en soit arrivé à un point où « il rejetait catégoriquement l'enfance et opposait une réponse brutale à quiconque le traitait comme un enfant ». Mais les événements ordinaires de la vie des Kokot, avec la fréquentation de l'école et les jeux dans un climat de sérénité, se révélèrent tonifiants. Les regardant se livrer à leurs occupations journalières, nota-t-elle, il admirait la famille harmonieuse qu'ils formaient, les services qu'ils rendaient sans compter : Mme Kokot pédalait jusqu'au village pour faire une piqûre à un malade, ou même jusqu'à la ville pour aller chercher un médecin ; son mari réparait les moteurs, les machines à coudre, les roues, les montres, les lampes et tout autre objet abîmé que lui apportaient les voisins.

« Ryś n'avait jamais fait grand cas des intellectuels, médita Antonina, s'absorber dans des idées abstraites lui semblait ridicule. Il admirait le savoir-faire pratique et, par conséquent, avait un profond respect pour les multiples talents, le bon sens et le dur travail des Kokot. » Suivant M. Kokot du matin au soir, il l'aida à remplacer les vitres cassées, à colmater les fentes dans les cadres de fenêtres avec de la mousse ou de la paille, à boucher les trous dans les murs avec de l'étoupe ou un mélange d'huile et de sable.

Puis Ryś accomplit une action surprenante. En signe d'amitié, il donna son lièvre adoré Wicek aux fils Kokot, Jędrek et Zbyszek. Ce geste extraordinaire ne modifia pas beaucoup les conditions de vie du lièvre, puisque les garçons jouaient tout le temps ensemble, mais le privilège de le nourrir et de diriger son avenir changea de mains. Au début, nota Antonina, Wicek ne comprit pas ce qui se passait. Puis elle entendit Ryś lui expliquer en détail, d'un ton très sérieux, qui étaient ses nouveaux propriétaires et où il devait dormir ; par la suite, Wicek ne cessa d'essayer de réintégrer la chambre de Ryś, mais celui-ci le repoussait chaque fois : « Maintenant, tu habites chez Jędrek et Zbyszek, nigaud de lièvre ! Pourquoi ne veux-tu pas comprendre une chose aussi simple ? »

Antonina voyait l'animal écouter, remuer les oreilles et regarder Ryś « comme s'il avait parfaitement compris », mais, dès que l'enfant l'emmenait dans le couloir entre les deux appartements, le déposait et refermait la porte derrière lui, Wicek grattait au battant pour demander à revenir.

La dépression frappa de nouveau Antonina, fait qu'elle consigna de manière neutre, sans larmoyer ni s'attarder, comme s'il s'agissait d'un aspect du temps météorologique, rien de plus. Le voyage avait été si épuisant que, « en proie à une torpeur morbide », elle dut se forcer pour procurer assistance et nourriture à sa petite tribu de femmes et d'enfants. Elle parvint à obtenir des pommes de terre, du sucre, de la farine et du blé auprès d'une femme du village ; de la tourbe comme combustible auprès d'un homme du voisinage ; un demi-litre de lait par jour auprès du comté.

La courageuse insurrection de Varsovie échoua après soixante-trois jours de combats acharnés, rue par rue, dans une ville réduite à l'état de décombres, lorsque ce qui restait de l'Armée de l'intérieur rendit les armes, en échange de la promesse d'un traitement humain – comme prisonniers de guerre, non comme partisans. La plupart des survivants furent néanmoins expédiés dans des camps de travaux forcés. Des hôpitaux bondés brûlèrent avant qu'il soit possible d'évacuer les patients, des femmes et des enfants furent ligotés sur des chars pour dissuader les attaques de tireurs embusqués. Hitler célébra la victoire en ordonnant que les cloches des églises d'Allemagne sonnent pendant une semaine entière.

Sur les routes se pressèrent des réfugiés cherchant asile dans la campagne autour de Lowicz et Marywil, parsemée de domaines féodaux, où se dressaient des manoirs, de petites fermes pauvres, des hameaux que les propriétaires terriens contribuaient à approvisionner. Les manoirs employaient une nombreuse main-d'œuvre locale. Jour après jour, de plus en plus de gens affluèrent dans la région, à tel point que les paysans, submergés par la simple masse d'affamés terrorisés qui se retrouvaient dans leurs champs et sur le pas de leurs portes, supplièrent les autorités de les installer ailleurs.

Au moment où ils arrivèrent dans l'école, Antonina et ses proches essayèrent de ne pas se montrer, au cas où la Gestapo serait à leurs trousses, mais, comme les jours passaient en toute tranquillité, ils se rassérénèrent et, au bout de quelques semaines à Marywil, après la capitulation de Varsovie, ils cherchèrent à avoir des nouvelles de leur famille et de leurs amis. Antonina attendait un signe de Jan, persuadée qu'il apparaîtrait un jour comme par magie, «ayant remué ciel et terre» pour la trouver, de même qu'en 1939 avec l'aide du Dr Müller. Elle ne savait rien de la chance inouïe de Jan dans les premiers jours de l'insurrection quand, blessé par balle à la gorge et transporté en urgence à l'hôpital de la rue Chmielna, il semblait condamné à mourir, de l'avis de tous, puisqu'il est presque impossible qu'une balle transperce le cou de quelqu'un sans toucher l'œsophage, la colonne vertébrale, des veines ou des artères. Des années plus tard, Antonina rencontra le médecin qui l'avait soigné. «À supposer que je l'aie anesthésié et me sois efforcé de recréer le trajet de cette balle, je n'aurais pas réussi!», se rappela le Dr Kenig, médusé. Lorsque les Allemands investirent l'hôpital, Jan fut envoyé dans un camp de prisonniers pour officiers, où il se remit de sa blessure mais dut aussitôt lutter contre la faim et l'épuisement.

Antonina expédia une lettre à un ami de la famille, qui accepta de relayer les messages pour elle; et Nunia, qui, au lieu de rejoindre ses parents, était restée avec Antonina et Ryś pour aider et tenir le rôle de messagère, se leva un matin avant l'aube, attendit des heures le cheval et le chariot qui servaient de «bus» et alla jusqu'à Varsovie en passant par Lowicz. Tout au long du parcours, elle fixa de petits papiers s'enquérant de Jan Żabiński et indiquant l'adresse d'Antonina; elle les accrocha aux arbres, aux poteaux électriques, aux barrières, sur les immeubles, sur les murs des gares, dans ce qui était devenu un bureau de renseignements à ciel ouvert. Citons Stefan Korboński: «Sur les clôtures de toutes les gares, il y avait des centaines de mots, les adresses de maris qui cherchaient leurs femmes, de parents qui cherchaient leurs enfants, de gens qui annonçaient où ils étaient. Des quantités de personnes se tenaient devant ces "bureaux de réexpédition" du matin à la tombée de la nuit. »

Antonina ne tarda pas à recevoir des lettres contenant des indices: de l'infirmière à l'hôpital où Jan avait été soigné pour sa blessure au cou, d'un facteur de la place Warecki, d'un gardien du Musée zoologique rue Wilcza. Chacun écrivait pour lui parler de Jan et lui donner espoir, et, lorsqu'elle apprit qu'il avait été envoyé dans un camp de prisonniers en Allemagne, elle et Nunia rédigèrent des dizaines de lettres à tous les camps qui détenaient des officiers, en quête de pistes.

33

Décembre 1944

L'hiver s'installant, les flaques de boue gelèrent et le sol redevint dur sous une épaisse couche blanche alors qu'Antonina préparait un Noël très différent de ceux d'avant la guerre. La veille de Noël, les Polonais servaient traditionnellement un dîner sans viande composé de douze plats, puis échangeaient des cadeaux, et au zoo cette fête incluait un luxe spécial. « Un camion arrivait, chargé d'arbres de Noël invendus ; c'était un cadeau pour les bêtes du zoo : corbeaux, ours, renards et beaucoup d'autres animaux aimaient mâchonner ou picorer l'écorce et les aiguilles parfumées des conifères. Les arbres étaient répartis dans les différentes volières, cages ou unités, et la période des vacances commençait officiellement au zoo de Varsovie. »

Toute la nuit, des galaxies de lanternes illuminaient les terrains ; un homme s'occupait avec soin de la section des animaux exotiques, vérifiant la chaleur à l'intérieur des bâtiments et ajoutant du charbon dans les fourneaux ; certains transportaient du foin supplémentaire dans les granges et les remises ; d'autres empilaient de la paille dans les volières, où les oiseaux tropicaux s'enfouissaient pour rester au chaud. Ç'avait été un spectacle de lumières dansantes et d'abris douillets.

Cette veille de Noël 1944, juste avant d'aller dans la forêt avec Zbyszek, Ryś déclara à sa mère : « Les enfants ont le droit de s'amuser un peu. » Plus tard, les garçons revinrent en traînant deux petits sapins.

Selon la coutume de la campagne, on décorait les arbres de jour et on les éclairait lorsque la première planète apparaissait, afin d'honorer l'étoile de Bethléem, puis on servait le dîner avec des assiettes en plus pour les membres de la famille absents. Antonina écrivit qu'elle plaça un petit sapin sur un tabouret, à la grande joie de Teresa qui frappa des mains puis ne cessa de babiller pendant que la famille accrochait aux branches scintillantes « trois petites pommes, quelques pains d'épice, six bougies et plusieurs ornements que Ryś avait fabriqués avec de la paille et des plumes de paon ».

Au cours des vacances, Genia rendit une visite surprise à Antonina ; risquant d'être arrêtée à cause de ses activités de résistance, elle voyagea en train, puis marcha pendant six kilomètres dans un froid venteux pour apporter de la nourriture, de l'argent et les messages de différents amis. Antonina et Ryś continuaient d'attendre des nouvelles de Jan. Un jour, Mme Kokot pédala comme d'habitude jusqu'au bureau de poste, et ils la regardèrent revenir, minuscule silhouette qui grossissait et se dessinait plus nettement à mesure qu'elle se rapprochait. Cette fois, elle agitait une lettre. En bras de chemise, Ryś courut à sa rencontre, empoigna la lettre et se précipita à l'intérieur, bientôt suivi par Mme Kokot souriante.

« Enfin », dit-elle simplement.

Antonina et Ryś lurent et relurent la lettre, puis le petit garçon sortit à toutes jambes partager la nouvelle avec M. Kokot ; d'après Antonina, Ryś parlait peu de son père fantôme : il pouvait maintenant l'évoquer.

Dans les archives du zoo de Varsovie, outre les photos données par la famille, il y a une merveilleuse curiosité : une carte que Jan a envoyée aux siens depuis le camp de prisonniers de guerre, sur laquelle est inscrite leur seule adresse. Au dos, une bonne caricature de Jan porte un uniforme ample avec deux étoiles sur chaque épaulette et une très longue écharpe sombre nouée autour du cou. Il s'est portraituré avec une barbe de plusieurs jours et des poches

275

sous les yeux, de longs cils, un front sillonné de rides, trois mèches de cheveux sur son crâne dégarni, un bout de cigarette pendant au coin de la bouche, le visage marqué par l'ennui et le dédain. Rien d'écrit, rien de compromettant, juste un dessin quelque part entre le pathétique et l'humour, qui le représente touché mais pas vaincu.

L'armée Rouge entra dans Varsovie le 17 janvier, bien après la capitulation de la ville et trop tard pour une aide quelconque. En principe, les Russes devaient chasser les Allemands, mais pour des raisons politiques, stratégiques et pratiques (perdre cent vingt-trois mille hommes en route, notamment), ils avaient campé sur la rive est de la Vistule et regardé le carnage d'un œil complaisant pendant deux mois entiers – des milliers de Polonais massacrés ou envoyés dans des camps, une capitale anéantie.

Halina et sa cousine germaine Irena Nawrocka (championne olympique d'escrime qui avait beaucoup voyagé avant le conflit), ainsi que trois autres jeunes messagères, furent arrêtées par les Allemands et sommées de marcher avec un vaste groupe déguenillé de prisonniers et de surveillants jusqu'au camp de travail d'Ożarów. Mais des ouvriers agricoles accoururent des champs voisins, tendirent aux jeunes filles des vêtements de travail à enfiler et des outils à porter, puis les entraînèrent au milieu des plantations de lin avant que les surveillants exténués le remarquent. Se mêlant aux ouvriers, les jeunes filles s'enfuirent vers Zakopane (dans les Tatras), où elles demeurèrent cachées plusieurs mois en attendant la fin de la guerre.

34

1945

Par l'un de ces matins de janvier tièdes, humides, où les branches des arbres sombres scintillent à travers le brouillard et où respirer vous donne l'impression d'avaler du coton, des vols de corbeaux tournoyèrent dans le ciel avant de se poser sur les champs enneigés. La matinée fourmillait de signes. Antonina entendit le grondement des camions équipés de lourdes armes, le vrombissement des avions et des explosions lointaines, puis des gens qui criaient: «Les Allemands s'enfuient!» Bientôt, les armées polonaise et russe apparurent, marchant ensemble, et, comme une longue file de chars soviétiques avançait avec lenteur, la population hissa en hâte des drapeaux rouges pour saluer les libérateurs. Soudain, une immense volée de colombes se déploya dans le ciel et monta au-dessus des soldats, se resserra et vira plus haut encore. «La synchronisation était parfaite, écrivit Antonina. Un réalisateur avait assurément préparé cette scène symbolique.»

Même si elle voulait croire que Jan serait libéré, elle décida de passer le restant de l'hiver à Marywil, car voyager jusqu'à Varsovie avec de jeunes enfants semblait risqué. Mais les enfants du village, eux, étaient impatients de retourner en classe, de reprendre leur rythme habituel, aussi Antonina et les siens durent-ils quitter l'école pour un autre abri provisoire. Quand l'argent destiné à la nourriture s'épuisa, alors qu'elle devait acheter du lait pour le bébé, le manoir eut pitié d'elle et lui envoya des provisions. Heureusement, elle avait gardé quelques «porcelets» d'or (des roubles) en prévision du trajet de retour à Varsovie, dont elle savait qu'il pourrait se révéler coûteux. Les réfugiés envahirent de nouveau les routes, cette fois dans le fol espoir de rentrer chez eux, bien qu'ils aient entendu dire que leurs appartements étaient en ruine. Nunia partit en reconnaissance et, à son retour, annonça que des amis habitaient toujours dans le quartier du zoo et pourraient les héberger ; par ailleurs, la villa, quoique très endommagée et pillée, était encore debout.

Il leur fallait un grand véhicule, une rareté. Antonina persuada des soldats en route vers l'est avec une cargaison de pommes de terre de les transporter, elle et les siens, une partie du trajet. Ce jour-là, il gelait, et seul le bébé, emmailloté dans une petite couverture garnie de duvet, ne frissonna pas tandis que le camion roulait avec lenteur, soumis à de fréquents arrêts par des soldats en patrouille qui voulaient le fouiller. Déposés à Włochy, ils hélèrent un chauffeur russe, qui accepta de partager son camion découvert, sur lequel ils s'entassèrent.

Lorsqu'ils pénétrèrent enfin dans Varsovie, un mélange de sable et de neige sale éclaboussa les côtés du camion, la neige les empesta, le sable leur irrita les yeux, et ils se blottirent les uns contre les autres pour avoir plus chaud. Ce qu'elle vit l'emplit « d'hébétude et d'indignation », parce que malgré les rumeurs elle n'était pas prête à regarder une ville en lambeaux. Des photos et des films d'archives montrent des cadres de fenêtres et de portes carbonisés qui se dressent comme des portails aériens, de vastes immeubles réduits à un réseau de cellules ouvertes, des maisons et des églises tailladées comme des glaciers, tous les arbres abattus, des parcs où les débris s'amoncellent, des rues irréelles bordées de façades aussi minces que des pierres tombales. Sur certaines images, un soleil d'hiver blafard se glisse dans les crevasses des bâtiments criblés de trous, éclaire des câbles métalliques à nu, des tuyaux et des fers curieusement tordus. Avec 85 % de ses édifices détruits, la ville jadis parée d'ornements ressemblait à un gigantesque cimetière, où tout était ramené aux molécules fondamentales, les moindres palais, musées, monuments et places réduits à des blocs de gravats indifférenciés. Dans les légendes des photos figurent les expressions «ville anéantie», «désert de ruines», «montagnes de décombres». En dépit de la température glaciale, Antonina se mit à transpirer, et cette nuit-là, accablés de stupeur et de fatigue, ils se réfugièrent chez les amis de Nunia.

Le lendemain matin, après le petit-déjeuner, Antonina et Ryś se précipitèrent au zoo, où le petit garçon partit devant puis revint, les joues rosies par le froid.

«Maman, notre maison a résisté! s'écria-t-il. Les gens qui disaient qu'elle était détruite nous ont menti! Elle est en mauvais état, il n'y a plus de portes ni de planchers et toutes nos affaires ont disparu, mais il reste les murs et le toit! Et puis les escaliers!»

Une couche de neige masquait le sol et des obus avaient arraché la plupart des arbres, mais des branches noires délicates se découpaient encore sur le ciel bleu, de même que la maison des singes, la villa et les vestiges de plusieurs autres constructions. L'une des pièces hautes de la villa n'existait plus, toutes les parties en bois de l'étage (portes, placards, cadres de fenêtres, planchers) manquaient et Antonina supposa qu'elles avaient servi de combustible durant l'hiver. Le tunnel reliant le sous-sol à la maison des faisans, où ils avaient enfoui les objets de valeur, ne s'était pas simplement effondré mais volatilisé (et il ne semble pas que des traces aient été retrouvées par la suite). Un épais magma de papiers humides et de pages de livres jonchaient le sol, qu'ils ne purent éviter de piétiner et d'écraser encore plus. Ils fouillèrent tous deux dans le fatras, dont ils tirèrent des bribes de documents sales et des photos jaunies qu'Antonina rangea soigneusement à l'intérieur de son sac à main.

Malgré le froid, ils inspectèrent le jardin, labouré par les bombes et les obus, ainsi que les terrains, qui offraient un spectacle de barricades, de profonds fossés antichars, de barbelés, de pièces métalliques et d'obus n'ayant pas explosé. Elle ne s'aventura pas plus loin, craignant des mines terrestres.

Les images et les odeurs laissaient penser que « la guerre faisait encore rage ici la veille ». Pendant qu'Antonina tâchait de se représenter les travaux à réaliser, Ryś « rassembla ses souvenirs » de la villa dans laquelle il avait grandi par contraste avec le monde dévasté maintenant face à lui. Antonina examina la parcelle où ils avaient planté des légumes l'année précédente et, dans un minuscule endroit où le vent avait soulevé une plaque de neige, elle aperçut un petit plant de fraisier au ras du sol. « Le présage d'une vie nouvelle », songea-t-elle. À cet instant, quelque chose bougea près d'une fenêtre du sous-sol.

« Un rat ? dit Ryś.

— Trop gros pour un rat, objecta sa mère.

— Un chat ! hurla Ryś. Il a couru dans les buissons et il nous observe ! »

Un chat gris, maigre, se recroquevillait avec méfiance dans un coin, et Antonina se demanda si des gens avaient essayé de le capturer pour le manger.

« Balbina ? Vieille minette ! Chère minette ! Balbina, viens ! », appela Ryś tandis qu'il s'approchait avec lenteur, répétant encore et encore son nom, jusqu'à ce qu'elle s'apaise et paraisse soudain retrouver la mémoire, filant comme une flèche poilue vers le garçon et bondissant dans les bras qu'il lui ouvrait.

« Maman, il faut qu'on la prenne avec nous, rue Stalowa ! supplia Ryś. On ne peut pas l'abandonner ici ! S'il te plaît ! »

Comme Ryś marchait en direction de la grille, la chatte s'agita, désireuse de sauter à terre.

« C'est pareil que l'été dernier, s'attrista-t-il. Elle se sauve !

— Laisse-la partir, dit Antonina avec douceur. Elle doit avoir une bonne raison de rester, une raison que nous ne connaissons pas. »

Ryś la libéra et elle se précipita dans les buissons, puis s'arrêta et retourna vers eux sa tête famélique. Elle miaula, ce que le petit garçon traduisit par: «Moi, je rentre à la maison. Et vous?»

Pour Antonina, il n'était pas possible de reprendre sa vie antérieure. Disparus, les bruyants cormorans, les oies cacardantes, les mouettes aux cris plaintifs, les paons déployant leur queue irisée alors qu'ils flânaient au soleil, les grondements des lions et des tigres propres à faire trembler les murs de Jéricho, les singes babillards qui se balançaient au bout des lianes, les ours polaires qui se baignaient dans leur bassin, les roses et le jasmin en fleur, et les deux «jolies petites otaries joyeuses qui devinrent les meilleures amies de nos lynx: au lieu de dormir dans leur panier [...] elles s'assoupissaient dans la fourrure douce des félins, dont elles suçaient les oreilles». Révolue, l'époque où les bébés lynx, les otaries et les chiots vivaient tous à l'intérieur et se livraient à d'inlassables poursuites dans le jardin. Antonina et Ryś accomplirent un rituel intime: ils promirent solennellement à tous les objets cassés et abandonnés qu'ils «ne les oublieraient pas et reviendraient bientôt leur porter secours».

35

Après-guerre

Pendant la période où ils se cachaient, Magdalena Gross épousa Maurycy Fraenkel (Paweł Zieliński), et après l'insurrection de Varsovie ils déménagèrent à Lublin, où artistes et intellectuels se réunissaient au café Paleta. Ce fut là qu'elle rencontra la scène artistique d'avant-garde de la ville, qui incluait beaucoup de théâtres sans paroles : théâtre musical, théâtre dansant, théâtre dessiné, théâtre d'ombres, théâtre employant des costumes en papier, des chiffons ou de petits feux. La longue tradition du théâtre de marionnettes politique et subversif s'était perdue au cours de la guerre, mais, à Lublin, Magdalena se joignit aux enthousiastes qui inventèrent le premier théâtre de marionnettes pour la nouvelle Pologne, et ils lui proposèrent de fabriquer les têtes des personnages. Au lieu de leur donner les traits accentués traditionnels en papier mâché, elle décida de créer des nuances faciales pleines de vie et de parer les silhouettes de soie et de perles. Le premier spectacle eut lieu à Lublin le 14 décembre 1944.

En mars 1945, Magdalena et Maurycy regagnèrent Varsovie ; dans la capitale libérée depuis peu, il n'y avait ni gaz ni électricité ni moyen de transport, et les rares maisons encore debout penchaient, sans fenêtres. Impatiente de reprendre la sculpture animalière, Magdalena demanda à Antonina : « Quand aurez-vous des animaux ? Il faut que je sculpte ! J'ai perdu tellement de temps ! » En l'absence de flamants roses, de marabouts et des spécimens exotiques qu'elle préférait, elle se mit à sculpter le seul modèle disponible, un caneton, et comme elle était lente dans son travail elle dut maintes fois réviser l'œuvre, à mesure que le caneton approchait de la maturité. Ce fut néanmoins sa première sculpture après la guerre, occasion de réjouissances.

La capitale qu'ils avaient connue avant le conflit mondial comptait un million et demi d'habitants; au début du printemps 1946, un autre visiteur, Joseph Tenenbaum, estima qu'ils étaient «cinq cent mille tout au plus. Dans les circonstances, je ne voyais d'espace habitable que pour un dixième d'entre eux. Beaucoup vivaient encore dans des cryptes, des grottes, des caves et des abris souterrains», mais il fut très impressionné par leur dynamisme: «Nulle part dans le monde les gens ne méprisent autant le danger qu'à Varsovie. Il règne ici une vitalité incroyable et un esprit d'audace contagieux. Le tempo de l'existence est inouï. Certes les gens ont des habits misérables, des corps marqués par la fatigue et la sous-alimentation, mais ils ne sont pas abattus. La vie est tendue, et pourtant intrépide, voire joyeuse. Les gens se bousculent et s'affairent, chantent et rient avec une assurance stupéfiante [...] Il y a un rythme et un romantisme dans toute chose, et une prétention qui coupe le souffle [...] La ville ressemble à une ruche. La cité entière travaille, démolit les ruines et bâtit de nouvelles maisons, détruit et crée, déblaie et remplit à nouveau. Varsovie a commencé à se dégager des ruines dès l'instant où le dernier soldat nazi a quitté sa banlieue. Elle s'y consacre sans relâche depuis lors, construisant, remodelant et réparant sans attendre des plans, de l'argent ou des matériaux.»

D'un bout à l'autre de la ville, il entendit un air d'A. Harris, hymne officieux de Varsovie, sifflé, chanté et diffusé à plein tube dans des haut-parleurs sur les places centrales où les gens travaillaient. Ses paroles affectueuses promettaient: «Varsovie, ma bien-aimée, tu es l'objet de mes rêves et de mon désir [...] je sais que tu n'es plus telle que tu étais [...] que tu as traversé des jours sanglants [...] mais je te restaurerai dans ta splendeur.»

Jan revint du camp de prisonniers au printemps 1946, et en 1947 il entreprit de nettoyer et de réparer, d'édifier de nouveaux enclos et bâtiments pour un zoo qui se limiterait à trois cents animaux, uniquement des espèces autochtones offertes par les Varsoviens. Certains animaux perdus au tout début du conflit furent retrouvés, dont Blaireau, qui avait creusé un tunnel pour s'enfuir pendant le bombardement et traversé la Vistule à la nage ; des soldats polonais le rapportèrent dans un gros baril vidé de ses légumes macérés. Magdalena sculpta *Coq*, *Lapin I* et *Lapin II*, contrainte de ralentir le rythme en raison de sa santé défaillante («altérée par la guerre», estima Antonina). Elle mourut le 17 juin 1948, jour même où elle termina *Lapin II*. Elle avait toujours rêvé de créer de grandes sculptures pour le zoo, et Antonina et Jan regrettaient qu'elle n'en ait pas eu l'occasion, surtout que les lieux constituaient un cadre parfait pour des œuvres d'art colossales. Dans le jardin zoologique actuel, les visiteurs découvrent à leur entrée un zèbre aussi grand que nature, qui a des barres de fer en guise de côtes renflées et rayées. Plusieurs sculptures de Magdalena ornent le bureau du directeur et le musée des Beaux-Arts de Varsovie en abrite d'autres, comme Antonina et Jan l'avaient souhaité.

La veille de la réouverture du zoo le 21 juillet 1949, Jan et Antonina placèrent les sculptures nommées *Canard* et *Coq* près de l'escalier menant à une vaste fontaine que les visiteurs ne manqueraient pas de longer. Cette année-là, le 21 juillet tombait un jeudi ; ils avaient peut-être préféré éviter le vendredi, parce que les gens continuaient d'associer la date du 22 juillet à la tragique liquidation du ghetto de Varsovie en 1942.

Deux ans plus tard, Jan mit brusquement fin à son activité de directeur de zoo, bien qu'il n'eût alors que cinquante-quatre ans. Le contexte varsovien d'après-guerre, sous autorité soviétique, ne valorisait pas les gens qui avaient combattu dans la Résistance et, en désaccord avec les responsables gouvernementaux, Jan se sentit peut-être obligé de se retirer. Norman Davies décrit ainsi l'atmosphère de l'époque : « Quiconque osait glorifier l'indépendance d'avant la guerre, ou vénérer ceux qui avaient participé à l'insurrection pour la rétablir, était considéré comme tenant un discours absurde, dangereux et séditieux. Même en privé, les gens parlaient avec précaution. Il y avait des indicateurs partout. Les enfants étaient éduqués dans des écoles de style soviétique, où dénoncer leurs amis et leurs parents passait pour un acte digne d'admiration. »

Comme il devait encore subvenir aux besoins de sa famille et demeurait passionné de zoologie, Jan se concentra sur son travail d'écriture, publiant une cinquantaine de livres qui éclairaient la vie des animaux et plaidaient pour leur sauvegarde ; il produisit aussi une émission de radio à succès sur les mêmes sujets ; en outre, il poursuivit ses efforts au sein de la Société internationale pour la préservation du bison d'Europe, très attachée à son petit troupeau dans la forêt de Białowieża.

Étrangement, ces animaux survivaient en partie grâce à l'action de Lutz Heck qui, pendant la guerre, réexpédia la majorité des trente bisons qu'il avait volés pour l'Allemagne, avec des quasi-aurochs et tarpans, afin que tous soient relâchés en forêt de Białowieża, ce décor idyllique où il imaginait les parties de chasse du cercle intime d'Hitler après la guerre. Plus tard, quand les Alliés bombardèrent l'Allemagne, des troupeaux importants moururent, faisant des spécimens de Białowieża le meilleur espoir de l'espèce.

En 1946, à Rotterdam, durant la première réunion d'après-guerre de l'Association internationale des directeurs de zoo, Jan reçut la mission de réactiver le registre du bison d'Europe ; il se mit à explorer la généalogie de tout bison ayant survécu au conflit, spécimens liés aux expériences de reproduction allemandes inclus. Sa recherche documentait les lignées avant, pendant et après la guerre, et rendait aux Polonais la surveillance du programme et de la généalogie.

Tandis que Jan écrivait pour les adultes, Antonina créait des livres pour la jeunesse, élevait ses deux enfants et restait en contact avec la famille élargie des Hôtes, qui s'étaient exilés dans différents pays. Parmi ceux que Jan avait lui-même conduits hors du ghetto (via l'immeuble du bureau du travail), il y avait Kazio et Luwinia Kramsztyk (cousins du célèbre peintre Roman Kramsztyk), le Dr Hirszfeld (spécialiste des maladies infectieuses), ainsi que le Dr Roza Anzelówna et sa mère, qui firent un bref séjour à la villa puis allèrent dans une pension de famille rue Widok, recommandée par des amis des Żabiński. Mais, au bout de quelques mois, la Gestapo les arrêta ; elles furent les seules résidentes de la villa à ne pas réchapper de la guerre.

Les Kenigswein survécurent à l'Occupation et retrouvèrent leur benjamin à l'orphelinat, mais en 1946 Samuel mourut d'une crise cardiaque ; Regina et les enfants émigrèrent alors en Israël, où elle se remaria et travailla dans un kibboutz. Elle n'oublia jamais la période passée au zoo. « La maison des Żabiński était une arche de Noé, déclara-t-elle à un journal israélien vingt ans après la guerre, qui abritait une multitude de gens et d'animaux. » Rachela « Aniela » Auerbach émigra aussi en Israël, après un séjour à Londres où elle remit à Julian Huxley (directeur du zoo avant-guerre) le rapport de Jan au sujet de la survie du bison d'Europe. Irena Mayzel s'établit en Israël, où elle accueillit les Żabiński en visite après la guerre. Genia Sylkes s'installa à Londres, puis à New York, où elle travailla pendant de nombreuses années à la bibliothèque de l'Institut scientifique yiddish.

Détenue par la Gestapo et soumise à des tortures atroces, Irena Sendler (qui aidait des enfants du ghetto à s'enfuir) s'évada, grâce à des amis résistants ; elle demeura cachée jusqu'à la fin de la guerre. Malgré ses jambes et ses pieds mutilés, elle travailla en Pologne comme assistante sociale et œuvra pour la défense des handicapés. Durant le conflit, Wanda Englert déménagea plusieurs fois ; son mari Adam fut arrêté en 1943 et emprisonné à la prison Pawiak, envoyé à Auschwitz puis à Buchenwald. Il survécut miraculeusement à la prison et aux camps de concentration, rejoignit ensuite sa femme et tous deux allèrent s'installer à Londres.

Halina et Irena, les petites messagères, vivent toujours à Varsovie et restent en contact étroit, amies de cœur depuis quatre-vingt-deux ans. Sur un mur de l'appartement d'Irena, avec ses médailles d'escrime, sont accrochées des photos d'elle et d'Halina jeunes femmes, bien coiffées, modernes, éclatantes – portraits de studio qu'un voisin fit pendant la guerre.

Assise avec Halina dans le jardin du restaurant de l'hôtel Bristol, au milieu de tables occupées par des touristes et des hommes d'affaires, un buffet de mets délicats dressé près des portes ouvertes, j'ai regardé son visage refléter le tourbillon de ses souvenirs, puis elle m'a interprété tout bas une chanson qu'elle avait entendue plus de soixante ans auparavant, de la bouche d'un jeune et beau soldat qui la lui avait adressée au passage :

Ty jeszcze o tym nie wiesz dziewczyno,
Ze od niedawna jesteś przyczyną,
Mych snów, pięknych snów,

Ja mógłbym tylko wziąść cię na ręce,
I jeszcze więcej niż dziś,
Kochać cię.

Tu ne sais pas encore, jeune fille,
Que tu es depuis quelque temps
La cause de mes rêves, de beaux rêves.

Si seulement je pouvais te prendre dans mes bras
Et, plus encore qu'aujourd'hui,
T'aimer.

Les joues d'Halina s'empourprèrent un peu à cette réminiscence grisante, conservée parmi des images plus tragiques, comme le sont souvent les souvenirs de guerre, ayant leur propre système d'archivage, leur propre environnement. Si d'autres convives l'entendirent, personne ne le montra et, comme je regardais l'archipel de tables alentour, je m'aperçus que, sur la cinquantaine de personnes présentes, Halina était la seule assez âgée pour conserver des souvenirs de cette époque.

Ryś, ingénieur des travaux publics et père lui-même, habite aujourd'hui dans le centre de Varsovie, au huitième étage d'un immeuble sans ascenseur. Il n'a pas d'animaux, car «un chien ne pourrait pas grimper jusque là-haut!», m'a-t-il expliqué alors que nous nous hissions de palier en palier. Grand et mince, dans les soixante-dix ans, en forme grâce à toutes les marches qu'il monte au quotidien, il est amical et hospitalier, mais légèrement méfiant aussi – effet naturel des leçons de la guerre enracinées en lui dans sa tendre enfance. «Nous prenions un moment après l'autre», a-t-il dit, s'asseyant dans son séjour sous des photos et de nombreux livres de ses parents, un dessin encadré d'un bison des forêts et un croquis de son père. La vie du zoo ne lui semblait nullement extraordinaire quand il était enfant, parce que «je ne connaissais rien d'autre». Il m'a raconté qu'il avait vu une bombe s'abattre près de la villa et eu conscience que, si elle avait explosé, il serait mort. Il s'est remémoré ses longues séances de pose pour Magdalena Gross, qui pétrissait l'argile avec une intensité extrême et dont il adorait les attentions joviales. Il m'a appris que sa mère emplissait la terrasse de la villa de jardinières débordantes à la belle saison, qu'elle aimait particulièrement les pensées, ces fleurs au visage pensif, qu'elle avait une prédilection pour Chopin, Mozart et Rossini. Nul doute qu'il a trouvé certaines de mes questions bizarres – j'espérais en savoir davantage sur le parfum d'Antonina, sa façon de marcher, ses gestes, les inflexions de sa voix, sa manière de se coiffer. Toutes ses réponses incluaient l'adjectif «ordinaire» ou «normal», et j'ai vite compris que c'étaient des souvenirs qu'il n'explorait pas ou refusait de partager. Sa sœur cadette, Teresa, est mariée et habite en Scandinavie. J'ai demandé à Ryszard s'il voulait m'accompagner dans la villa et il a eu la gentillesse d'accepter. Alors que nous parcourions la maison de son enfance, enjambant avec précaution les chambranles de portes aux seuils décoratifs surélevés, j'ai été frappée par sa manière de rassembler ses souvenirs, comparant ce qui est et ce qui était, de même qu'il l'avait fait enfant, d'après le récit d'Antonina, lorsqu'ils étaient revenus à la fin de la guerre dans le zoo bombardé.

Par l'un de ces caprices du sort qui ponctuent l'Histoire, le zoo de Berlin croula sous les bombes comme le zoo de Varsovie avant lui, et Lutz Heck fut assailli par la plupart des inquiétudes et des épreuves qu'il avait imposées aux Żabiński. Dans son autobiographie, *Mes bêtes sauvages*, il écrit des lignes émouvantes sur son zoo fatalement touché. À la différence des Żabiński, il savait précisément quelles dévastations attendre, puisqu'il les avait vues de ses propres yeux à Varsovie, dont il ne mentionne d'ailleurs jamais le zoo ravagé. Ses animaux de safari, son immense collection de photos et ses nombreux journaux disparurent avant la fin de la guerre. Comme les troupes soviétiques progressaient, Lutz quitta Berlin, car il courait le risque d'être arrêté pour le pillage des zoos ukrainiens. Il passa le restant de sa vie à Wiesbaden, s'offrant des parties de chasse à l'étranger. Lutz mourut en 1982, un an après son frère Heinz. Son fils émigra en 1959 dans les Catskills, où il dirigea un petit zoo célèbre pour ses chevaux de Przewalski, descendants des équidés élevés par Heinz Heck durant la guerre. À une période, le zoo de Munich avait possédé le plus vaste troupeau de chevaux de Przewalski (certains volés au zoo de Varsovie) hors de Mongolie.

Au total, quelque trois cents personnes firent étape au zoo de Varsovie dans le cours de leur existence nomade. Jan considéra toujours, et déclara publiquement, que la véritable héroïne de cette épopée était sa femme Antonina. «Elle redoutait les conséquences possibles, dit-il à Noah Kliger, qui l'interviewa pour le journal israélien *Yediot Aharonot*, elle était terrifiée à l'idée que les nazis pourraient se venger sur nous et notre jeune fils, terrorisée à la perspective de la mort, et pourtant elle garda ses peurs pour elle, m'aida [dans mes activités clandestines] et ne me demanda absolument jamais d'arrêter. »

À Danka Narnish, d'un autre journal israélien, il déclara : « Antonina était une femme d'intérieur, elle n'était pas engagée dans la politique ou la guerre, elle était timide, et malgré cela elle joua un rôle essentiel dans le sauvetage de toutes ces personnes et ne se plaignit pas une seule fois du danger. »

« Sa confiance désarmait jusqu'aux plus hostiles, dit-il à un autre reporter anonyme, ajoutant que sa force venait de son amour pour les animaux. Ce n'était pas seulement qu'elle s'identifiait à eux, expliqua-t-il, mais elle semblait parfois se défaire de ses caractéristiques humaines et devenir une hyène ou une panthère. Alors, capable de manifester leur instinct combatif, elle se dressait, intrépide, pour défendre les siens. »

Au journaliste Yaron Becker, il précisa : « Elle avait reçu une éducation catholique traditionnelle, qui ne la dissuada pas du tout, mais renforça au contraire sa détermination à être fidèle à elle-même, à suivre son cœur, même si cela exigeait beaucoup d'abnégation. »

Intriguées par la personnalité des sauveurs, Malka Drucker et Gay Block en interrogèrent plus d'une centaine, et constatèrent qu'ils partageaient certains traits essentiels. Ils avaient tendance à réfléchir vite, à prendre des risques, à être décidés, indépendants, aventureux, francs, rebelles, d'une adaptabilité peu ordinaire – capables de changer de projet, d'abandonner des habitudes ou de modifier des pratiques de longue date en un clin d'œil. Ils étaient en général non conformistes et, même si beaucoup respectaient des principes solennels valant qu'on meure pour eux, ils ne s'estimaient pas héroïques. Ils avaient coutume de dire, comme Jan : « Je n'ai fait que mon devoir – si vous avez la possibilité de sauver quelqu'un, c'est votre devoir d'essayer. » Ou bien : « Nous l'avons fait parce que c'était la chose à faire. »

36

Białowieża, 2005

Au bord d'une forêt primitive du nord-est de la Pologne, le temps semble s'évanouir alors qu'une vingtaine de chevaux paissent l'herbe des marais sous de gigantesques pins et un ciel d'un bleu éblouissant. Les matins glacés, ils broutent au milieu de nuages de vapeur et laissent derrière eux un doux parfum de cuir. Le brouillard de leurs corps se déplace avec eux, mais leur odeur peut stagner des heures durant, suspendue, invisible, au-dessus d'empreintes de sabots enchevêtrées, et parfois, sur un chemin de gravier ou une piste jonchée de feuilles, où aucune trace n'apparaît, on entre dans une poche d'air aux émanations de gibier et se trouve soudain environné par l'essence du cheval sauvage.

Du printemps à l'automne, les chevaux vivent sans aide humaine, pataugent dans les étangs et broutent les buissons, les branches d'arbre, le lichen et l'herbe. La neige arrive à la mi-octobre et reste jusqu'en mai. En hiver, affamés, ils la grattent pour trouver de l'herbe sèche ou des pommes tombées, et des gardes forestiers montés peuvent leur fournir du foin et du sel. Dotés d'une musculature propice aux bonds et à la course, ils n'ont guère de graisse pour les isoler par grand froid, mais se couvrent d'un pelage hirsute qui s'emmêle facilement. C'est alors qu'ils ressemblent le plus aux chevaux peints sur les parois des grottes préhistoriques du sud-ouest de la France.

Quelle merveille de quitter le présent et de contempler ces chevaux venus du fond des âges paissant les prés en lisière de forêt, tout comme le firent des humains il y a plusieurs millénaires! Ce sont des équidés d'une beauté saisissante : gris-brun, la crinière noire et une bande noire sur le dos (il arrive qu'un poulain naisse avec une face et des fanons noirs, ainsi qu'une ou deux pattes zébrées). Bien qu'ils aient de longues oreilles et une épaisse encolure, ils sont minces et rapides. Contrairement aux chevaux domestiques, ils deviennent blancs en hiver, à la façon des hermines et des lièvres arctiques, ce qui leur permet de se confondre avec le paysage. Puis la glace forme des perles dans leurs queues et leurs crinières drues, et quand ils frappent le sol leurs sabots créent des plaques de neige. Le climat rigoureux et un régime frugal ne les empêchent nullement de s'épanouir, et même s'ils se battent avec férocité, montrant les dents et balançant le cou, les étalons guérissent très vite. « Ils se meuvent dans un monde plus ancien et plus complet que le nôtre, écrit Henry Beston dans *The Outermost House* à propos des animaux sauvages, dotés de sens très développés que nous avons perdus ou n'avons jamais possédés, percevant des voix que nous n'entendrons jamais. »

À Białowieża, on rencontre aussi des aurochs reconstitués, gibier préféré de Jules César qui, rentré à Rome, les décrivit à des amis comme de sauvages taureaux noirs « un peu plus petits que des éléphants », forts et rapides. « Ils n'épargnent ni homme ni bête, écrivit-il. On ne peut les contraindre à supporter la vue des humains, ni les domestiquer, même en les prenant jeunes. » Il semble que les hommes de la Forêt-Noire s'entraînaient strictement à chasser les aurochs mâles (ils n'inquiétaient pas les femelles, afin de ne pas gêner la reproduction), et ceux « qui en ont tué beaucoup – les cornes sont exposées publiquement, en guise de preuve – reçoivent de grands honneurs. Les cornes [...] sont très recherchées ; une fois bordées d'argent [...] elles servent de coupes lors des festins ». Quelques-unes de ces cornes à bout d'argent sont conservées dans des musées. Mais, en 1627, les derniers aurochs authentiques disparurent.

Néanmoins, tarpans, bisons et aurochs vivent ici, parcourant la réserve naturelle bien gardée à la frontière de la Pologne et de la Biélorussie, lieu prisé des rois depuis le xve siècle, territoire de magie et de monstres qui a inspiré de nombreux contes et mythes européens. Casimir IV trouvait la région si enchanteresse qu'il y passa sept années (entre 1485 et 1492) : il habitait une humble maison de forestier et dirigeait les affaires de l'État depuis son domicile sylvestre.

Qu'y a-t-il de si impressionnant dans ce paysage pour qu'il ait fasciné des personnes de maintes époques et cultures, y compris Lutz Heck, Göring et Hitler ? D'abord, il abrite des chênes vieux de cinq siècles, ainsi que d'immenses pins, épicéas et ormes qui se dressent comme des citadelles de plusieurs dizaines de mètres. Il s'enorgueillit de posséder douze mille espèces d'animaux, des protozoaires unicellulaires à des mammifères tels que le sanglier, l'élan, le loup et le lynx ; et, bien sûr, il y a les troupeaux d'aurochs, de tarpans et de bisons. Castors, martres, belettes, blaireaux et hermines peuplent les étangs et marais, tandis que les aigles partagent le ciel avec les chauves-souris, les autours, les hulottes et les cigognes noires. Il est plus probable de croiser là des élans que des humains. L'air sent les aiguilles de pins et de sapins, la sphaigne et la bruyère, les baies et les champignons, les prés marécageux et la tourbe. Il est peu étonnant que la Pologne ait choisi cette réserve comme son seul monument national naturel, et qu'elle mérite en outre de figurer au patrimoine mondial de l'humanité.

Fermée aux chasseurs, aux bûcherons et aux véhicules motorisés quels qu'ils soient, la réserve est le dernier refuge d'une faune et d'une flore uniques. Des gardes du parc national conduisent de minuscules groupes de marcheurs sur des chemins définis, où jeter des détritus, fumer et parler à voix haute est proscrit. Il ne faut rien ramasser, pas même une feuille ou une pierre en souvenir. Tout signe d'activité humaine, en particulier le bruit, est évité au maximum ; dans le parc, les gardes utilisent des charrettes, scient à la main les arbres tombés et emploient des chevaux pour les dégager.

Dans ce qui est appelé la « réserve stricte », on voit beaucoup d'arbres tombés, morts et pourrissants ; cela peut paraître étrange, mais ils constituent l'ossature et la grande force de la forêt, raison pour laquelle les écologistes défendent vigoureusement ce bois mort. Les arbres abattus par le vent et en cours de décomposition abritent en effet une vie fourmillante : 3 000 espèces de champignons, 250 espèces de mousses, 350 espèces de lichens, 8 791 espèces d'insectes, de mammifères et d'oiseaux. Des guides et un musée équipé de maquettes présentent l'écologie et l'histoire du parc, mais peu de visiteurs mesurent combien les lieux plaisaient à la fois au romantisme et au racisme nazis.

Quand le crépuscule descend sur les marais de Białowieża, des centaines d'étourneaux s'envolent de concert et forment une grande cheminée, puis viennent se poser pour la nuit parmi les herbes des étangs. Leur spectacle m'évoque l'affection que leur portait Antonina, le surnom de Magdalena, ainsi que Lutz Heck, qui aimait « le petit étourneau lustré, vert, chatoyant, [qui] gazouille sa petite chanson, bec grand ouvert, son petit corps véritablement secoué par la puissance de ses propres notes ». Ironie de l'histoire, les expériences de reproduction et d'eugénisme qui prospérèrent avec les ambitions d'Heck, l'appétit de gibier de Göring et la philosophie nazie contribuèrent à sauver quantité de plantes rares et d'animaux menacés de disparition.

Amers, à juste titre, quant aux liens et motifs nazis des frères Heck, des patriotes polonais n'ont pas manqué de soutenir que ces animaux ressemblent certes à leurs lointains ancêtres mais sont néanmoins des contrefaçons. Le clonage n'existait pas à l'époque des Heck, sinon ils s'en seraient emparés. Certains zoologistes, qui préfèrent parler de « pseudo-aurochs » et de « pseudo-tarpans », les associent à un programme politique. Dans *Aurochs, le retour… d'une supercherie nazie* (1999), le biologiste Piotr Daszkiewicz et le journaliste Jean Aikhenbaum dépeignent les Heck comme des falsificateurs qui ont monté une gigantesque mystification nazie – créant une nouvelle espèce, non pas ressuscitant une espèce éteinte. Herman Reichenbach, auteur d'une critique dans *International Zoo News*, soutient que le livre de Daszkiewicz et Aikhenbaum est peu étayé et relève pour l'essentiel de « ce que les Français appellent polémique et les Américains un démolissage », mais « les Heck le méritent sans doute ; après la guerre, tous deux n'étaient en rien naïfs à propos de leurs relations avec la dictature nazie [...] Recréer un environnement germanique ancien (dans l'enceinte du parc) se rattachait autant à l'idéologie nazie que la reconquête de l'Alsace ».

Reichenbach prête toutefois un rôle important aux créations des Heck : « Elles peuvent aider à préserver un cadre naturel diversifié de forêts et de prairies [...] En tant que bovin sauvage, l'aurochs pourrait aussi étendre le patrimoine héréditaire d'un animal domestique qui s'est appauvri génétiquement au cours des dernières décennies. Tenter de reconstituer l'aurochs était peut-être une folie, mais ce n'était pas un crime. » Le professeur Z. Pucek de la réserve naturelle de Białowieża dénonce le bovin des Heck comme « la plus grande tromperie scientifique du XXe siècle ». La controverse continue donc, la question est débattue dans les journaux et sur Internet, avec un passage de l'Américain C. William Beebe souvent cité à l'appui. Dans *The Bird : Its Form and Function* (1906), Beebe écrivit : « La beauté et le génie d'une œuvre d'art peuvent être conçus de nouveau, même si sa première expression matérielle a été détruite ; une harmonie disparue peut continuer d'inspirer le compositeur ; mais, lorsque le dernier individu d'une espèce vivante a rendu l'âme, il faut qu'un autre ciel et une autre terre passent avant qu'un tel être puisse exister de nouveau. »

Il y a de nombreuses formes d'obsessions, les unes diaboliques, les autres fortuites. Quand on se promène à travers la richesse de Białowieża, on ne devinerait jamais l'influence qu'elle a eue sur les ambitions de Lutz Heck, le sort du zoo de Varsovie et l'opportunisme altruiste de Jan et Antonina, qui ont exploité l'intérêt obsessionnel des nazis pour les animaux préhistoriques et une forêt primitive afin de sauver une foule de voisins et d'amis en danger de mort.

*

Varsovie est aujourd'hui une ville spacieuse, verdoyante, avec de larges étendues de ciel, où des avenues descendent vers le fleuve, les ruines se mêlent aux nouveaux bâtiments et de vieux arbres immenses apportent ombre et parfums. Dans le quartier du zoo, le parc Praski abonde toujours en tilleuls à la senteur sucrée et, l'été, en abeilles butineuses ; sur l'autre rive, où se dressait jadis le ghetto juif, un parc de châtaigniers entoure une place et un monument austère. Après l'effondrement du communisme en 1989, manifestant un humour caractéristique, les Polonais ont installé le ministère de l'Éducation dans l'ancien QG de la Gestapo, le ministère de la Justice dans celui du KGB, la Bourse dans l'ancien siège du Parti communiste, etc. Mais l'architecture de la vieille ville est une splendeur visuelle, reconstruite après la guerre dans le style gothique, fondé sur les dessins et peintures que fit au XVIIIe siècle le Vénitien Bernardo Bellotto – prouesse orchestrée par Emilia Hizowa (qui inventa les cloisons coulissantes de Zegota). Certains immeubles comprennent, en incrustation dans leurs façades, des décombres de la ville bombardée. Des dizaines de statues et de monuments ornent les rues, car la Pologne est un pays à moitié enseveli sous son passé ponctué d'invasions, nourri par le progrès mais toujours partiellement en deuil.

Sur les traces d'Antonina depuis l'appartement du centre où elle logea lors du siège de Varsovie, j'ai suivi la rue Miodowa, franchi l'ancien fossé et avancé entre les murs de briques effrités qui ceignent la vieille ville. Quand on pénètre dans cet univers dense de maisons contiguës, les semelles glissent sur les pavés et le corps doit sans cesse rétablir un

296

équilibre fragile jusqu'à ce que les pierres, polies par des siècles de passages, deviennent plus grosses. Lorsqu'ils ont rebâti la ville après-guerre, les urbanistes ont utilisé autant de pierres d'origine que possible, et dans *La Rue des Crocodiles*, le contemporain d'Antonina Bruno Schulz décrit la même mosaïque de pavés qui couvre aujourd'hui le sol : « certains roses comme la peau humaine, d'autres dorés ou bleus, tous plats, chauds, veloutés comme autant de visages solaires, piétinés par les pas des promeneurs au point de devenir méconnaissables, doucement inexistants ».

Dans ces rues étroites, les lampadaires électriques (jadis des becs de gaz) pointent aux angles et les fenêtres à double guillotine restent ouvertes comme sur un calendrier de l'Avent. Des gouttières noires emboîtées soulignent les toits ocre-brun, certains murs stuqués dont la peinture s'est écaillée révèlent leur structure en brique rouge vif.

J'ai descendu l'ulica Piekarska (la rue des Boulangers), où les pavés dessinent des éventails et des tourbillons telle une rivière pétrifiée, puis j'ai tourné à gauche dans l'ulica Piwna (la rue de la Bière), remarquant au passage une niche sur une façade contenant un saint en bois entouré de fleurs. J'ai laissé derrière moi Karola Beyera, le club des numismates, et trois portes basses menant à des cours, puis j'ai franchi un angle et débouché sur la vaste place du marché. Au début de la guerre, quand Antonina y faisait ses courses, peu de vendeurs se risquaient là, les magasins d'ambre et d'antiquités demeuraient fermés, les maisons aristocratiques étaient closes et le perroquet diseur de bonne aventure des années 1930 avait disparu.

Quittant la place, j'ai marché vers les vieilles fortifications en direction de la fontaine la plus proche, longeant un mur courbe, noir de suie, jusqu'aux tours médiévales pourvues d'échauguettes et de meurtrières où se postaient jadis les archers. En été, les seringats qui bordent cette promenade sont couverts de fleurs blanches et pleins de grosses pies. Frémissants au-dessus du mur, les feuillages des pommiers cherchent le soleil. Par l'ulica Rycerska (la rue du

Chevalier), je suis arrivée sur une petite place, près d'une colonne noire ornée d'une sirène brandissant une épée – le symbole de Varsovie. Antonina aurait pu, me semble-t-il, s'identifier à cette chimère : une gardienne moitié femme, moitié animal. De part et d'autre de la colonne, un dieu barbu crache de l'eau, et il est facile d'imaginer Antonina posant son panier, inclinant une cruche sous le jet et patientant alors que la source gargouillante jaillit de terre.

Note de l'auteur

Gardiens de zoo chrétiens horrifiés par le racisme national-socialiste, Jan et Antonina Żabiński réussirent à sauver plus de trois cents personnes condamnées en tirant profit de l'intérêt obsessionnel des nazis pour les animaux rares. Leur histoire a sombré dans l'abîme du passé, comme il arrive parfois aux actes d'un dévouement exemplaire. Mais, dans la Pologne en guerre, où le simple fait de donner un verre d'eau à un juif assoiffé était un geste punissable de mort, leur héroïsme apparaît d'autant plus saisissant.

Pour raconter leur histoire, j'ai puisé dans une riche bibliographie, et avant tout dans les mémoires («fondés sur mes journaux intimes et mes notes éparses») de «la femme du gardien de zoo», Antonina Żabińska, dont émane le charme sensuel du zoo; les livres autobiographiques de ses enfants, par exemple *La Vie au zoo*; les livres et souvenirs de Jan Żabiński; enfin, les interviews que Jan et Antonina donnèrent à des journaux polonais, hébreux et yiddish. Chaque fois que j'ai affirmé: Antonina ou Jan «pensait», «se demandait», «sentait», je me référais à leurs écrits ou à leurs interviews. Je me suis également appuyée sur des photos de famille (grâce à elles, je sais que Jan portait sa montre au poignet gauche et qu'Antonina aimait beaucoup les robes à pois); des conversations avec leur fils Ryszard, diverses personnes au zoo de Varsovie et des Varsoviennes qui vécurent à la même période qu'Antonina et furent aussi membres de la Résistance; des écrits de Lutz Heck. M'ont servi aussi des objets vus dans des musées, comme le spectaculaire musée de l'Insurrection de Varsovie et l'éloquent musée de l'Holocauste à Washington ; les archives du Musée zoologique polonais ; les mémoires et lettres réunis par un groupe secret d'archivistes pendant la guerre, qui cachèrent (dans des caisses et des bidons à lait) des documents aujourd'hui conservés à l'Institut historique juif de Varsovie ; des témoignages apportés dans le cadre de l'unique distinction par Israël des « Justes parmi les nations » et du magnifique « Shoah Project » ; des lettres, journaux intimes, sermons, mémoires, articles et autres écrits de citoyens du ghetto de Varsovie. Je me suis penchée sur la manière dont les nazis espéraient non seulement dominer les nations et les idéologies, mais aussi transformer les écosystèmes du monde en exterminant certaines espèces indigènes de plantes et d'animaux – sans compter les êtres humains – tout en déployant d'énormes efforts pour protéger d'autres animaux et habitats, voire pour ressusciter des espèces disparues, comme l'aurochs et le bison des forêts. J'ai consulté des guides de la faune et de la flore polonaises (explorer la nature m'a causé bien des surprises !) ; des guides des coutumes, de la cuisine et du folklore polonais ; des ouvrages consacrés aux scientifiques, aux médicaments, aux armes nazies et à d'autres thèmes encore. J'ai eu grand plaisir à me documenter sur le hassidisme, la kabbale, le mysticisme païen du début du XXe siècle ; sur les racines du nazisme dans l'occultisme ; également sur des sujets concrets comme l'histoire politique et sociale polonaise et les abat-jour de l'époque dans les régions baltiques.

Je suis redevable au savoir de mon inestimable conseillère polonaise, Magda Day, qui a passé les vingt-six premières années de sa vie à Varsovie, et à sa fille, Agata M. Okulicz-Kozaryn. Lors d'un voyage en Pologne, j'ai recueilli des impressions dans la forêt de Białowieża et au zoo de Varsovie même, où j'ai fainéanté, flâné autour de la vieille villa puis marché sur les traces d'Antonina dans les rues voisines. Je suis tout particulièrement reconnaissante au Dr Maciej Rembiszewski, actuel directeur du zoo de Varsovie, et à sa femme, Ewa Zabonikowska, pour leur générosité de temps et d'esprit, ainsi qu'aux employés du zoo pour leurs connaissances, leurs ressources et leur accueil. Je remercie également Elizabeth Butler pour son assistance infatigable et toujours optimiste, et le professeur Robert Jan van Pelt pour ses critiques minutieuses.

C'est un chemin très personnel qui m'a menée à cette histoire, comme à chacun de mes livres: mes grands-parents maternels venaient de Pologne. J'ai été intimement influencée par les descriptions de la vie quotidienne polonaise de mon grand-père, qui avait grandi à Letnia, dans la banlieue de Przemyśl, et en était parti avant la Seconde Guerre mondiale, et de ma mère, dont certains parents et amis vécurent dans la clandestinité ou dans les camps. Mon grand-père, qui habitait une petite ferme, narrait des contes populaires transmis de génération en génération.

L'un d'eux parle d'un village où un petit cirque venait de perdre son lion. Le directeur du cirque demanda à un vieux juif pauvre s'il voulait bien jouer le rôle du lion, et l'homme accepta parce qu'il avait besoin d'argent. Le directeur expliqua : «Il vous suffit de porter la fourrure du fauve et de rester assis dans la cage; les gens vous prendront pour un lion.» Le vieil homme obéit, se murmurant à lui-même: «Quels métiers bizarres j'ai faits dans ma vie», lorsqu'un bruit interrompit soudain ses pensées. Il se tourna juste à temps pour voir un autre lion pénétrer dans sa cage et fixer sur lui un regard affamé. Tremblant de peur, ne sachant comment sauver sa peau, l'homme fit la seule chose qui lui vint à l'esprit : il se mit à vociférer une prière hébraïque. À peine eut-il prononcé les premiers mots de désespoir, *Shema Yisroel* (Entends ô Israël), que l'autre lion continua avec lui, *adonai elohenu* (le Seigneur notre Dieu), et les deux prétendus lions finirent la prière ensemble. Je n'aurais pas pu imaginer à quel point ce conte populaire trouverait un écho dans mon récit historique.

*Cet ouvrage a été composé
par Atlant'Communication
au Bernard (Vendée)*

Impression réalisée par

*La Flèche (Sarthe)
en décembre 2015
pour le compte des Éditions de l'Archipel
département éditorial
de la SAS. Ériture-Communication*

Imprimé en France
N° d'impression : 3014359
Dépôt légal : janvier 2016